Klaus Viedebantt

Australien

D0306328

VISTA ✷ POINT

Australien

Indian Ocean

Timor Sea

Cartier I.

Melville I.
Bathurst I.
Darwin
Litchfield Park

Joseph Bonaparte
Gulf

Browse I.

Ka...
Nationa...

Kimberley   Wyndham
Plateau   Kununurra   Gregory
Drysdale River   National...
National Park   Purnululu   Victoria River
                National Park   Downs
                (Bungle Bungle)
Derby   Kalkarindji
Broome   Geiki Gorge Fitzroy   Halls Creek
                National Park Crossing
Eighty Mile
Beach

Port
Hedland

Monte Bello I.
Dampier   Roebourne   Marble
Exmouth   Millstream   Bar
Cape Range   Chuichester   Wittenoom   Rudull River
National Park   National Park   National Park
                                Newman
Ningaloo Reef   Ashburton
Minilya   Karijini
               National Park
Kennedy Range
National Park
Carnarvon   Gascoyne
Monkey Mia
Dirk Hartog I.   Robinson   Ranges
                Collier Range
                National Park
Meekatharra
Murchison   Wiluna

Great
Sandy Desert

The Gran...
N O...
T E...
Lake
Mackay
Gibson   Watarrka
Desert   (Kings
Lake   Canyon)   Glen H...
Disappointment
Kata Tjuta/   Lake
(Mt. Olga)   Ama...
Uluru
(Ayers   Ayers R...
Rock)   Resort
867

Lake Carnegie

WESTERN   AUSTRALIA

Great
Victoria
Desert

S...
AUS...

Kalbarri
National Park
Northampton
Houtman
Abrolhos   Geraldton

Big Bell   Mt. Magnet

Yalgoo   Lake
         Barlee
Lake Moore

Leonora

Lake
Rason

Nullarbor   Plain

Ooldea

Hughes
Nullarbor
National Par...
Eucla   Fowle...

Nambung
National Park
(Pinnacles)   Wubin
              New Norcia
Perth
Fremantle   York
Bunbury   Wave Rock
Busselton   Wagin
C. Leeuwin   Pemberton
D'Entrecasteaux
National Park   Albany

Northam
Coolgardie
Johnston
Lakes
Hanns Track
National Park
Ravensthorpe
Fitzgerald
National Park

Kalgoorlie
Indian Pacific Railroad   Forrest

Balladonia
Norseman   Eyre
Esperance   Cape Arid
            National Park

Tropic of Capricorn

Great Australian Bigh...

Indian Ocean

N

500 km

Eine Fly-and-Drive-Route zu den Highlights Australiens
Durch den Südwesten von Western Australia
Über die Bass Strait nach Tasmanien

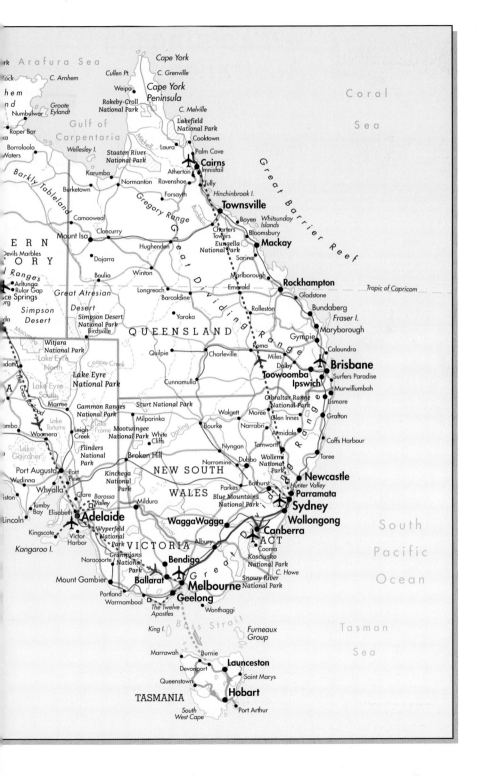

1 Willkommen in Australien

Der ganz andere fünfte Kontinent

Gewiß, hierzulande glaubt kaum noch jemand, daß in Australien die Känguruhs durch die Straßen von Sydney hopsen und die kreuzworträtsel-prominenten Emus die Vorgärten von Melbourne unsicher machen. »Lernt ihr in der Schule Bumerangwerfen?« wurde meine irritierte australische Ehefrau von Bekannten ernsthaft gefragt. Noch vor zehn, 20 Jahren kursierten in Europa durchaus solche Vorstellungen vom fünften Kontinent – zumindest außerhalb Großbritanniens. Die Briten waren immer etwas besser informiert über ihre einstige Kolonie auf der entgegengesetzten Seite des Globus. Heute wissen auch die Kontinentaleuropäer mehr über

den fernsten aller Erdteile, da alljährlich Hunderttausende Deutsche, Österreicher und Schweizer, Franzosen und Italiener ihre Ferien *down under* verbringen. Fernsehfilme haben fast alle Regionen des Landes vorgestellt, Hörfunk und Zeitungen berichten zwar nicht kontinuierlich, aber doch recht häufig über die Heimat der »Aussies«.

Australien ist dennoch ein überaus exotisches Reiseziel geblieben, und das nicht nur, weil die Flüge lang und deshalb teuer sind. »Warum wollt Ihr eigentlich nach Australien?« habe ich Freunde gefragt, die mich um Tips für ihre Reise baten. Es mangelte ihnen wahrlich nicht an Gründen: »Wir wollen den Ayers Rock in der Morgensonne betrachten und am Great Barrier schnorcheln« – »Wir wollen Koalas in Eukalyptusbäumen beobachten.« – »Wir wollen die Kultur der Aborigines kennenlernen.« – »Wir wollen vor der Oper in Sydney australischen Wein trinken.« – »Wir wollen in der Wüste unter freiem Himmel schlafen, mit dem Kreuz des Südens am Firmament.« – So oder ähnlich lauteten fast alle Antworten. Nur einige sagten auch: »Wir wollen einmal schauen, ob Australien wirklich das

Im Zentrum des fünften Kontinents ragt der Ayers Rock mit seinen 348 Metern unvermittelt aus der sandigen Ebene

Aufstieg auf den Ayers Rock, den heiligen Berg der Aborigines ▷

Tradition und Moderne: Sydney ist reich an Kontrasten

Land ist, in das wir gerne auswandern würden.« Reizvoll ist natürlich auch, daß Australien zwar ein weithin unbekanntes und sehr ungewöhnliches Land ist, daß es aber dennoch über eine funktionierende, westlich geprägte Infrastruktur verfügt. Es mangelt dort nicht an sicheren und komfortablen Unterkünften, an zuverlässigen Verkehrsverbindungen und an einer guten medizinischen Versorgung. »Australien ist Exotik pur – aber mit Wohlergehensgarantie«, las ich einmal in einem Reiseprospekt. Das ist etwas, wie so oft bei Werbesprüchen, übertrieben. Wer einmal im Outback festsaß, mit einem Geländewagen, dessen Räder trotz Allradantrieb im feinen Sand immer wieder durchdrehten, hat schnell begriffen, daß derlei Garantien bestenfalls entlang den gängigen Touristenpfaden einlösbar sind. Dennoch: Australien ist insgesamt ein wohlorganisiertes Stück Exotik in der Südsee, es ist zwar ganz anders, aber zugleich doch sehr vertraut.

Ersteres gilt vor allem für Australiens Landschaft und Natur. Sie sind – ein Blick in Reisekataloge beweist es – die Hauptattraktionen des Landes, vor allem die trocken-heiße Weite des »Roten Zentrums«, der feucht-heiße grüne Urwald im Norden und die spektakulären Küsten ringsum. Sie machen diesen Kontinent faszinierend und wirklich einzigartig.

Die Welt – ein Puzzlespiel

Australien verdankt seine landschaftlich charakteristischen Merkmale der »größten Schau auf Erden«, der Entstehung der Kontinente. Vor rund 200 Millionen Jahren begann diese Entwicklung, als sich die gesamte Landmasse unseres Planeten etwa in Äquatorhöhe teilte. Es bildeten sich zwei riesige Urkontinente, den südlichen nannten Wissenschaftler unserer Tage Gondwanaland. Namengeber war eine indische Provinz – in der Tat, Indien gehörte ebenso zu diesem gewaltigen Erdteil wie Südamerika und Afrika (die beide wie Puzzleteile zusammenzupassen scheinen), die Antarktis und Australien.

Vor rund 160 Millionen Jahren brach Gondwana auseinander, und die Landmassen schoben sich im Kriechgang über den Globus, um ihre heutige Position einzunehmen. Australien und die Antarktis trennten sich als letzte, erst vor etwa 60 Millionen Jahren. Damals waren der fünfte und der sechste Kontinent, heute die trockensten unter den Erdteilen, noch dicht bewaldet und mit einem gemäßigten Klima gesegnet; frühgeschichtliche Funde haben dies bewiesen. Die enge geologische Verwandtschaft der scheinbar völlig unterschiedlichen Kontinente Australien und Antarktis läßt sich auch an den Bergketten erkennen: Die Great Dividing Range an der australischen Ostküste setzt sich fort in den viel höheren, aber größtenteils mit Eis bedeckten Bergen der Antarktis.

Australien trieb nun, auf einer erheblich größeren Erdplatte gelegen, allmählich in Richtung Nordosten ab. Da es bald jegliche Verbindung zu anderen Landmassen verlor, begann eine ganz spezielle Ent-

Das grüne Australien – die Royal Botanic Gardens in Sydney

wicklung: In der völligen Isolation Australiens konnten sich Tier- und Pflanzenarten erhalten, die auf anderen Kontinenten fast völlig ausstarben. Das bekannteste Beispiel sind Känguruh & Co.: Die Beuteltier-Familie, die *marsupials*, besteht aus fast 250 verschiedenen Arten. Allein die Känguruhs bringen es auf 45 verschiedene Spezies, von den fast mannsgroßen roten und grauen Känguruhs über die kleineren Wallabies bis zu kleinen Tree Kangaroos, die, wie ihr Name sagt, auf den Bäumen leben. Die kleinsten Vertreter dieser auf langen Hinterbeinen hüpfenden Gattung sind nur 30 Zentimeter groß. James Cook, der erste Europäer an der australischen Ostküste, lieferte die erste Beschreibung des australischen Wappentiers:»... etwas kleiner als ein Windhund, mausfarben und sehr flink auf seinen Füßen«.

Nirgendwo auf der Welt findet man Verkehrsschilder, die gleichermaßen vor freilaufenden Kamelen, Wombats und Känguruhs warnen

Auch das andere Wappentier des Landes, der Emu, konnte sich in der langen erdgeschichtlichen Isolierung fast ohne natürliche Feinde entwickeln. Heute trifft man die großen Laufvögel, abgesehen von Tasmanien, überall im Landesinneren an. Bis zu 100 Kilometer legen die Emus pro Tag auf der Nahrungssuche zurück, im Notfall erreichen sie eine Spitzengeschwindigkeit von mehr als 60 Stundenkilometern. Noch ungewöhnlicher sind zwei unmittelbare Zeugen der Urzeit, das Schnabeltier und der Schnabeligel.

Säugetiere, die Eier legen?

Beide zählen zu den »Kloakentieren«, den einfachsten Formen der Säugetiere, die nur eine rückwärtige Körperöffnung für Exkremente und Geschlechtsorgane haben. Beide sind die einzigen Säugetiere, die Eier legen. Der Schnabeligel brütet seine Eier in einem Hautbeutel aus und säugt seine Jungen über zitzenlose Milchdrüsen. Die austretende Milch wird von den Jungtieren abgeleckt. Der Schnabeligel, in Australien *echidna* genannt, lebt hauptsächlich von Ameisen und Termiten, deren Baue er mit seinen kräftigen Klauen aufkratzt. Mit seiner im »Schnabel« verborgenen langen und klebrigen Zunge dringt er in den Bau ein und holt seine Beute heraus. Seine dem Stachelschwein ähnlichen Stacheln nutzt er wie ein Igel zum Schutz, er rollt sich zusammen. Der *echidna* besitzt aber auch eine an Zauberei grenzende

Fähigkeit: Binnen Sekunden kann er sich fast senkrecht ins Erdreich einbuddeln.

Mit seinem einzigen Verwandten, dem Schnabeltier, hat der Schnabeligel äußerlich so gut wie nichts gemeinsam. Das in Australien *platypus* genannte Schnabeltier ist in jeder Hinsicht ungewöhnlich. Es hat einen Körper wie ein schlanker Biber mit Pfoten

Australiens Fauna: Die Känguruhs sind mit 45 verschiedenen Arten präsent ...

wie ein Maulwurf und einen breiten Entenschnabel. Seine Heimat sind saubere Gewässer an der Ostküste zwischen Cooktown und Tasmanien, wo es Höhlen in die Uferböschungen gräbt. Dort legt er seine zwei bis drei Eier ab, und wenn die Jungen geschlüpft sind, werden sie wie die des Schnabeligels gesäugt. Unter dem Fell des *platypus* verbirgt sich eine weitere Besonderheit, ein Giftsporn an den Hinterpfoten, mit dem er sich seiner Feinde erwehrt. Manch allzu neugieriger Mensch mußte sich schon mit schmerzhaften Schwellungen zurückziehen.

Gemessen an dem reichen und urtümlichen Tierleben ist die Flora Australiens etwas bescheidener, aber auch hier finden sich Pflanzen, die kaum verändert seit der Entstehung Australiens vor allem im Outback wachsen: Grasbäume und Flaschenbäume. Letztere, die Boabs, sind mächtige graue Gewächse mit manchmal flaschenförmigen, oft tonnenartigen Stämmen, in denen sie Wasser für Trockenzeiten speichern. Ähnliche Bäume wachsen auch in Afrika. Von ganz anderer Art sind die Grasbäume, die so aussehen, als habe auf einem von Buschfeuern geschwärzten Palmenstrunk ein Tropengrasbüschel sein Auskommen gefunden. Die Bäume sind meist sehr alt. Da sie im Jahr bestenfalls drei Millimeter wachsen, kann man ihr Alter leicht nachmessen. Grasbäume werden bis zu sechs Meter hoch und sind dann rund 2000 Jahre alt – Zeugen der Urzeit.

Es war schon ein recht wüstes Land, auf das die ersten Weißen stießen. Anscheinend hatte die Erde hier ihre Entwicklungsarbeit gerade erst aufgenommen. Selbst der für alles Neue offene Naturwissenschaftler Charles Darwin schrieb nach einem Besuch Australiens: »Ich verlasse deine Gestade ohne Trauer und Bedauern.« Etwa zur gleichen Zeit berichtete der Geistliche John Morrison: »Die Vergleichbarkeit des äußeren Umrisses von Australien mit der Form eines Kuhfladens ... ist kein schlechtes Bild.« Daß dieses heiße und unwirtliche Land voller Reichtümer wie Gold, Diamanten und andere Bodenschätze steckte, wurde erst später entdeckt; daß Australiens Naturschönheiten Menschen aus allen Winkeln der Welt anlocken, ist eine Entwicklung der jüngsten Zeit.

Knapp 7,7 Millionen Quadratkilometer groß ist der Kontinent, etwa ebenso groß wie die USA ohne Alaska, Deutschland würde fast 22 mal auf die australische Landfläche passen. Mit einer durchschnittlichen Höhe von 300 Metern ist Australien der flachste aller Kontinente, der höchste Gipfel des Landes, der Mount Kosciuszko in New South Wales, ist mit 2228 Metern auch nicht sonderlich beeindruckend. Die Küstenlinie des Kontinents ist gut 47000 Kilometer lang – das ist länger als der Erdumfang. Dabei wurden allerdings jede Bucht und jede Insel vermessen. Wer Australien mit einem Boot umrunden will, wird nach etwa 18 500 Kilometern wieder am Startpunkt seiner Reise eintreffen.

... die farbenprächtigen Papageienvögel sogar mit 60 unterschiedlichen Spezies

Zwischen heißem und kaltem Regenwald

Das so umzirkelte Land steckt voller Extreme. Australiens nördlichste Spitze, Cape York in Queensland, ist nur 1200 Kilometer vom Äquator entfernt. Zwischen dem südlichsten Flecken, dem South East Cape auf Tasmanien, und der Antarktis liegen etwa 2600 Kilometer offene See. Der Norden hat folglich tropisches Klima mit einer ausgeprägten Regenzeit (Ende November bis Ende März), auch schwere

Wirbelstürme sind in dieser Zeit durchaus nicht ungewöhnlich. Da es also nicht an Wasser mangelt, wuchert im Norden ein tropischer Regenwald. Ganz anders sieht es im Süden aus. Dort toben die starken Winde der *Roaring Forties*, des Sturmsystems am 40. Grad südlicher Breite. Das Klima ist kühl und regenreich, frostig allerdings nur, wenn die Kaltluftfronten direkt vom Südpol heranziehen. Dieses Wetter begünstigt die dichten Regenwälder, die auf Tasmanien wachsen – Gebiete, die teilweise wohl noch nie von einem Menschen betreten wurden.

Australiens östlichster Festlandspunkt, Cape Byron in New South Wales, hat das angenehmste Klima aller »Eckpunkte« des Kontinents, folglich ist es auch ein beliebter Ferienort. Sehr viel typischer ist hingegen die westlichste Landspitze, Steep Point in Western Australia. Sie liegt am Rand einer ausgedehnten Wüste, in der kaum Menschen leben – eine Beschreibung, die für einen großen Teil Australiens passen könnte. Mehr als 1,5 Millionen Quadratkilometer sind Wüste, das entspricht rund 20 Prozent

In den regenreichen Regionen von Victoria und Tasmanien finden die Farne ideale Wachstumsbedingungen

der gesamten Landfläche. Weitere 45 Prozent des Landes sind Trockengebiete mit weniger als 300 Millimetern Regen im Jahr. Das ist natürlich ein statistischer Durchschnittswert, der sich aus höchst unausgeglichenen Wetterverhältnissen ergibt. Auf ordentliche Wolkenbrüche können Jahre folgen, in denen kein Tropfen Regen fällt. Zum Vergleich der Rekord-Regenfall: 1979 wurden in Bellenden Ker im Bundesstaat Queensland 11 251 Millimeter Niederschläge gemessen. Das entspricht rund zwei Millionen Liter Wasser, die auf jedes Hausdach niedergeprasselt sind. Viele andere Gebiete wären froh, wenn sie nur ein paar Tropfen davon abbekommen hätten ...

Die größte Wüste Australiens ist mit 414 000 Quadratkilometern die Great Sandy Desert in Western Australia, die mehr als sechsmal so groß ist wie Tasmanien. Nicht allzu weit von dieser Wüste entfernt wurde auch die Rekordhitze Australiens gemessen. In Marble Bar im Bundesstaat Western Australia sanken die Temperaturen vom Oktober 1923 bis zum April 1924 für 161 Tage nicht unter 37,8 Grad Celsius oder 100 Grad Fahrenheit – damals wurde in Australien noch in Fahrenheit gemessen. 1889 wurden in Cloncurry in Queensland an einem Januartag sogar umgerechnet 53,1 Grad Celsius verzeichnet. Im Gegensatz dazu die niedrigste je in Australien gemessene Temperatur: minus 22,2 Grad Celsius auf Charlotte Pass in den Bergen von New South Wales. Exakt dieser Rekord wurde sogar zweimal gemessen, 1945 und 1947.

Kennzeichnender als Schnee und Kälte ist für Australien allerdings die Sonne, die über dem dünn besiedelten Land und seiner relativ sauberen Atmosphäre besonders heftig vom Himmel brennt. Für die meisten Aussies waren die Strahlen stets ein Himmelsgeschenk, dessen sie sich mit stundenlangen Sonnenbädern ausgiebig bedienten. Erst als sich in den letzten Jahrzehnten die Fälle von Hautkrebs besonders stark vermehrten, lernten die Einheimischen die Segnungen des Schattens schätzen. Grund ist das Ozonloch über dem Südpol, das sich seit einigen Jahren stetig vergrößert und inzwischen auch den Süden Australiens überzieht. Durch Abgase hat sich die natürliche Ozonschicht so stark ver-

Atherton Tableland: Die tropischen Regenwälder im nördlichen Queensland sind reich an Wasserfällen ▷

dünnt, daß sie nicht mehr wie bisher die gefährlichen und schädlichen ultravioletten Strahlen herausfiltern kann.

Inzwischen nehmen die Australier diese Gefahr aus dem All sehr viel ernster, sie haben sogar Kleidungsstücke entwickelt, die UV-Strahlen automatisch absorbieren. Eine Gefahr für Touristen stellen diese aggressiven ultravioletten Strahlen kaum dar, denn laut Medizinern sind sie wenig gefährlich, wenn man sich ihnen nur kurzfristig aussetzt. Allerdings werden ohnehin Sonnenhüte und Sonnencreme mit hohem Lichtschutzfaktor für *sunny Australia* empfohlen. ✦

Das Rainbow Valley südlich von Alice Springs ist nur mit Geländewagen zu erreichen

Landesspitzen

Offiziell ist der Mount Kosciuszko mit seinen 2 228 Metern der höchste Berg Australiens. Aber wenn man es ganz genau nimmt, gebührt der Spitzenrang dem 2 745 Meter hohen Mawson Peak. Er ist einer der Gipfel des Big Ben, eines aktiven Vulkans auf der entlegenen Heard Island im Indischen Ozean, etwa 4 100 Kilometer südwestlich von Perth. Die unbewohnte subantarktische Insel wurde gemeinsam mit den benachbarten McDonald Islands für die Liste des Weltnaturerbes der UNESCO angemeldet. Noch höher hinauf geht es auf dem Plateau in jenem Sektor, den Australien in der Antarktis beansprucht: Hier, gut 800 Kilometer vom Südpol entfernt, wurde eine Höhe von 4 270 Metern errechnet – aus der Luft, denn diese Region wurde noch nie von Menschen betreten.

Chronik der Geschichte Australiens

Die Urzeit und ihre Menschen

»Die Bewohner dieses Landes sind die erbärmlichsten Menschen auf Erden«, schrieb der britische Seefahrer William Dampier 1697 über Australiens Ureinwohner, die Aborigines. Der weitaus klügere und genauer beobachtende James Cook notierte 1770 in seinem Logbuch:»... sie mögen manchem als die elendsten Menschen der Welt erscheinen, aber in Wirklichkeit sind sie weitaus glücklicher als wir Europäer.« Aber vielen Europäern waren die tief dunkelhäutigen und kaum bekleideten Aborigines eher unheimlich, mit ihren gedrungenen Körpern und wulstigen Gesichtern galten sie den ersten Weißen in Australien eher als Tiere denn als Menschen, »zum Totschlagen häßlich«. So weit kam es dann auch oft, auf Tasmanien wurden die Aborigines sogar bei eigens organisierten Treibjagden gehetzt und ermordet; die wenigen Überlebenden solcher Massaker wurden auf eine kleine Insel verbannt, wo fast alle starben.

Erst in jüngster Zeit hat sich das Bild von den Aborigines gewandelt. Sie, die immerhin die älteste noch lebende Kultur geschaffen haben, werden zunehmend mit Respekt betrachtet, ihre perfekte Anpassung an die lebensfeindliche Umwelt wird bewundert, ihre Verknüpfung von Vergangenheit, Gegenwart und Zukunft von Esoterikern aus aller Welt erforscht. Tausend Jahre sind für sie wie ein Tag, zehntausend Jahre wie eine Stunde – Aborigines kennen keine Zeit, zumindest nicht die der Weißen, die von Terminen bestimmt und von Alltagsabläufen geregelt ist. Die Ureinwohner verstehen sich als ein integraler Bestandteil der Natur, die ihren Lebensrhythmus bestimmt. Sie lebten immer in Stammesgruppen und als Nomaden, zu Zeiten Cooks werden es etwa 500 Stämme mit fast ebenso vielen verschiedenen Sprachen gewesen sein. Insgesamt dürften damals rund 300 000 Aborigines in Australien beheimatet gewesen sein, heute

Holzplastik aus dem Norden Australiens: Die Aborigines-Künstler haben eine ausdrucksstarke Formensprache entwickelt

sind es wieder rund 180 000, Tendenz steigend. Vor mindestens 50 000 Jahren wanderten die Aborigines von Asien her in Australien ein, neuere Forschungen lassen vermuten, daß sie womöglich schon vor rund 70 000 Jahren kamen. Damals bestanden noch Landbrücken zwischen dem asiatischen Kontinent, den indonesischen Inseln, der Insel Neuguinea und Australien, zumindest waren nur kurze Meerespassagen zwischen diesen Inseln zu überwinden. Das schafften sie auch in den einfachen Einbaumkanus, mit denen sie vermutlich stattliche nautische Kenntnisse entwickelten. Sie besiedelten nämlich einen Großteil Australiens vom Meer her, indem sie mit ihren Kanus den Küstenlinien folgten. Heute sind diese Kenntnisse fast völlig verlorengegangen, und viele Aborigines meiden die offene See.

Aber auch über Land eroberten die Ureinwohner den menschenleeren Kontinent. Er war damals noch bewaldet und klimatisch wohltemperiert. Aus den Wanderungen quer durch das weite Land entstanden womöglich später die mythischen *songlines*, die in der mündlichen Überlieferung von Generation zu Generation weitergegeben wurden und die Verbindung zwischen den Stämmen und ihren Traditionen aufrechterhielten. Gemeinsam war und ist den Aborigines der Bezug auf die *dreamtime*. In dieser »Traumzeit« vereint sich die Vergangenheit mit der Gegenwart. Die Vermittlung geschieht durch die Ahnen, denen heilige Orte geweiht sind, wo sie Kontakt mit den Lebenden halten.

Viele dieser heiligen Orte stehen zudem in spiritueller Verbindung mit wundermächtigen Gottheiten, die von Stamm zu Stamm sehr verschieden waren, etwa die Regenbogenschlange im Landesinneren oder das Krokodil im Norden. Es gab aber nicht nur diese mythischen Pfade durch das Land; schon vor Eintreffen der ersten Weißen existierten Handelswege, auf denen beispielsweise farbige Erde für die Herstellung von Körperfarben für rituelle Feste transportiert wurde. Eine solche Ocker-Grube kann an der Stelle zwischen Alice Springs und Glen Helen besichtigt werden. Dort sind auf einer Schautafel auch die Handelspfade erklärt.

Wie die Tier- und Pflanzenwelt entwickelten sich die Menschen in der australischen Isolation, als vor etwa 12 000 Jahren mit dem Ende der Eiszeit der

Meeresspiegel wieder anstieg und die Landbrücken im Norden untergingen. Trotz der Aufheizung des Kontinents und des Absterbens vieler Tier- und Pflanzenarten gelang den Aborigines eine Anpassung an die veränderten Lebensbedingungen. Sie wurden zu »Meistern des Überlebens«, indem sie ein untrügliches Gespür für Wasser in der Wüste entwickelten und das karge Angebot an Nahrungsmitteln zu nutzen lernten. Diese Kenntnisse sind bei älteren Aborigines noch heute vorhanden, deshalb ist es ein besonderes Erlebnis, mit ihnen in den Busch zu ziehen. Bisweilen wird dies auch für Touristen angeboten.

Rosie, eine freundliche Großmutter aus der Nähe von Katherine, zeigte mir bei einer solchen Fahrt in die Steppe Stellen, wo ich Buschtomaten, Buschkirschen oder Buschbananen fand, Gewächse, die mit ihren bekannten Namensvettern nichts gemein haben, aber sättigend und teilweise sogar schmackhaft waren. Die Wichety Grubs, die sie aus den Wurzeln der Wichety-Büsche herausklopfte, sind gewiß nicht jedermanns Sache. Glücklicherweise kannte ich die fetten weißen Maden bereits und wußte, daß sie gut gegrillt durchaus eßbar sind und wie gegartes, festes Eiweiß mit Nuß schmecken. Man muß die Würmchen ja nicht wie die Einheimischen roh verspeisen.

Zu einem Corroboree, einem Treffen, legen die Aborigines die traditionelle Körperbemalung aus Erdfarben an und tragen besondere Kleidung

17

Neu war mir hingegen die *bush soap* von einem Gebüsch, dessen Blätter eine Feuchtigkeit absondern, die als Seifenersatz dienen kann. Total verblüffte mich Rosie schließlich, als sie mich mitten in der trockenen Steppe zu einem Flecken voll satten Grüns führte. »Hier ist Wasser«, sagte sie. Woher sie das denn wisse, fragte ich sie voller Bewunderung. Ihre Antwort: »Hier verläuft die Wasserleitung nach Katherine.«

Kunst mit Röntgenblick

Vor rund 5 000 Jahren, als in Ägypten die Pyramiden entstanden, blickten die australischen Aborigines auf Felsenzeichnungen, die schon damals Tausende von Jahren alt waren. Die ältesten Felsritzungen dieser Kultur wurden mit speziellen Strahlenmeßtechniken auf ein Alter von rund 30 000 Jahren datiert. Kurioserweise haben die Aborigines-Künstler in Nordaustralien, vor allem in Arnhemland, schon vor Jahrtausenden einen »Röntgenstil« entwickelt – fast möchte man meinen, daß sie sich bereits damals die Wirkung radioaktiver Strahlen dienstbar machten. Die Bilder zeigen insbesondere Tiere nicht nur in ihren äußeren Umrissen, sondern auch mit einigen inneren Organen oder mit einer Wirbelsäule.

Einige der Felsmalerei-Galerien im Norden sind bereits 18 000 Jahre alt, Felsüberhänge und Naturfarben, die im Stein chemische Prozesse auslösten, haben sie vor Verwitterung geschützt. Forscher halten es für möglich, daß die Aborigines dieser Region bereits vor 40 000 Jahren solche Malereien angelegt haben. Besonders schöne und leicht erreichbare Felsgalerien sind im Kakadu-Nationalpark bei Darwin zu besichtigen *(Bild oben: Einer der »Lightning Men« bei Katherine)*.

Die Aborigines im tropischen Norden bieten eine weitere Besonderheit: Hier malten die Künstler nicht nur auf Steinen, sondern auch auf Baumrinden, die glatt gespannt und getrocknet wurden. Diese Technik wird auch heute noch angewandt, die Bilder sind dementsprechend teuer. Die meisten heutigen Aborigines malen jedoch auf Karton oder Leinwand; Kunstzentren helfen ihnen dabei nach Materialien und mit der Vermarktung ihrer Werke.

Im trockenen Landesinneren entwickelten die Aborigines mangels Bäumen keine Rindenkunst, ihre Malerei geht meist auf Muster zurück, die bei rituellen Festlichkeiten im sandigen Boden eingeritzt und mit Steinen, Farben und Federn ausgelegt wurden. Diese Bilder sind weitaus abstrakter als die relativ realistischen Zeichnungen der Ureinwohner im Norden. Im Zentrum besteht die Kunst fast ausschließlich aus Linien, Schraffuren und zahllosen Punkt-Mustern.

Die einstigen Erdfarben, meist in den Tönen Schwarz, Ocker und Gelb gehalten, sind heute leuchtenden Acrylfarben gewichen. Mit der Neuentdeckung der Kultur der Aborigines in den 80er Jahren etablierten sich auch zahlreiche Spezialgalerien für diese Kunstgattung. Die wichtigsten Aborigines-Künstler sind inzwischen in allen großen Museen des Landes vertreten. Gute Aborigines-Kunst ist folglich mittlerweile recht teuer. Allen diesen großen Werken ist gemeinsam, daß sie auf ein *dreaming* zurückgehen, auf ein spirituelles Erlebnis – wobei es sich durchaus nicht immer um das *dreaming* des Künstlers selbst handeln muß.

Australien wird Kolonie

Mit Ankunft der Weißen änderte sich auch für die Aborigines ihr Leben mehr als in all den Jahrtausenden zuvor. Die Landungen blieben zunächst noch folgenlos, weil die Niederländer an der australischen Westküste und im Norden nichts Lohnenswertes entdecken konnten: 1606 ging Willem Jansz als vermutlich erster Europäer an der Nordküste Queenslands an Land, 1616 hinterließ sein Landsmann Dirk Hartog in »Neu Holland« an der Westküste einen Zinnteller. Abel Janszoon Tasman stieß 1642 auf Van Diemen's Land, das heutige Tasmanien. Erster Brite auf australischem Boden war 1688 der schon zitierte William Dampier. Alle warnten eher vor dem Land, das offenbar kein Gold und keine wertvollen Gewürze liefern konnte.

Durch James Cook änderte sich 1770 alles. Er nahm die Ostküste für Großbritannien in Besitz und empfahl sie für eine Besiedlung. Die Regierung, die bald darauf ihre nordamerikanische Kolonie größtenteils verlieren sollte, suchte einen Ersatzort für ihre Häftlinge. Australien war die Lösung des Problems. 1788 ließ Captain Arthur Phillip seine »First Fleet« mit mehr als tausend Gefangenen und Bewachern in der Bucht von Sydney ankern. Er nannte die neue Kolonie New South Wales. 1797 landeten die ersten Merino-Schafe in Australien und begründeten eine bis heute erfolgreiche Woll- und Lammfleisch-Industrie. 1801 segelte Matthew Flin-

Auf Matthew Flinders, der 1801-03 den gesamten australischen Kontinent umsegelte und den Küstenverlauf kartographierte, geht die Bezeichnung »Australien« für diesen Erdteil zurück: 1814 erschien sein Buch mit dem Titel »A Voyage to Terra Australis«

James Cook erreichte 1770 als erster Brite und wahrscheinlich auch als erster Europäer die australische Ostküste

ders erstmals rund um Australien, und damit war gewiß, daß es sich um einen Inselkontinent handelte.

Manchmal wiederholt sich die·Geschichte: William Bligh, der als Kapitän der »Bounty« schon eine Meuterei erlebt hatte, wurde 1806 als Gouverneur von New South Wales von seinen meuternden Truppen festgesetzt. Erst Entsatz aus dem Mutterland konnte ihn befreien. Das nächste wichtige Datum war 1813, als drei Häftlinge einen Weg durch die Blue Mountains westlich von Sydney entdeckten. Dadurch fand die stets vom Hunger bedrohte Kolonie erstmals die dringend benötigten Anbau- und Weideflächen. 1825 entstand bereits die zweite australische Kolonie, Tasmanien; 1829 und 1834 folgten Western Australia und South Australia. Im Süden wird 1851 Victoria als eigenständige Kolonie aus New South Wales herausgelöst, 1859 geschieht dasselbe mit Queensland im Norden. Mit den ersten größeren Goldfunden an der Ostküste beginnt Australiens Karriere als »Schatztruhe der Welt«, ein Aufstand der Goldgräber gegen die Behörden in Ballarat leitet 1854 die demokratische Bewegung in Australien ein. Von der allgemeinen Abneigung gegen die – oft korrupte – Polizei profitieren auch die *bushrangers* – Räuber, die Geldtransporte und Banken überfallen. Einige wurden recht populär, insbesondere Ned Kelly, der spätestens mit seiner Festnahme zum Volkshelden avancierte. Er ist noch heute eine Kultfigur in Australien. Nach seiner Hinrichtung 1880 setzten sich allmählich Recht und Ordnung durch. 1901 schlossen sich die sechs Kolonien zum unabhängigen Commonwealth of Australia zusammen, als Ort der zukünftigen Bundeshauptstadt wurde ein unbebautes Tal namens Canberra vorgesehen. Den internationalen Architektur-Wettbewerb für den Bau der australischen Kapitale gewann der junge Amerikaner Walter Burley Griffin. Sein Entwurf wurde erst

»Stars and Union Jack« als Werbewimpel am Touristenkiosk: 1901 wurden die sechs australischen Kolonien New South Wales, Queensland, Tasmania, Victoria, South Australia und Western Australia als »Commonwealth of Australia« in die Unabhängigkeit entlassen und erhielten ihre heutige Flagge

1988, zur 200-Jahr-Feier Australiens, mit der Eröffnung des Parlamentsgebäudes auf dem Capital Hill, vollendet.

Abnabelung vom Mutterland

1914 zog Australien wie selbstverständlich an der Seite Großbritanniens, des »Mutterlandes«, in den Ersten Weltkrieg. Die hohen Verluste führten erstmals zu Zweifeln an der engen Bindung zu London – ein Beginn der allmählichen Abnabelung vom Mutterland. Im Zweiten Weltkrieg wurde dies noch deutlicher, als britische Truppen Australien nicht mehr vor den drohenden Angriffen der Japaner schützen konnten. 1942 wurde Darwin von japanischen Bombern angegriffen, 243 Menschen kamen dabei um. Bis 1943 war die Stadt Ziel von 64 Attacken. Erst den Amerikanern gelang es, die Japaner im Pazifik zurückzudrängen und schließlich zu besiegen.

Australien wandte sich in den Folgejahren politisch immer stärker den Amerikanern zu. Auch der *American way of life* verdrängte zunehmend die zuvor allgegenwärtige *Britishness*. Beschleunigt wurde diese Entwicklung durch die vielen Einwanderer nach dem Krieg, die erstmals nicht mehrheitlich von den Britischen Inseln kamen. Vor allem Süd- und Osteuropäer fühlten sich der britischen Krone nicht länger verpflichtet. Auch die britischen Atomwaffentests in der australischen Wüste trugen nicht zur Beliebtheit der Freunde in London bei. Deutliche Zeichen der neuen Entwicklung waren 1956 in Melbourne die ersten Olympischen Spiele Australiens, die auch internationale Aufmerksamkeit auf das etwas abseits gelegene Land lenkten, und der Bau des Opernhauses in Sydney (1959–1973) durch den dänischen Architekten Jörn Utzon. Mit dem epochalen Bau begann in dem ehemaligen Pionierland auch eine Besinnung auf die eigenen kulturellen Ressourcen.

Die pazifische Nation

Mit der in Australien sehr umstrittenen Entsendung von Truppen 1965 in den Vietnamkrieg bekam auch die neue Freundschaft mit den Amerikanern

Flagge zeigen

Australien hat eine prägnante Flagge: Auf dunkelblauem Grund bilden fünf Sterne das Kreuz des Südens, ein weiterer großer Stern repräsentiert das Commonwealth of Australia, in dem die meisten der einstigen britischen Kolonien vereint sind. In der linken oberen Ecke ist der Union Jack, die Flagge Großbritanniens, eingebaut. Vor allem dieses Symbol der Kolonialzeit ist allen jenen Australiern ein Dorn im Auge, die eine Republik anstreben.

Mit der neuen politischen Verfassung soll Australien natürlich auch eine neue Staatsflagge erhalten. Bereits seit einigen Jahren präsentieren Künstler, Vereine, Parteien und andere Gruppen ständig neue Entwürfe für die künftige Flagge. Es gibt wohl keine Zeitung in Australien, die ihre Leser noch nicht zu einem Flaggen-Wettbewerb aufgerufen hat.

Immer wieder tauchen in solchen Entwürfen Känguruhs auf, bisweilen auch Koalas, Emus oder sogar Schnabeltiere. Andere hätten gerne die für Australien in der Tat typischen Blätter der Eukalyptusbäume oder die gelben Blüten der Wattle Trees, der ebenfalls im ganzen Land heimischen Akazien, auf dem nationalen Tuch. Viele Vorschläge verwenden auch den markanten Umriß des Kontinents.

Einer der Hauptstreitpunkte sind die künftigen Farben: Soll es bei Marineblau, Rot und Weiß bleiben? Oder soll die neue Flagge in Grün und Gelb gestaltet werden? Diese sind bereits seit langem die inoffiziellen Nationalfarben, und Australiens Sportler treten stets in Grün-Gelb an.

ihre ersten Risse. Australien besann sich auf seine geographische Lage: Es ist umgeben von asiatischen und ozeanischen Nationen. Diese Tatsache hatte Australien zuvor jahrzehntelang ignoriert, inoffiziell galt die *White Australia Policy,* der zufolge Einwanderer nur aus Europa und Amerika Visa erhalten sollten. Als Großbritannien 1972 der Europäischen Gemeinschaft beitrat und Australien den wichtigsten Markt für seine landwirtschaftlichen Produkte verlor, mußte es sich schleunigst nach neuen Märkten umsehen. Diese lagen quasi vor der Haustür: Die bevölkerungsreichen Staaten Asiens kaufen ebenso gerne Lebensmittel wie Rohstoffe in Australien ein.

Sie verlangten aber Gegenleistungen. Australien mußte seinen zuvor gegen Asien abgeschotteten Markt für asiatische Waren öffnen und auch mehr Einwanderer aus Asien ins Land lassen. Insbesondere für die verfolgten vietnamesischen *boat people* stellte Australien viele Pässe aus. Anläßlich der 200-Jahr-Feiern kam es 1988 zwar zu Protesten der Aborigines, die für erlittenes Unrecht Entschuldigungen und Entschädigungen forderten. Aber die asiatischen Nachbarn, zuvor stets heftige Kritiker der australischen Regierungen, reihten sich nun ein in die Schar der Gratulanten. In Australien wurden zugleich immer mehr Stimmen laut, die im

Erst seit 1987 ist der Stuart Highway, der Darwin im Norden mit Adelaide im Süden verbindet, durchgehend geteert

Jahr 2001, zum hundertjährigen Jubiläum der australischen Unabhängigkeit, eine Republik forderten. In Asien wurde diese Hinwendung zur eigenen Region mit Aufmerksamkeit registriert – ohne die Stimmen der Nachbarn hätte Sydney 1993 wohl kaum den Vorzug vor Peking als Stätte der prestigeträchtigen und weltweit mit Begeisterung verfolgten Olympischen Sommerspiele 2000 erhalten. Anderthalb Jahre später blickte die Welt erneut auf Sydney. Die verheerendsten Waldbrände seit Jahrzehnten drangen im Januar 2002 bis an die Ränder der Millionenstadt vor. ✳

Weidende Schafe auf den Hügeln bei Wilmington in South Australia ▷

Wettlauf um die Kontinent-Durchquerung

Ein riesiger Erdteil tat sich ab 1788 vor den weißen Australiern auf, ein unwirtliches, auch gefährliches Land. Die ersten Entdecker landeten an verschiedenen Küsten, später drangen sie auf den Flüssen ins Landesinnere vor. Aber der trockene Kontinent bot nicht genügend Ströme, um ihn per Boot zu erkunden, erst auf dem Landweg war er zu bezwingen.

Edward John Eyre war 1841 der erste, der eine der großen Wüsten durchquerte: Von South Australia aus erreichte er nach Durchquerung der Nullarbor Desert die Küste in Western Australia. Gemeinsam mit einem treuen Aborigine meisterte er parallel zur Südküste die Wüste, die ihrem Namen alle Ehre macht und wirklich baumlos ist. Beide wären bei der Expedition fast umgekommen, nachdem sich andere Aborigines mit allen Vorräten aus dem Staub gemacht hatten.

Der Deutsche Ludwig Leichhardt schaffte es 1845, als erster von einer Küste zur anderen zu gelangen, von Queenslands Ostufer an sein Nordufer. Drei Jahre später verschwand er mitsamt seinem ganzen Expeditionsteam spurlos, als er den riskanten Versuch unternahm, den Kontinent von Ost nach West zu druchqueren. Australiens einziger Literatur-Nobelpreisträger Patrick White hat Leichhardt in seinem Roman »Voss« ein Denkmal gesetzt.

Kürzer, aber nicht minder schwer war die Durchquerung Australiens von Süd nach Nord. Diese Route war deshalb wichtig, weil auf diese Weise eine Trasse für die erste transkontinentale Funkleitung gebahnt werden konnte. Über die indonesischen Inseln wurde dann eine Verbindung bis London geschaffen. 1860 brachen zwei Teams auf: in Adelaide John McDouall Stuart und Freunde – und in Melbourne Robert O'Hara Burke, William Wills *(Bild oben)*, Charles Grey, John King und Freunde. Beide Teams wollten natürlich die ersten sein, die Australien durchmessen.

Stuart drang tief in das Landesinnere vor, mußte aber nach Aborigines-Attacken umkehren. O'Hara Burke, Wills, Grey und King erreichten 1861 zwar die Nordküste, kamen aber alle bis auf King auf dem Rückweg um. Im folgenden Jahr schaffte es auch Stuart im dritten Versuch. Dank seiner Anstrengungen konnte die ersehnte Telegraphenleitung gebaut werden. Seiner Route folgt noch heute in etwa der Stuart Highway, eine der Lieblingsstrecken europäischer Touristen. In Alice Springs und bei Tennant Creek können sie die Telegraphenstationen aus jenen Tagen der Eroberung Australiens besichtigen.

3 Die schönsten Reiseregionen

NEW SOUTH WALES – DER PREMIER STATE
Sydney: In jeder Hinsicht erste Stadt

Sydney ist die älteste, größte und bekannteste Stadt Australiens, sie gilt zu Recht als eine der schönsten Städte der Welt und wird oft in einem Atemzug mit Rio de Janeiro, San Francisco oder Vancouver genannt. Zumindest ihr Alter, vermutlich aber auch die anderen Superlative verdankt die Stadt nicht zuletzt dem Sohn eines deutschen Lehrers namens Phillip. Der Pädagoge war nach der Heirat mit einer Engländerin nach London gezogen, dort kam 1738 ihr Sohn Arthur zur Welt. Ihm war ein Platz im Geschichtsbuch und ein Denkmal in den Royal Botanic Gardens in Sydney vorbestimmt.

Das Sydney Opera House vor der Harbour Bridge: Diese beiden technischen Denkmäler des 20. Jahrhunderts bieten Fotografen stets neue Perspektiven

Der talentierte Marineoffizier wurde 1787 zum Kommandanten jener elf Schiffe der »First Fleet« ernannt, die Großbritanniens erste Kolonie in Australien gründete. Vorangegangen war eine entsprechende Empfehlung von James Cook. Am 29. April 1770 war der große Navigator erstmals in Australien an Land gegangen, in der Botany Bay. Er und sein wissenschaftlicher Begleiter, der später bei Hofe einflußreiche Joseph Banks, teilten in London mit, diese wegen ihrer Pflanzenvielfalt Botany Bay genannte Einfahrt sei für eine Besiedlung gut geeignet. Also erhielt Captain Phillip den Auftrag, die Gefangenenkolonie zu gründen. Als er Anfang 1788 in die Bucht einlief, merkte er bald, daß diese weniger geeignet war, als Cook und Banks geglaubt hatten. Er ließ Port Jackson, die benachbarte Bai im Norden, erkunden und fand diese für seine Zwecke geeigneter. Cook hatte die Hafeneinfahrt schon auf seinen Karten eingetragen, aber aus Zeitmangel nicht erkundet.

Phillip war so begeistert von den Gegebenheiten, daß er in seinen Tagesnotizen festhielt, dies sei der »beste Hafen der Welt«. In einer Bay, der Sydney Cove, gingen am 26. Januar 1788 – heute der Nationalfeiertag – die 212 Wachsoldaten und die 750 Strafgefangenen an Land. Unter den ersten weißen Bewohnern Australiens waren 190 Frauen und 13 Kinder. Phillip ließ den Union Jack hissen und die ersten Baracken bauen. Hätte er sich strikt an seine Order gehalten, wäre die Sydney Cove heute höchstwahrscheinlich eine von zahlreichen Buchten rings um Sydney und die Hauptstadt wäre, unter welchem Namen auch immer, an der Botany Bay entstanden.

Um Fluchtgedanken seiner Schutzbefohlenen mußte sich Phillip nicht viele Gedanken machen, die meisten blieben freiwillig im Lager oder kehrten doch nach Fluchtversuchen bald reumütig zurück. Zum einen lauerten im Busch die Aborigines mit ihren Speeren, zum anderen waren die erschröcklichsten (sic!) Gerüchte über die »Terra australis« im Umlauf. Die Einheimischen seien hemmungslose Menschenfresser, und überdies gebe es in diesem Land fürchterliche Monstren, von den giftigen Schlangen, mit denen mancher schon unliebsame Begegnungen hinter sich hatte, ganz zu schweigen. Probleme hatten Phillip und die nachfolgenden Gouverneure vor allem mit der Versorgung der Men-

Kohle und Wein

Unter den besserbetuchten Sydneysidern gibt es einen neuen Trend: Ein Wochenend-Domizil im Hunter Valley. Das ist um so überraschender, wenn man weiß, daß dieses weite Tal zwar einen freundlichen Anblick, aber gewiß keine atemberaubende Naturszenerie zu bieten hat. Überdies gilt es als eines der bekanntesten Kohleabbaugebiete Australiens.

Der Reiz des Hunter Valley sind die renommierten Weine, die in seinen Kellern lagern. Und weil immer mehr Menschen aus dem nur 150 Kilometer entfernten Sydney direkt an Ort und Stelle verkosten wollten, was in den Fässern gereift ist, entwickelte sich in den letzten zwei Jahrzehnten ein richtiger Weintourismus. So kam der Landstrich, der mit der Kohle so gute Geschäfte macht, zu einem Golfplatz, ansprechenden Restaurants und Hotels, die an den Wochenenden meist ausgebucht sind.

Das ist allerdings nicht der Grund für den Trend zum eigenen Ferienhaus gewesen. Überhaupt gilt ein Ferienhaus nur dann als standesgemäß, wenn zumindest ein kleiner Weingarten dazugehört, man also seinen Freunden Wein mit eigenen Etiketten kredenzen kann. Siegfried, unser deutschstämmiger Freund aus Sydney, gibt dem Drang zur Traubenimmobilie im Hunter Valley allerdings nur eine begrenzte Lebensdauer: »Die meisten hatten keine Ahnung, wieviel Arbeit ein Weinberg macht. Die werden bald wieder verkaufen. Man kann sich ja bei vielen Winzern eigene Etiketten anfertigen lassen. Die machen dann damit Kohle.«

Das Zentrum von Sydney – von Norden her aus der Luft gesehen ▷

New South Wales: Sydney 3

schen. Die aus England mitgebrachten Samen gingen in der australischen Erde nicht auf. Kaum an Land, drohte schon eine Hungersnot. Sehnsüchtig warteten Bewacher und Bewachte auf Nachschubschiffe aus England, die neuen Proviant bringen sollten. Das geschah aber erst zweieinhalb Jahre später. Eine Musterfarm in Parramatta, heute fast ein Vorort westlich von Sydney, eröffnete die Möglichkeit, den Umgang mit der fremden Erde zu erlernen. Aber insgesamt dauerte es doch rund zehn Jahre, bis kein Hunger mehr herrschte in New South Wales.

Gouverneur Phillip ließ von den Gefangenen Straßen und Regierungsbauten errichten, er versuchte auch, freiwillige Siedler nach Sydney zu locken, vor allem mit dem Versprechen, freies Land und die billige Arbeitskraft der Sträflinge zur Verfügung zu stellen. Soldaten und entlassene Gefange-

Das kostenträchtig sanierte Viertel Darling Harbour (Bild unten) und die Monorail, die Einschienenbahn, die Darling Harbour mit der City von Sydney verbindet (Bild rechts)

ne erhielten ebenfalls gratis Land, um die Kolonie zu stabilisieren. Als Phillip 1792 nach England zurückkehrte und sein Vertreter zum Gouverneur wurde, versorgte dieser vor allem die Offiziere mit fruchtbarem Land. Überdies durften sie die Gefangenen für deren Arbeit mit Rum statt mit Geld bezahlen. Die Offiziere des »Rum Corps« wurden schnell sehr reich, weil sie den illegalen Handel mit Rum kontrollierten. Der neue Gouverneur William Bligh, der in der Kolonie für Ordnung sorgen sollte, wurde vom Rum Corps unter Arrest gestellt.

Erst als Lachlan Macquarie 1809 mit eigenen Truppen landete und den Umtrieben der »Rum-Soldaten« ein Ende setzte, kam die junge Kolonie in ruhigeres Fahrwasser. Macquarie begann ein öffentliches Bauprogramm und übertrug dem als Fälscher nach Australien deportierten Architekten Francis Greenway mehrere Aufträge. Die Greenway-Bauten, etwa die St. James' Church und die Hyde Park Barracks bei der gleichnamigen Parkanlage, zählen heute noch zu den attraktivsten Bauten der Hauptstadt von New South Wales.

»Die wilden Tage kannst Du in den Rocks noch spüren«, hatte Henry versprochen, als er mich vor vielen Jahren erstmals durch Sydney führte. Damals waren die Rocks, der älteste Stadtteil, noch ein ziemlich verwahrlostes Quartier, das durchaus Erinnerungen an Bordelle und Matrosenkaschemmen weckte. »Die Rocks sind ziemlich touristisch«, klagt Henry. Ganz unrecht hat er nicht, aber ein Bummel durch das historische Viertel rings um das alte Observatorium und unweit der Fähranleger ist dank seiner Kneipen und Boutiquen dennoch vergnüglich. Henry geht inzwischen lieber im Uni-Viertel Glebe oder in Paddington (»Paddo«) auf die Piste.

Fähr-Verkehr

Seit Arthur Phillips Schiffe hier den Anker warfen, ist der Circular Quay das quirlige Zentrum von Sydney. Inzwischen finden an den Piers aber nur noch die städtischen Fähren und einige Ausflugsboote Platz – also der ideale Ort, um Australiens »First City« vom Wasser her zu erkunden. Die preiswerteste Art sind die Fähren; unter den neun Linien sind die Verbindungen ins historische Parramatta, zum Zoo von Taronga und zum Seebad Manly für Besucher der Stadt besonders interessant. Die beiden letztgenannten Routen führen um das Sydney Opera House herum, die Route nach Parramatta unter der Harbour Bridge hindurch.

Auf Erläuterungen zu den beiden Wahrzeichen der Stadt muß man auf den Fähren natürlich verzichten. Wer mehr wissen will über diesen ausgedehnten Naturhafen mit seinen zahlreichen Buchten, ist auf den Rundfahrtbooten besser aufgehoben. Von der Hafenbrücke hört man dann beispielsweise, daß sie 500 Meter überspannt, die Fahrbahn 50 Meter über dem Meeresspiegel liegt und daß sie 1932 bei der Eröffnung die größte ihrer Art in der Welt war.

Für die weltberühmte Oper hat sich nie ein Spitzname durchgesetzt, vielleicht, weil Sydneys Bürger 1956 Sturm gelaufen sind, als der Däne Jörn Utzon seinen revolutionären Entwurf präsentierte. Als die Kosten für die bislang unerprobte Dachkonstruktion alle Vorhersagen weit übertrafen, steigerten sich die Anschuldigungen gegen den Architekten so sehr, daß er schließlich Australien im Zorn verließ.

Henry murrt gerne über die vielen Touristen in seiner Stadt. Aber er räumt auch ein, daß Sydney den Touristendollars viel zu verdanken hat. Darling Harbour wäre wohl immer noch ein vergammelter Pier und nicht ein schmuckes neues Viertel mit Museen, Aquarium, Restaurants und Chinesischem Garten, wenn sich die Millioneninvestition nicht gelohnt hätte. So wurde das technisch geprägte Powerhouse Museum binnen kurzem zur meistbesuchten Sammlung des Landes; das ebenfalls in Darling Harbour heimische National Maritime Museum steht ihm kaum nach. Ob der knapp 305 Meter hohe Sydney Tower, von dessen Aussichtsplattform und Drehrestaurant man einzigartige Blicke über das »Manhattan der Südsee« genießt, ohne die vielen Besucher aus Übersee lohnend wäre, mag bezweifelt werden. Und die Olympiaanlagen an der Homebush Bay entwickelten sich schon vor den Spielen zu einem Besuchermagneten.

»Du hast recht, man trifft ja auch mehr Fremde als Einheimische in der Art Gallery oder im Museum of Modern Art«, räumt Henry ein. Selbst im naturwissenschaftlichen Australian Museum seien die Touristen in der Überzahl, wenn nicht gerade wieder mehrere Schulklassen durch die Aborigines-Kollektion toben. »Und ob das Queen Victoria Building allein für die Sydneysider zu einem derart prachtvollen viktorianischen Einkaufszentrum restauriert worden wäre, weiß ich auch nicht.« Nein, je länger Henry darüber nachdenkt, desto mehr Vorteile sieht er in den Besucherscharen. Und die Idee des »Sydney Explorer« findet er ausgesprochen pfiffig: Die roten Busse steuern während des ganzen Tages auf festem Rundkurs die wichtigsten Sehenswürdigkeiten an, mit dem Ticket kann man beliebig oft ein- oder aussteigen. »Die Buslinie hat schon einen Nachfolger, den »Bondi & Bay Explorer«, der durch die feinen westlichen Vororte zu unserem Paradestrand kurvt. Kein Wunder, daß alle Großstädte in Australien die Idee geklaut haben.«

Royal National Park und Blue Mountains:
Angekokelte Schmuckstücke bei Sydney

Wenn man vom Sydney Tower ins Umland der 3,5-Millionen-Stadt blickt, sieht man erstaunt, daß sie von üppigem Grün umgeben ist: im Süden der Roy-

al National Park, im Westen die Blue Mountains mit ihren Nationalparks und im Norden unter anderem Ku-ring-gai Chase, natürlich auch ein National-park. 1997 haben gewaltige Buschfeuer vor allem im Royal Park, dem zweitältesten Nationalpark der Welt, und in Ku-ring-gai Chase gewütet. Im Dezember 2001 brachen in diesen Naturschutzgebieten erneute Waldbrände aus, die sich als noch zerstörerischer erwiesen. Die Trockenheit und wohl auch Brandstiftung sorgte dafür, daß sich die Feuer immer wieder entfachen konnten. Die verkohlten Stämme werden noch einige Jahre unübersehbar bleiben.

Aber auch die Blue Mountains hatten unter den Feuerwalzen zu leiden. In dem nicht allzu hohen, aber schroffen und teilweise unwegsamen Bergen ist die Feuerbekämpfung auch besonders schwierig. Aus der Ferne wirken die Berge wegen der ätherischen Öle aus den Eukalyptusbäumen bläulich – sie waren stets ein Ausflugsziel der Sydneysider, die im Sommer die kühleren Hö-

Die Three Sisters bei Katoomba in den Blue Mountains westlich von Sydney

hen schätzten. So entwickelte sich vor allem rings um Katoomba ein florierendes Geschäft mit den Besuchern, steht dort doch mit der auffälligen Felsformation der Three Sisters das Wahrzeichen der Blauen Berge. Ku-ring-gai Chase wird vor allem von Wassersportlern geschätzt: Der Hawkesbury River, zahlreiche kleinere Flüsse und die Lagunen des Meeres haben hier gemeinsam exzellente Reviere für Segler, Kanuten und Angler geschaffen. Allein der Nationalpark bringt es auf eine Uferlänge von insgesamt rund 100 Kilometern.

AUSTRALIAN CAPITAL TERRITORY
Canberra: Politik auf der grünen Wiese

»Mit Canberra ist eine gute Schaffarm verschwendet worden.« – Dieser Spruch begleitet die australische Bundeshauptstadt seit ihrer Einweihung 1927. Viele der ohnehin an Politik nicht sonderlich interessierten Australier (ihre hohen Wahlbeteiligungen sind der Wahlpflicht zu verdanken) halten ihre wirklich auf der grünen Wiese entstandene Kapitale immer noch für Geldverschwendung. Sie ist poli-

Das Parlamentsgebäude auf dem Capital Hill von Canberra wurde 1988 eröffnet

tisch zumindest ein Kompromiß: Als bei Gründung des Staates Australien 1901 sowohl Sydney als auch die Rivalin Melbourne um den Hauptstadtrang buhlten, beschlossen die Landesväter die neue Stadt, »zwischen Sydney und Melbourne, aber nicht näher als 100 Meilen an Sydney« zu gründen.

So wurde ein liebliches Tal am Fuße der höchsten Berge ausgesucht, und New South Wales spendierte es für das eigenständige Australian Capital Territory, abgekürzt ACT. Der amerikanische Architekt Walter Burley Griffin gewann mit seinem Konzept aus Sichtachsen, die auf den Parlamentshügel zulaufen, den ersten Preis. In seinem Entwurf wurden das Regierungsviertel und die eigentliche Stadt durch einen Stausee getrennt, eine Idee, für die Canberras freizeitfreudige Bürger noch heute Applaus spenden. Der wohldurchdachte und weitgehend umgesetzte Plan läßt sich gut von den Hügeln rings um Canberra erkennen. Allerdings wurden auch 87 Jahre bis zu seiner Vollendung benötigt. Den Abschluß bildete das geschickt in eine Hügelkuppe eingebaute Parlament, ein dank vieler Anklänge an australische Natur und Kultur auch im Inneren sehenswertes Bauwerk. Aber kaum ein Besucher läßt es sich entgehen, auf dem Grasdach bis auf den höchsten Punkt des Parlaments zu spazieren – wo sonst kann man seinen Politikern derart problemlos aufs Dach steigen?

Dieser Neubau von 1988, ein Werk von Rinaldo Giurgola, hat Canberra endgültig zu einer Touristenattraktion gemacht. Die Halbmillionenstadt hat inzwischen weit mehr Besucher als Bewohner. Das verdankt die Hauptstadt aber ebenso ihren vorzüglichen Museen. Während das Australian War Memorial, gewidmet den Einsätzen vom Buren- bis zum Vietnamkrieg, unter den Australiern immer schon ein beliebtes Museum war, sprechen die neueren Sammlungen auch ausländische Touristen an. Das gilt vor allem für die National Gallery mit ihrer exzellenten Sammlung australischer Kunst, für die National Portrait Gallery im einstigen provisorischen Parlamentsbau und für das nationale Wissenschaftsmuseum Questacon. So ist Canberra zwar inzwischen zu einem touristischen Geheimtip geworden, aber an der – mittlerweile kaum noch berechtigten – Spottlust der Aussies hat das nichts geändert: »Der beste Blick auf Canberra ist der in den Rückspiegel.«

Plastik im Portemonnaie

Unter »Plastikgeld« versteht man gemeinhin Kreditkarten. Auf dem fünften Kontinent kann man das aber ganz wörtlich nehmen, denn viele der australischen Geldscheine bestehen aus Plastik. Die ersten Versuche mit dem haltbaren, sich aber ungewohnt anfühlenden Geld verliefen nicht ganz zur vollen Zufriedenheit: Die Scheine waren noch nicht völlig farbecht. Das Problem ist inzwischen jedoch behoben, und Australien gilt international als Pionier für Plastik-Geldscheine. Wie es dazu kam, kann man auch in dem kleinen Geldmuseum verfolgen, das die staatliche Münzpräge in ihren Räumen am Rand von Canberra eingerichtet hat *(Bild unten: Straßenkunst in Melbourne)*.

QUEENSLAND – DER SUNSHINE STATE
Brisbane: Wachgeküßt von der ganzen Welt

»Die Zeitverschiebung zwischen London und Brisbane beträgt im Durchschnitt etwa 16 Jahre«, spottete noch vor etwa drei Jahrzehnten der Schriftsteller Clive Turnbull. Wie seine Hauptstadt genoß damals der ganze Bundesstaat Queensland den Ruf, provinziell der Zeit hinterher zu hinken. Für einige ländliche Teile des zweitgrößten Staates mag das heute noch gelten, Queensland macht immer wieder mal mit Politpossen und ungewöhnlichen Wahlergebnissen Schlagzeilen.

Aber für Brisbane wäre diese Ansicht inzwischen eine Unterstellung. Die in eine Schleife des Brisbane River geschmiegte, von subtropischer Wärme und Sonnenschein verwöhnte Millionenstadt galt zwar einst zu Recht als Australiens Pensionärs-Metropole. Aber seit der Weltausstellung im australischen Jubiläumsjahr 1988 ist Brisbane völlig verändert. Die EXPO hat die Stadt quasi »wachgeküßt«. Sie erhielt neue Museen, Theater und Konzertsäle, die wider Erwarten sogleich heftig genutzt wurden. Auf dem ehemaligen EXPO-Gelände am südlichen Flußufer entstand ein attraktiver, von Kanälen durchzogener Freizeitpark: Neben verschiedenen Museen, einem Schmetterlingshaus und einem tropischen Regenwald unter Glas bietet die South Bank seither auch einen künstlichen Badesee, an dessen Sandstrand man einen unverstellten Blick auf die Büro-Wolkenkratzer am anderen Flußufer genießen kann.

Brisbane hat seit seiner überraschend erfolgreichen Weltausstellung auch gelernt, mit seiner schönen alten Bausubstanz schonend umzugehen. Einst wurde die schmucke viktorianische Architektur eilig abgerissen, wenn ein Investor ein schlichtes Hochhaus versprach. Selbst die City Hall mit ihrem berühmten 91 Meter hohen Rathausturm, dessen Vorbilder in der italienischen Renaissance zu finden sind, soll einmal zur Disposition gestanden haben. Das Rat-

Einst überragten die Kirchtürme Queenslands Hauptstadt Brisbane ...

haus blieb glücklicherweise erhalten und damit auch die öffentliche Aussichtsplattform auf dem Turm. Leider ist die Aussicht durch höhere Bürotürme etwas eingeengt.

... heute sind es die modernen Bürohochhäuser, die die Skyline am Brisbane River dominieren

Daß Brisbane den Wert seiner historischen Bauten erkannt hat, belegt die detailfreudig restaurierte Treasury; im ehemaligen Finanzministerium fand passenderweise ein Glücksspielcasino seine noble Bleibe. Wie wertvoll (und einträglich) das Alte sein kann, erweist sich auch im Earlystreet Historical Village im Vorort Norman Park, wo einige Gebäude aus der kolonialen Epoche zu einem Freiluftmuseum zusammengetragen wurden. Glücklicherweise blieben auch die Hoyts Regent Cinemas in der City erhalten, in die man zwar moderne Kinos einbaute, aber auch die eigenwillige Stilmischung spanisch-gotischen Barocks aus dem Eröffnungsjahr 1928 restaurierte.

Die Gold Coast: Wie man aus Sand Gold macht

Als Brisbane 1824 entstand, nach guter australischer Art als Häftlingskolonie, dachten die Gründer sicherlich nicht an die Segnungen des Tourismus. Und doch hätten sie die Stadt im Hinblick auf diesen nunmehr florierenden Wirtschaftszweig nicht besser plazieren können: Die Hauptstadt des Sunshine State liegt strategisch perfekt zwischen zwei

Sportliche Lebensretter

In kaum einem australischen Buch über mehrere Sportarten fehlt das Kapitel *lifesaving*. Daß die Lebensretter zu den Sportlern gezählt werden, ist zwar berechtigt, hat aber in erster Linie historische Gründe: Die ersten Australier, die sich zu Lebensrettungs-Organisationen zusammenschlossen, waren die Surfer. Bei ihren Ritten vor den Wellen haben sie oft genug erlebt, wie entkräftete Schwimmer hilflos im Meer trieben.

Daraus hat sich ein Kult für junge Männer und (später auch) Frauen entwickelt, der nahtlos zur Strandkultur der Australier zählt. Wenn auch in den letzten Jahren bei den Jugendlichen die Begeisterung für die *life-saver* etwas nachgelassen hat, so trifft man an den öffentlichen Stränden wie an der Gold Coast immer noch genügend sportliche Lebensretter. Ihre harte Arbeit und Leistungsfähigkeit demonstrieren sie bei einem *beach carnival*. Dann legen sie sich beispielsweise mächtig in die Riemen, um ihre Boote möglichst schnell durch die Brandung zu stemmen. Ähnlich beliebt sind die Paraden der *life-saver* am Strand entlang, in voller Montur mit den bunten Kopfhauben, die unter dem Kinn festgebunden werden.

ausgedehnten Strandregionen, die zu den beliebtesten Ferienzielen der Australier gehören. Nördlich der Stadt erstreckt sich über 50 Kilometer zwischen Caloundra und Noosa Heads die Sunshine Coast, im Süden offeriert die Gold Coast 40 Kilometer ununterbrochenen Sand und Surf.

»Der Name ist wirklich passend gewählt«, sagt die junge Frau am Infostand der Naturschützer, »hier hat man wirklich aus Sand Gold gemacht.« Sie weist auf die turmhohen Apartmenthäuser, die aus der Straße in Surfers Paradise eine Betonschlucht gemacht haben. »Wer hier ein paar Quadratmeter nutzlosen Sandbodens besaß, wurde quasi über Nacht reich, als hier der Massentourismus einzog«, fährt sie fort. Ganz so schnell ging es dann doch nicht: Nach dem Zweiten Weltkrieg begann die Karriere des langen Strandes. Aus der kleinen Herberge »Surfers Paradise« wurde eine Hochburg des Pauschaltourismus, aus ein paar einsamen Wellenreitern rund drei Millionen Touristen pro Jahr. Im Hinterland ballen sich die Themenparks zusammen wie sonst nirgendwo in Australien: Sea World mit dressierten Delphinen, Killerwalen & Co., die Warner Brothers Movie World mit Wildwestschau und für Filmaufnahmen dressierten Tieren, Dreamworld mit kleinem Zoo und nachgebautem Bayerndorf – um nur drei zu nennen. Und die Naturschützer, protestierten sie hier gegen die Auswüchse des Massentourismus? »Nicht ganz«, räumt die junge Dame etwas verlegen ein, »wir rufen auf zu Protesten gegen Probe-Ölbohrungen am Great Barrier Reef.« – »Das Riff liegt doch tausend Kilometer weiter nördlich?« – »Aber hier sind die Menschen.«

Zu den landschaftlich attraktivsten Gebieten im Süden Queenslands gehört der Lamington National Park im Hinterland der Gold Coast, unmittelbar an der Grenze zu New South Wales. Die bis zu 1 100 Meter hohe Berglandschaft ist größtenteils überzogen von subtropischem Regenwald wie von einem grünen Pelz. Ein mehr als 160 Kilometer langes Wanderwegenetz durchzieht den feuchten, bei Sonne dampfenden Nationalpark voller Bäche und Wasserfälle. Daß jedes Kind in Australien den Begriff »Lamington« kennt, ist trotz unbestrittener Schönheit nicht dem Nationalpark zu verdanken. *Lamingtons* sind Australiens Nationalgebäck: Würfel aus leichtem Bisquit, die mit Schokolade überzogen und in Kokosraspeln gewälzt werden. Na-

mengeber für Süßigkeit und Nationalpark war ein queensländischer Gouverneur um die Wende vom 19. zum 20. Jahrhundert – wahrlich nicht die unsympathischste Art, in die Geschichtsbücher einzugehen.

Die Sunshine Coast ist zwar deutlich ruhiger als ihre goldene Schwester, aber romantische Strandeinsamkeit ist auch hier die Ausnahme. Immerhin, Strandhochhäuser sucht man bislang vergebens, und die Lokalpolitiker aller Parteien versichern, sie würden ihre Uferlinie nie so »manhattisieren« wie die Konkurrenz im Süden. In Noosa Heads ist die Gefahr gering, daß dieses Versprechen gebrochen wird, denn der touristische Hauptort der Region lebt von seinem Ruf, etwas nobler zu sein als die anderen Seebäder im queensländischen Süden. Da passen Betonburgen nicht ins Image, hier soll nur das spektakuläre Kap des Noosa National Park inmitten des Ortes über die Häuser und die Palmen hinausragen.

Handfester geht es an der Mündung des Maroochy River zu. Hier haben sich drei kleine Städte zu einer großen, immer noch wuchernden Urlaubsgemeinde zusammengefunden: Maroochydore, Alex-

Surfen ist in Australien ein Lebensstil: Einer der bekanntesten Surfspots an der Gold Coast ist Byron Bay südlich von Brisbane

andra Headland und Mooloolaba. Maroochy nennen die Aborigines einen in dieser Gegend lebenden Schwanenvogel, Mooloolaba ist vermutlich die Bezeichnung für eine schwarz-rote Schlange. Die »Patentiere« der Städte sind dort zwar nicht zu besichtigen, dafür kann man aber in Mooloolaba per Plexiglastunnel trockenen Fußes durch das größte Aquarium der südlichen Hemisphäre schlendern. Auch im Hinterland der Sunshine Coast gibt es einige Themenparks, etwa das nachgebaute Bli Bli Castle mit Folterkammer und Puppensammlung oder das Caboolture Historical Village mit viel Krimskrams aus der angeblich guten alten Zeit. Aber diese und andere Parks wirken, verglichen mit den großen Glitzerdingern an der Gold Coast, eher bescheiden und etwas bieder.

Deshalb wollen die besseren Leute im feinen Noosa Heads mit derlei Vergnügungen auch nicht gerne in einem Atemzug genannt werden. Sie verweisen lieber auf die Nationalparks ihrer Region, beispielsweise auf die bei Kletterern beliebten Glasshouse Mountains, die ihren Namen noch James Cook persönlich verdanken, oder den Cooloola National Park, der ebenso groß ist wie die gesamte Sunshine Coast. Im Gegensatz zu dieser mangelt es im Nationalpark zwar nicht an einsamen Stränden – auf knapp 55 000 Hektar Parkfläche verlieren sich die zehn Campingplätze –, aber viele sind nur per Boot zu erreichen.

Die Eukalyptuskauer

»Kleine stinkende Pisser« nannte sie einst ein australischer Minister. Die Japaner, die um eine der raren Ausfuhrlizenzen für die possierlichen Koalas ersucht hatten, waren empört. Und weil viele Australier ebenso dachten, mußte der Minister öffentlich Abbitte leisten und den Koala höchstpersönlich nach Nippon begleiten – ein Canossa-Gang im Medienzeitalter.

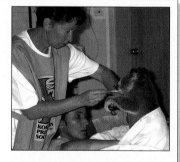

Ganz so unrecht hatte der Politiker nicht, gestand mir ein Mitarbeiter des Lone Pine Koala Sanctuary am Stadtrand von Brisbane: »Koalas sind längst nicht so knuddelig wie sie wirken. Sie können recht gemein kratzen, gut, daß sie meist zu träge dazu sind. Und der Eukalyptusduft, den sie ausströmen, nervt auf die Dauer auch.« Ihr persönliches Parfüm verdanken die Koalas ihrer Diät: Sie verspeisen nur spezielle Eukalyptusblätter, eine Kost, die für andere Tiere auf die Dauer tödlich wäre. In der Zuchtstation für die in freier Wildbahn einst vom Aussterben bedrohten Beuteltiere, eine der beliebtesten Touristen-Attraktionen in Brisbane, erfährt man alles über die Tiere, die zwar als Vorbild für den Teddybär dienten, aber biologisch nicht mit den Bären verwandt sind *(Bild oben: Koala Hospital von Port Macquarie).*

Fraser Island: Wie man aus Sand Berge baut

Am nördlichen Rand des Cooloola-Nationalparks, am Rainbow Beach, legen Fähren nach Fraser Island ab (weitere Fährhäfen sind Hervey Bay und River Heads), das einen Weltrekord auf der australischen Landkarte liefert: Nirgendwo auf dem Globus gibt es eine größere Insel aus reinem Sand. Die Baumeister dieses 120 Kilometer langen und bis zu 25 Kilometer breiten Eilands waren der Wind und der Ozean. Seine Strömungen trugen seit Jahrtausenden feine Sandpartikel die Küste entlang, bis sie hier an einem kleinen Riff hängenblieben, das schließlich zu einer Sandbank anwuchs. Die oberen Schichten trockneten bei Ebbe, und der Wind wirbelte sie zu mächtigen Dünen zusammen. Manche sind bis zu 200 Meter hoch, vielen sieht man ihren sandigen Kern nicht mehr an, weil sie dichter Wald bedeckt. An zahlreichen Stränden haben sich nahezu undurchdringliche Mangrovenwälder festgekrallt.

Manches Wrack, wie das des Passagierschiffes »Maheno«, ist Ziel eines Strandspazierganges auf Fraser Island

Die Nordhälfte der Insel ist als Nationalpark geschützt, Fraser Island wurde überdies 1993 von der UNESCO in die Liste des schützenswerten »Welterbes« aufgenommen. Das war notwendig, weil es Bestrebungen gab, den kommerziellen Sandabbau noch auszuweiten. Rund 200 Süßwasserseen geben Fraser Island als Alternative zur gefährlichen Meeresküste angenehme Badeplätze und den Tieren der Insel, Känguruhs, neugierigen Dingo-Wildhunden und wilden Ponies, ihre Tränken. An vielen Stellen wirken die Dünen wie Felsen, aber sie sind doch nur steinhart gepreßter Sand. Auf der Insel gibt es keine asphaltierten Straßen, nur Pfade und den festen nassen Sand am Strand. Deshalb darf man nur mit allradangetriebenen Geländewagen, die man auf dem Festland mieten kann, nach Fraser Island übersetzen.

Die Inseln im Great Barrier Reef:
Fotogene Sommersprossen

Bei Berichten über China heißt es häufig, die Chinesische Mauer sei so lang, daß sie selbst von den Astronauten im All zu erkennen ist. »Falsch«, sagen die Weltraumfahrer, das größte menschliche Bauwerk sei auf dem blauen Planeten nicht auszumachen. Anders ist es mit dem weltgrößten Bauwerk kleiner Korallen, mit dem Great Barrier Reef an der Nordostküste Australiens. Im Blau des Ozeans ist die 2 000 Kilometer lange, weiße Brandungslinie weit vor dem Kontinent meist recht gut zu sehen. Besonders faszinierend ist das Riff – der größte Nationalpark Australiens – jedoch aus unmittelbarer Nähe, unter Wasser. Von »Blumen, die zu Stein wurden«, und von »Steinen, die sich zu Blumen

Das weltgrößte Bauwerk kleiner Korallen, das Great Barrier Reef, ist selbst aus dem All zu erkennen

verwandelten«, sprach der Schriftsteller Kenneth Slessor angesichts der farbenstrotzenden filigranen Welt in den lichten und warmen Fluten.

Das vor 18 Millionen Jahren entstandene Riff schützt heute ein faszinierendes, rund 200 000 Quadratkilometer großes Gebiet, in dem etwa 600 Inseln in der Sonne liegen – Australiens überaus fotogene Sommersprossen. Die meisten dieser Inseln sind die Spitzen abgesunkener Berge, nur relativ wenige entstanden aus Korallenbänken und sind entsprechend flach; auf lediglich 20 stehen Hotels. Und selbst diese touristisch genutzten Inseln sind völlig unterschiedlich, die Palette reicht vom luxuriösen kleinen Tropenversteck für Millionäre (Bedarra) bis zu Eilanden mit mehreren Hotels (Great Keppel).

Ähnlich sieht es aus bei den weiter südlich gelegenen und strenggenommen nicht unmittelbar zum Great Barrier Reef zählenden Whitsunday Is-

Das »Hayman Island Resort« auf der gleichnamigen Insel im Great Barrier Reef zählt zu den Nobelherbergen Australiens

lands. Hier hat Hayman Island den Part des noblen Refugiums übernommen, während Hamilton Island mit seinen 2 000 Urlauberbetten für diese tropische Inselwelt schon fast das Etikett Massentourismus trägt.

»Vom Riff und seinen Inseln haben vor allem die Orte auf dem Festland erheblich profitiert«, bilanzierte eine der queensländischen Zeitungen. »Cairns wurde erst zum Treffpunkt der Internationale der Rucksackreisenden und dann zum am schnellsten wachsenden internationalen Flughafen in Australien. Port Douglas hat sich von einem schläfrigen Tropenkaff zu einem schmucken Badeort entwickelt, und selbst Townsville, eher ein Hafen für Viehzüchter und Bergbauunternehmen, konnte sich mit seinem eindrucksvollen Aquarium einen unerwartet hohen Anteil am Tourismus in Nord-Queensland sichern. All das«, so schließt das Blatt, »sieht nach einer rosigen Zukunft aus.«

Die Riffbaumeister

Sie sind winzig und zugleich das größte lebende Gebilde auf Erden, die Korallen des Great Barrier Reef. Sie haben in Millionen Jahren mit ihren Milliarden »Häusern« aus Kalk das Riff geschaffen, das auch den schwersten Brechern des Pazifiks standhält. Korallen gibt es in allen Formen und fast allen Farben. Sie bauen starre zierliche Geflechte oder massige Knollen, die wie das Gehirn eines Riesen aussehen, andere haben weiche Gehäuse, die wie Fächer in der Dünung wedeln. Korallenkalk kann alle Schattierungen zwischen Schwarz und Signalrot haben, andere Farben bringen die kleinen Polypentiere selbst in das schöne Bild, dessen Pracht durch die bunten Tropenfische noch gesteigert wird.

Etwa 350 verschiedene Arten von Korallen haben Wissenschaftler bis jetzt weltweit entdeckt, sehr viele von ihnen findet man am Great Barrier Reef. Sie brauchen zu ihrem Wachstum vor allem Wärme (mindestens 18,5 Grad Celsius), Licht und Salzwasser. Wenn ein Riff absackt, sterben oft die unteren Korallen ab, weil sie nicht mehr genug Licht erhalten. Oben wachsen dann neue Gärten nach, ganz langsam, aber stetig dem Licht entgegen.

Faszinierend aus der Luft und unter Wasser – das Great Barrier Reef ▷

NORTHERN TERRITORY –
TOP END & RED CENTRE
Darwin: Ein Dasein als Stehaufmännchen

Eigentlich müßte dort, wo Darwin auf einer Halbinsel in die Timor-See hinausragt, längst wieder Urwald wuchern wie ringsum. Keine Stadt ist so oft zerstört worden – aber sie hat sich jedesmal wieder aufgerappelt und ist attraktiver als zuvor geworden. Zwei solcher Katastrophen haben das Northern Territory und seine Hauptstadt Darwin tief im Bewußtsein der Australier verankert: Japans Bomber-Überfall im Zweiten Weltkrieg und der Wirbelsturm, der am Weihnachtstag 1974 die Stadt dem Erdboden gleichmachte.

In der späten Nacht des Feiertags erreichte der Sturm *Tracy* von See her mit Windstärken von mehr als 200 Stundenkilometern die Stadt. Als die Bürger von Darwin aus ihren Verstecken kletterten, fanden sie sich in einem Feld der Verwüstung wieder: 90 Prozent aller Gebäude waren vernichtet, nur eine Handvoll Häuser hatten dem Desaster stand-

Die Wetlands im äußersten Norden des Northern Territory gehören zu den tierreichsten Regionen Australiens

Panzer mit Biß

In Darwin verkauft eine Versicherung Policen gegen Krokodilattacken, ein beliebtes, nicht allzu teures Mitbringsel. Für das Unternehmen war das Angebot bislang profitabel, es hat noch nie eine Prämie auszahlen müssen. Aber die Zahl der häufig tödlich verlaufenden Angriffe von Krokodilen auf Menschen hat in Australiens tropischem Norden zugenommen. Niemand wundert sich darüber, denn seit die bissigen Panzerechsen – einst vom Aussterben bedroht – 1971 unter Naturschutz gestellt wurden, haben sie sich wieder so fleißig vermehrt, daß es statistisch häufiger zu Begegnungen zwischen Mensch und *croc* kommt.

Für die Folgen ist in erster Linie bedeutsam, auf welche der beiden australischen Krokodilarten man stößt. Die schmalschnauzigen Süßwasser-Krokodile können zwar bis zu drei Meter lang werden, greifen aber Menschen in der Regel nicht an. Im Gegenteil, sie sind scheu und suchen das Weite. Ganz anders die *salties*. Die durchaus auch im Süßwasser heimischen Salzwasser-Krokodile jagen alles. Die kraftstrotzenden Zeugen der Urzeit können bis zu sieben Meter lang werden. Dieser Art verdankt »Crocodile Dundee« seinen globalen Kinoruhm – und das Northern Territory ein gutes Zusatzgeschäft mit Krokodil-Beobachtungstouren.

Am Adelaide River nahe dem Kakadu National Park hat man den *salties* sogar das Hüpfen beigebracht: Wenn die Touristenboote herannahen, gleiten die Echsen, sofern hungrig, ins Wasser und springen brav nach den Fleischbrocken, die ein Matrose ihnen an einer Angel vor die Nase hält *(Bild oben)*. Und natürlich gibt es in der Hauptstadt zerbissene und »blutbefleckte« T-Shirts mit der Aufschrift »Crocodile Wrestling Team Darwin«.

---

gehalten. Aus dem mit Weihnachtsschmuck makaber verzierten Schutthaufen wurden 65 Tote und viele hundert Verletzte geborgen. Eine Stadt mit damals 43 000 obdachlosen Einwohnern – schlimme Schlagzeilen mitten im seligen Weihnachtsfrieden. Am *Boxing Day*, dem (nach den *present boxes* genannten) zweiten Weihnachtsfeiertag, begann die Evakuierung. Aus ganz Australien trafen Helfer ein, alle Fluglinien stellten Maschinen für Darwin-Flüge ab. Die reisefreudigen Australier, die Weihnachten als ihre hochsommerliche Haupturlaubszeit zu feiern pflegen, verschoben klaglos ihre Ferienflüge. Ganz nebenbei sorgte das traurige Ereignis für einen bis heute ungebrochenen Weltrekord: Ein Qantas-Jumbo flog 674 Menschen aus dem Katastrophengebiet, die höchste Zahl von Passagieren, die je mit einem Flugzeug startete.

*Reichlich mit Nahrung versorgt –
die farbenprächtigen Papageien
im Kakadu National Park*

Als die erste Hilfe geleistet war, standen Bürger und Regierung vor der Frage, ob man dieses Ruinenfeld überhaupt wieder aufbauen oder endlich dem Urwald überlassen sollte. Schließlich war *Tracy* schon der dritte Wirbelsturm, der dieser erst gut 130 Jahre alten Stadt furchtbar mitgespielt hatte. Die kurze Historie Darwins hatte bereits mit einem zähen Kampf der ersten Bewohner gegen die ungastliche Natur begonnen. Bevor die heutige Stadt 1863 unter dem Namen Palmerston gegründet wurde, hatten wackere Männer schon viermal vergeblich versucht, an der Bucht eine Siedlung zu errichten. Temperaturen über 40 Grad Celsius, tropische Stürme und ein schwer zu bestellender Boden machten diesen Vorstößen jeweils ein vorzeitiges Ende. Goldfunde, die sich allerdings als nicht ergiebig erwiesen, hatten schließlich zur dauerhaften Stadtgründung geführt. 1897 demolierte erstmals ein Sturm die Stadt, 1937 folgte ein zweiter – die regelmäßigen kleineren Wirbelstürme nicht mitgezählt.

Der Wiederaufbau nach 1937 war noch nicht abgeschlossen, als eine neue Katastrophe vom Himmel herniederfuhr, diesmal von Menschenhand gesteuert. 1942 überfielen die Japaner mit 18 Bombern das völlig unvorbereitete Darwin und leiteten damit eine Serie von 64 Bombenangriffen ein, die bis zum November 1943 andauerte. Die größtenteils zerbombte Stadt hatte insgesamt über 2 000 Tote zu beklagen. Dennoch: der Krieg sollte sich zum Vorteil Darwins auswirken. Um den Norden zu verteidigen, wurde die klägliche Buschpiste von Alice Springs nach Darwin zu einer richtigen Straße ausgebaut, der Flughafen erfuhr eine Erweiterung und die Hafenanlagen wurden modernisiert. Die einsame Gemeinde am Top End des Kontinents fand Anschluß an den Rest des Landes und blühte auf. Bis *Tracy* all dem wieder ein Ende setzte.

Doch auch dieses Desaster sollte der *frontier city* von Nutzen sein. Die Bewohner streiften sich T-Shirts über mit der Aufschrift »War das eine Nacht mit Tracy!« und gingen ans Werk.

Millionen an Versicherungsgeldern und Staatszuschüssen strömten in die Stadt, in der alles neu angeschafft werden mußte. »Es war wie ein Goldrausch«, erinnern sich die Veteranen. Seither wächst Darwin ungebremst. Die Hauptstadt des Nördlichen Territoriums hat sich eine »wirbelsturmsichere« Architektur zugelegt, deren massive Bauweise sich

hinter viel tropischem Grün verbirgt. Zu den Aktiv-
posten zählt seit einigen Jahren auch der Tourismus. Früher diente Darwin nur als Ausgangsort für
Touren zum Kakadu- oder zum Litchfield-National-
park, heute lohnt es sich durchaus, einige Tage in
der Stadt zu bleiben und ihre interessanten Museen
anzuschauen, insbesondere das vorzügliche Museum of the Northern Territory, dessen Sammlung
auch einen guten Überblick über
die Kunst der nordaustralischen
Aborigines bietet, einschließlich
der Tiwis auf den vorgelagerten
Inseln Bathurst und Melville. Andere Sammlungen widmen sich
der Lokalgeschichte, der Perlen-
zucht, der Luftfahrt und dem tropischen Meer – das man auch
höchst lebendig erleben kann: In
der »Aquascene« strömen bei Flut
Hunderte von Fischen zur Küste,
um sich füttern zu lassen.

Schuppiger Bewohner des Kaka-
du-Nationalparks: Der Perentie,
eine Eidechsenart, kann es auf die
stattliche Größe von zwei Metern
bringen

Weniger freundlichen Wasserbewohnern widmet
sich der Crocodylus Park; wer hingegen Känguruhs
und Emus aus nächster Nähe erleben will, ist im Territory Wildlife Park südlich der Stadt richtig. Hier zeigen die Ranger auch, welche Flugkunststücke die
Raubvögel des Nordens beherrschen, wenn sie ihre
Beute schlagen. Nicht so spektakulär, aber nicht
minder eindrucksvoll ist der Botanische Garten der
Hauptstadt, der eine der größten Palmensammlun-
gen der Welt bietet.

Wer Darwin aber wirklich erleben will, darf nicht
nur seine Sehenswürdigkeiten abhaken. Um diese
Stehaufmännchen-Stadt kennenzulernen, muß
man mit ihren Menschen reden, etwa in einem Pub
oder einer Hotelbar – angesichts der Tropentempe-
raturen hat Darwin den höchsten Bierverbrauch pro
Kopf unter den größeren Städten. Die Einwohner
kommen aus aller Welt, mehr als 80 Nationalitäten
hat man gezählt, und ihre Zahl steuert auf 100 000
zu. Und wenn man in Darwin am Tresen steht, sollte man auf eine Besonderheit achten: Wenn die Bierbüchse geleert ist, wird sie nicht zerdrückt und weg-
geworfen. Pfand? Das nicht, aber jede Bierbüchse
wird in Darwin zum Schiffsbau genutzt. Aus den ver-
schweißten Büchsen entstehen dann Phantasiege-
fährte vom schlichten Floß bis zum Wikinger-Lang-
boot, sie alle treten im Juni zur Beer-can-Regatta an.

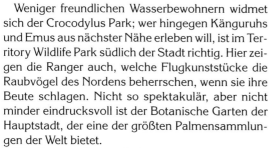

Die Standley Chasm in der West
MacDonnell Range westlich von
Alice Springs ist so schmal, daß
die Sonnenstrahlen nur um die
Mittagszeit bis auf den Grund der
Schlucht reichen   ▷

Allrad-Nation

»Um Australien zu sehen, um seine Extreme wirklich zu erleben, ist es unabdingbar, die Kraft und die Bodenfreiheit eines allradangetriebenen Fahrzeugs zu nutzen«, sagen Kim und Peter Wherrett. Sie sollten es wissen, denn sie haben einen fast 600 Seiten starken Führer für all jene verfaßt, die das Land im *four-wheel-drive* erkunden wollen. Ihnen gelang ein Bestseller, was nicht verwundert, wenn man sieht, wie viele Australier mit Geländewagen durch die Landschaft karriolen.

Für Farmer und alle anderen, die im Outback leben, sind die geländegängigen Autos eine Selbstverständlichkeit, denn schon etwas abseits der wenigen asphaltierten Straßen beginnen die *tracks*, Pfade durch die Wildnis, die bisweilen gerade noch an schon langsam überwuchernden Spuren zu erkennen sind. Das ist gewiß kein Land für unerfahrene Outback-Touristen, vor allem nicht, wenn Regen die Strecken schlammig oder »seifig« gemacht hat. Daneben gibt es aber auch Straßen, die zwar nicht geteert sind, aber doch regelmäßig gepflegt werden. Auf diesen einfachen Straßen kann man bei trockener Witterung in der Regel auch mit Autos fahren, die keinen Allradantrieb besitzen. Bei Mietwagen lohnt sich zuvor allerdings ein Blick in den Mietvertrag: Vielfach erlischt der Versicherungsschutz, wenn man mit einem Wagen ohne Allradantrieb vom Asphalt abweicht.

Dort lauern aber auch Gefahren, die keine Autoversicherung abdeckt, vor allem Hitze und Durst. Deshalb gilt für alle Outback-Fahrten die Faustregel: An Bord gehören mindestens zehn Liter Wasser pro Person und Tag. Eine andere Empfehlung lautet, vor Fahrten in sehr abgelegenen Regionen die Polizei oder die Nationalpark-Ranger von dem Vorhaben zu informieren. Diese können zum einen gute Tips für solche Extremtouren geben; zum anderen wissen sie, wo sie suchen müssen, wenn mal etwas schiefgeht. Dann gilt übrigens die eiserne Outback-Regel: Immer beim havarierten Gefährt bleiben, im Schatten. Ein Auto ist aus der Luft leichter auszumachen als ein einzelner Mensch, der durch die Einsamkeit irrt.

Trotz des weiten und oft unwegsamen Landes – ein Grund für die außergewöhnlich hohe Zahl der Geländewagen in Australien ist dies nicht. Keine Nation ist nämlich so stark verstädtert, rund 85 Prozent der Bevölkerung lebt in den Millionenmetropolen. Und dort, im Großstadtdschungel, müssen die *all terrain vehicles* sich bewähren auf dem Weg zu Bistro, Beach oder Bodybuilding-Studio. Und eines Tages, so nehmen sich die meisten der urbanen Geländewagenfahrer ganz fest vor, werden sie ihr strammes Gefährt auch einmal ins Outback lenken, in das eigene, aber doch so exotische Land für »Kraft und Bodenfreiheit« *(Bild unten: Der Mossman River im Norden von Queensland ist definitiv ein »Four Wheel Territory«).*

Katherine: Die Steilwand-Metropole

Bis zu 70 Meter hoch sind die Steilwände in der Katherine Gorge, jenen spektakulären 13 Schluchten, die der Katherine River vor rund 25 Millionen Jahren in das rote Felsplateau eingefräst hat. Es ist schon hilfreich, einen kleinen Feldstecher zur Hand zu haben, wenn man die Wasserlinie sehen will: Mehr als 15 Meter hoch steigt das Wasser hier, wenn in der Regenzeit tosende Fluten durch das enge Tal strömen. Dann kann man nur einen Bogen um das herrliche Tal machen. Aber nach Ende der *wet*, etwa im März, werden wieder die Aluminiumboote zu Wasser gelassen, mit denen man die Schluchten erkunden kann – zumindest die ersten fünf, denn selbst bei einer Tagestour schafft man nicht mehr. Zwischen den Schluchten gibt es nämlich Untiefen, die man trockenen Fußes umgehen muß. Kanufahrer, die bei jeder Stromschnelle ihre Boote und ihre gesamte Ausrüstung um das Hindernis herumtragen müssen, planen deshalb auch mehrere Tage ein, um das ganze Tal zu erkunden.

Nitmiluk nennen die Aborigines der Region die Schluchten schon seit Urzeiten, deshalb erhielt auch der ausgedehnte Nationalpark diesen Namen. Die Ureinwohner sind heute an der Verwaltung des Parks und an seinen Einnahmen beteiligt. Sie profitieren auch von ihm, weil er interessante Arbeitsplätze als Ranger bietet. Für die Besucher ist dies eine Bereicherung, denn sie erfahren von den Aborigines nicht nur, wo die alten Felsmalereien in der Schlucht zu besichtigen sind, sondern auch, welche alten Mythen und Sagen mit dieser schönen Landschaft verbunden sind. Da ist zum Beispiel die Geschichte von einem jungen Paar, deren Liebe von ihren Stämmen nicht zugelassen wurde – sie stürzten

Kanuten in der Katherine Gorge

sich von einer Klippe in die Schlucht und sind seither als freundliche Geister präsent.

Katherine, die Stadt bei den Schluchten, war stets
ein wichtiges Versorgungszentrum am Stuart Highway zwischen Darwin und Alice Springs. Daß die
Stadt aber auch touristisch etwas aus ihrem Schatz,
dem Nationalpark, gemacht hat, verdankt sie nicht
zuletzt Werner Sarny. Er sorgte nicht nur für ein
ordentliches Hotel, er erkannte auch, womit Katherine über seine Schluchten hinaus werben konnte:
mit den glasklaren warmen Quellen von Mataran-
ka, mit den Cutta Cutta Caves, in deren Höhlengän-
gen seltene Fledermausarten leben, oder mit dem
Springvale Homestead, den der Einwanderer aufwendig restaurieren ließ und zum touristischen
Zentrum machte. Keine Frage, Werner hat sich seinen Ehrentitel »Mr. Katherine« wirklich verdient.

Die warmen Quellen von Mata-
ranka südlich von Katherine
sorgen für das leibliche Wohl der
Outback-Touristen

55

Alice Springs:
Die Stadt mit dem Prädikat »bonzo«

Als der britische Philosoph Bertrand Russell in den 50er Jahren Alice Springs besuchte, war die berühmte Stadt mitten in Australien noch ein Zentrum der Vieh- und Schafzüchter ohne spezielle Attraktionen. Also zeigte man dem hohen Besuch stolz das Ortsgefängnis mit seinen komfortablen Zellen. Als Russell fragte, warum es denn den Spitzbuben so bequem gemacht werde, erhielt er die Antwort: »Oh, weil doch alle führenden Bürger der Stadt regelmäßig einige Zeit im Gefängnis verbringen.« Russell fuhr in seiner Autobiographie fort: »Mir wurde gesagt, daß die einheimischen Farmer bei jeder möglichen Gelegenheit sich gegenseitig die Schafe stehlen.« Vielleicht war dies der Grund dafür, daß die Aussies *The Alice* immer *bonzo*, Spitze, fanden.

Der Sport des Schafestehlens wird offenkundig nicht mehr ausgeübt, zumindest merkt man als Besucher nichts davon. Und an Besuchern mangelt es der Stadt wahrlich nicht. Ähnlich wie Darwin begann Alice Springs seine internationale Karriere als Ausgangspunkt für Touren zu einer bekannten Natursehenswürdigkeit, hier dem rund 450 Kilo-

Die australischen Wildkamele – genaugenommen handelt es sich um Dromedare – wurden im 19. Jahrhundert als Arbeitstiere importiert. Heute veranstaltet man mit ihnen Camel Races oder organisiert Touristen-Karawanen ins Outback wie in Alice Springs

meter entfernten Ayers Rock. Wie Darwin hat aber auch die ehemalige Telegraphenstation an der wertvollen Quelle in der Wüste eigene Attraktionen entwickelt: Man kann gut eine geschäftige Woche in Alice Springs verbringen, ohne an den Rock auch nur zu denken. Allein der Alice Springs Desert Park mit seinen 140 Tier- und 350 Pflanzenarten aus dem Red Centre fordert mindestens einen halben Tag, besser ist es, einen ganzen Tag für diese neue Attraktion freizuhalten.

Natürlich hat Alice Springs seine Telegraphenstation und sein Gefängnis zu Museen gemacht, aber ebenso attraktive Sammlungen gelten der Eisenbahn, der Fliegerei, den Pionierfrauen und der Geschichte und Natur des Red Centre, um nur einige zu nennen. Im Museum of Central Australia wird übrigens auch erklärt, warum das Zentrum des Kontinents wirklich rot ist: In den Felsen und im Sand sind zahlreiche kleine Eisenpartikel, die farbfilmfreundlich rosten. Warum hingegen kleine Karawanen mit Touristen auf Kamelen durch das fast immer ausgetrocknete Bett des Todd River trotten, erfährt man in der Frontier Camel Farm am Stadtrand: Die geduldigen Touristenträger sind domestizierte Wildkamele, die herdenweise durch das Outback ziehen.

Sie sind Nachfahren der Arbeitstiere, die im 19. Jahrhundert aus Afghanistan eingeführt wurden. Vor dem Bau der Eisenbahn und der Konstruktion wüstentauglicher Lastwagen waren Kamelkarawanen die einzige Möglichkeit, die Outback-Nester zu versorgen. Als die Kamele – genaugenommen sind es Dromedare – nicht mehr gebraucht wurden, schickte man die nunmehr lästigen Fresser im wahrsten Sinne des Wortes in die Wüste. Dort vermehrten sie sich wider Erwarten prächtig, deshalb werden heute sogar australische Wildkamele zur Blutauffrischung nach Arabien exportiert.

An einem einzigen Tag dürfen die Kamele nicht ins Flußbett: Anfang Oktober erlebt Alice Springs das vermutlich eigenwilligste Bootsrennen der Welt, die Henley-on-Todd-Regatta. Die Boote, die hier an den Start gehen, sind bodenlos, und die Crews laufen auf dem feinsandigen trockenen Flußbett, wenn der Startschuß fällt, mit ihrem möglichst leicht gebauten »Booten« dem Ziel entgegen. Nur einmal, so heißt es, sei die Regatta wegen Regens ins Wasser gefallen.

Ein kontinentaler Querschnitt

Down the track fährt man in Darwin, wenn man sich auf den Stuart Highway begibt. Aber aus der Piste ist längst ein Asphaltband geworden, das Darwin und Adelaide komfortabel verbindet. Die einzige Straße, die von Küste zu Küste durch das Innere des Kontinents verläuft, ist keine Route mehr für Abenteuer, denn entlang der gut 3 000 Kilometer langen Strecke gibt es auch im Outback in ausreichenden Abständen *roadhouses*, die Benzin und Bett bieten.

Eine leise Ahnung früherer Abenteuer kommt auf, wenn man durch die Einsamkeit rollt und nur alle halbe Stunde ein anderes Auto sieht. Der Stuart Highway trägt den Namen von John McDouall Stuart, dem Forscher, der 1862 auf etwa der gleichen Route erstmals Australien durchquerte. Die heute bei Touristen beliebte Straße führt durch nahezu alle Klimazonen des Landes, vom feucht-tropischen Urwald im Norden durch die rote Steppe im Zentrum zur kalkweißen Wüste beim Opalgräbernest Coober Pedy, zur Salzwüste und schließlich in das fruchtbare Hügelland von South Australia bei Adelaide. Ein echter Querschnitt. Auch die Ortschaften an der Piste und die Menschen in den Pubs vermitteln einen trefflichen Eindruck quer durch die Bevölkerung, zumindest lernt man jenen Teil der Aussies kennen, der abseits städtischer Lebensart seinen sehr eigenen Stil pflegt. Rauh und herzlich, so, wie wohl einmal der ganze Kontinent war.

Fast im geographischen Mittelpunkt des Kontinents – der Ayers Rock ▷

Ayers Rock – der Klotz des Kontinents

Northern Territory: 3 Ayers Rock

»Ghost Gum« im Kings Canyon nördlich des Ayers Rock. Die weiße Rinde schützt die Eukalyptusbäume vor der sengenden Hitze ▷

Die Olgas werden von den Aborigines treffend »viele Köpfe« – Kata Tjuta – genannt

Wenn in Sydney die Jets in Richtung Europa abheben, führt ihr Weg oft über den Ayers Rock. Das rotleuchtende Symbol Australiens ist auch aus 10 000 Metern Höhe noch gut zu erkennen. Dabei ist dieser »Klotz des Kontinents« mit seinen 348 Metern wahrlich nicht sonderlich hoch und mit seinem Neun-Kilometer-Umfang auch nicht großartig beeindruckend. Seinen Ruhm verdankt der Ayers Rock denn auch der Tatsache, daß er völlig unvermittelt aus der sandigen Ebene ragt. Eine Bergspitze, die ebenso wie die 30 Kilometer entfernten Olgas der jahrtausendelangen Erosion standhielt und bei wechselndem Tageslicht alle Farbschattierungen zwischen Rosa, Orange und Purpur annimmt.

Aus der Ferne wirkt der Rock ganz glatt und wohlgerundet, aus der Nähe sieht er jedoch aus wie ein faltiger alter Elefant. Dennoch ist das Besteigen des Ayers Rock nicht ungefährlich, an einigen Stellen sind die Flanken so glatt, daß man leicht abrutschen und zu Tode stürzen kann. Deshalb wurde an der beliebtesten Aufstiegsstelle eine Kette zum Festhalten verankert, sie blieb auch erhalten, als die lokalen Aborigines an der Verwaltung des Parks beteiligt wurden und seither Besucher bitten, den ihnen heiligen Berg nicht mehr zu besteigen. Sie

nennen den Felsen *Uluru*. Viele der Höhlen und Wasserstellen an seinem Fuß sind tabu für Besucher, einige alte Felsmalereien kann man jedoch besichtigen.

Kata Tjuta heißen die Olgas bei den einheimischen Aborigines: »Viele Köpfe« ist eine sehr passende Bezeichnung für die 36 Felskuppen, deren höchste mit 546 Metern den Ayers Rock deutlich überragt. Viele haben ihre eigenen Geschichten, zwei der Berge sind beispielsweise *pungalungas*, menschenfressende Riesen, die von den Aborigines nach langen Kämpfen besiegt wurden und versteinerten. Der höchste Berg ist das Heim einer mythischen Schlange mit langen Zähnen, Mähne und Bart, deren Atem den Wind zwischen den Bergen bildet. Einige Mythen rings um Ayers Rock und Olgas kann man im Uluru-Kata Tjuta Cultural Centre verfolgen, einem harmonisch in die Landschaft am Fuß des Rock eingepaßten Informationszentrum der lokalen Aborigines-Stämme.

Medizinmänner mit Flügeln

Ein Beinbruch oder eine simple Erkältung konnte in der Isolation des Outback das sichere Todesurteil sein. Im Jahr 1928, als sich in Australien das Flugzeug endgültig durchsetzte, hatte der Geistliche John Flynn eine großartige Idee. Damals flog der australische Pilot Bernd Hinkler als erster allein von England nach Australien; Charles Edward Kingford Smith, Australiens wichtigster Flugpionier, überquerte mit drei Kollegen den Pazifik, und zwei Buschpiloten gründeten im Outback von Queensland ihren »Queensland and Northern Territory Aerial Service«, kurz Qantas. Flynn unterbreitete ihnen seine Idee von einem »Royal Flying Doctor Service« (RFDS), und 1928 flogen die ersten Ärzte aus.

Die einsamen Farmen oder Aborigines-Siedlungen riefen sie im Notfall per Funk; um den Strom der Geräte per Dynamo zu erzeugen, mußte immer ein Familienmitglied kräftig in die Pedale treten. Heute erübrigen Satellitentelefone oder moderne Geräte diese Aufgabe. Das Funknetz teilen sich die »Medizinmänner mit Flügeln« übrigens seit 1951 mit der School on the Air, in der die Kinder auf den Farmen unterrichtet werden.

Inzwischen unterhalten die fliegenden Doktoren 14 Stationen im ganzen Land, damit gibt es keinen Flecken in Australien, der nicht in maximal zwei Flugstunden erreichbar wäre. Die modernen Maschinen sind so ausgestattet, daß schon in der Luft die medizinische Behandlung beginnen kann, wenn dies notwendig ist. In den meisten Fällen heben die Ärzte, Krankenpfleger und Piloten allerdings zu routinemäßigen Touren durch ihr riesiges »Wartezimmer« zu den Sprechstunden im Outback ab. Akute, aber leichtere Fälle werden oft per Funk diagnostiziert. Dann empfiehlt der Arzt eine Medizin aus den im Outback immer gleichartigen Arzneikisten, in denen alle Medikamente durchnumeriert sind.

Es geht also längst nicht immer so dramatisch zu wie in der weltweit ausgestrahlten Fernsehserie über die Flying Doctors. Dem RFDS nutzt jedoch der TV-Ruhm: Seine Stationen sind seither Besuchermagneten. In der Basis nahe dem Zentrum von Alice Springs (der Flugbetrieb ist meistens vom medizinischen Ablauf getrennt) finden die Führungen in der Hauptsaison im 30-Minuten-Rhythmus statt. Die bescheidenen Eintrittsgelder bringen schließlich auch ein paar hunderttausend Dollar in die chronisch leeren Kassen ...

SOUTH AUSTRALIA – EIN STAAT WIE EIN OPAL
Coober Pedy: Total gelöchertes Land

»Glaubst Du wirklich, Du könntest hier was gewinnen?« fragte mich Tony, als ich im »Opal Inn« den herumliegenden Bingoschein anschaute. »Kauf Dir für Dein Geld lieber ein Bier. Und wenn Du Geld machen willst, steig ein in die Opalsuche. Mir ist das gut bekommen.« Ich schaute mir Tony etwas genauer an. Er sah zwar nicht abgerissen aus, aber Wohlstand strahlte auch nicht aus seinen Knopflöchern. Ich hatte schon gehört, daß man in Coober Pedy nicht nach Äußerlichkeiten gehen kann. Ich holte uns zwei Bier und fragte Tony: »Du hast den großen Stein gefunden?« »Nein«, antwortete er, »aber es hat sich in diesem Jahr ganz ordentlich summiert, ich bin zufrieden.«

Tony ist Kroate und hat eigentlich einen anderen Vornamen. Aber der sei zu kompliziert für Australien, sagte er, und Antonius sei ja auch kein schlechter Schutzheiliger. Er lebt seit vielen Jahren in dieser staubtrockenen Wüste. Bereits bei seinem zweiten Bohrloch war er fündig geworden: »Nicht viel, aber genug, um die Kosten für den fahrbaren Bohrer zu bezahlen. Für eine knappe Rücklage hat es auch noch gereicht.« Die war auch nötig, denn die nächsten sechs Bohrungen waren vergeblich.

»Es ist also wahr, daß man nie genau vorhersagen kann, wo man Opale findet?« fragte ich. »Warum sieht wohl die Gegend rund um die Stadt aus wie eine Mondlandschaft?« fragte er zurück. »Das Land rings um Coober Pedy ist doch total gelöchert. Die Hunderte von weißen

Anstrengende Arbeit unter Tage: Opalsuche in Coober Pedy

Kegeln, die man von weither sieht, sind alle Abraum neben einem Bohrloch. 80 Prozent aller Bohrlöcher sind herausgeworfenes Geld. Aber wer weiß das schon vorher?«

Opale, die in allen Farben schimmernden »Feuersteine«, sind eigentlich nur Halbedelsteine. Weil sie aber so selten sind (95 Prozent aller Opale kommen aus Australien), sind sie recht teuer. In Coober Pedy, dem größten Fundort, sind die funkelnden Farbschichten meist eingebettet in milchigweißes, glasartiges Gestein. Diese Opale sind etwas weniger wert als Steine mit einem natürlichen dunklen Unterton, auf dem die Farben besser zur Geltung kommen. Solche »schwarzen Opale« stammen in der Regel von anderen australischen Fundorten, etwa aus Lightning Ridge oder Andamooka. Daß in Coober Pedy die meisten angebotenen Schmuckstücke auch einen dunklen Opal haben, liegt daran, daß es sich um *triplets* handelt. Dabei wird eine fein herausgesägte Opalschicht auf eine schwarze Glasschicht geklebt und beide werden von einer glasklaren Schicht umhüllt. Triplets sollten immer preiswerter sein als ganze Steine.

Coober Pedy lebt zwar für Opale, aber nicht mehr ausschließlich von ihnen. Als 1988 zur 200-Jahr-Feier Australiens auch der südliche Teil des Stuart Highway erstmals geteert wurde, entwickelte sich schnell der Tourismus. Tausende wollten fortan sehen, wo erwachsene Menschen in der Erde buddeln, um dort kleine bunte Steinchen herauszuholen. Außerdem war man neugierig auf die Höhlenwohnungen, hatten doch Reporter berichtet, in

Die Sandsteinfelsen der Breakaways nördlich von Coober Pedy sind nur über eine »dirt road«, eine nicht asphaltierte Piste, zu erreichen

Coober Pedy lebe man wegen der enormen Hitze unter der Erde. In der Erde wäre genauer, denn die meisten sind am Fuß der Hügel waagrecht in das Gestein vorgetrieben worden. Nahezu alle Wohnhöhlen sind inzwischen mit sämtlichen Segnungen der Neuzeit ausgestattet, mit Bädern, modernen Küchen, Telefon und Kabelfernsehen. Die begehrten Wohnungen sind zwar billig herzustellen – ein Bohrer fräst sich in das weiche Gestein –, aber dennoch rar. Es fehlt in Coober Pedy an geeigneten Bergflanken, fast alle zweckmäßigen Hügel sind bereits ausgehöhlt, und entsprechend teuer sind die vorhandenen.

Mindestens eine private Höhlenwohnung gehört ebenso zu den Besichtigungstouren über die Opalfelder wie ein Abstecher in eine der *underground churches*. Unterwelt-Fans können in Coober Pedy aber auch in einem Höhlenhotel wohnen, in einem Untergrund-Restaurant speisen, in einer Höhlenbuchhandlung nach Lektüre Ausschau halten oder direkt in die Nachbarhöhle des Schweizer Cafés hinüberwechseln. Ob ihn denn jetzt die vielen Touristen störten, wollte ich von Tony wissen: »Nö, die haben den Ort etwas zivilisierter gemacht. Und überdies sieht man öfter mal hübsche junge Mädchen, die sind hier sonst eher selten.«

Wilpena Pound – Australiens größte Wanne

Wie eine faltige Halbinsel ragen die Flinders Ranges bei Port Augusta in die südaustralische Wüste, eine trockene Berglandschaft mit grünen Tälern und vereinzelten Wasserläufen, die flankiert wird von Ebenen mit zwei großen Salzseen, in denen nahezu alles Leben erstorben ist. Die wilde Schönheit der Flinders Ranges ist zwar relativ leicht und über gute Straßen zu erreichen. Dennoch sind die Berge, in denen mehrere Nationalparks abgesteckt sind, ein recht einsames Revier ohne viele Touristen.

Das Schaustück der Ranges ist der Wilpena Pound, ein ovaler Bergkessel, der aus der Luft wie eine gigantische Badewanne aussieht: An der Außenkante steigen die Felsenwände bis zu 500 Meter steil auf, im Inneren senken sich die Bergket-

»Unter-Tage-Ambiente« in Coober Pedy: Die private Höhlenwohnung von »Crocodile Harry«
kann ebenso besichtigt werden (Bild oben) wie die Höhlenkirche, die zum offiziellen Besich-
tigungsprogramm gehört (Bild unten)

Vom alten »Ghan«, der Schmalspurbahn, die 1929–80 Alice Springs mit Südaustralien verband, blieben nur rostende Relikte (Bild oben). Heute wird das Outback von gigantischen »Road-trains« versorgt (Bild unten)

ten sanft zum Mittelpunkt. In diesem Bergoval liegt auch der höchste Gipfel der Flinders Ranges, der 1 164 Meter hohe St. Mary's Peak. Der Wilpena Pound ist etwa 16 Kilometer lang, zehn Kilometer breit und unbesiedelt. Ein Versuch, in dem Kessel Landwirtschaft zu betreiben, scheiterte schon vor Jahrzehnten. Am südlichen Ende des Pound hat ein kleiner Fluß einen schmalen Durchgang in das Innere des Kessels geschaffen, ein Weg, der zahlreiche Wanderpfade erschließt. Einer von ihnen führt hinauf zum Rand des Ovals, wo die geologischen Eigenheiten des Pound gut zu erkennen sind.

In der Mythologie der Aborigines heißt es, daß der Wilpena Pound seine Entstehung zwei Schlangen verdankt, die sich um das Rund legten und an ihren beiden Enden zusammenschlossen. Diese Schlangen waren so durstig, daß sie die großen Seen in der Ebene leertranken. Die Wissenschaftler haben selbstverständlich eine andere Theorie, nach der die Berge durch Erdverschiebungen aufgefaltet wurden. Für sie sind die Flinders Ranges mit ihrem reichen Tier- und Pflanzenleben ein wichtiges Forschungsrevier, das von Zeit zu Zeit mit Überraschungen aufwarten kann. So gab es in den 70er Jahren des 20. Jahrhunderts eine Periode mit ungewöhnlich heftigen Regenfällen. Danach erblühten die Täler und Bergflanken wie schon lange nicht mehr. Kurz darauf entdeckten die Botaniker Blumen und Pflanzen, die sie längst ausgerottet wähnten. Die Samen hatten offenkundig jahrzehntelang in der trockenen Erde überlebt.

Adelaide: Das vollendete Viereck

Die Südaustralier sind ungemein stolz auf ihre Herkunft und Historie. Schließlich sind sie Bürger des einzigen australischen Bundesstaates, dessen Geschichte nicht mit irgendwelchen Halunken begann, die von den Richtern der britischen Krone zur

Buße und Besserung in das ferne Land verschifft worden waren. Südaustralien wurde von freien Menschen gegründet und besiedelt, von Untertanen des englischen Königshauses, die in eigener Entscheidung auswanderten, um in respektablem Abstand von den Sträflingskolonien neues Land unter den Pflug zu nehmen und den eigenen kargen Wohlstand zu mehren. Deshalb erzählen die Bürger von South Australia immer wieder gerne die Geschichte der Entstehung ihres Staates.

1836 erreichten die ersten britischen Siedler das neue Land, unter ihnen waren auch der Gouverneur John Hindmarsh und der Forscher William Light, letzterer als General-Landvermesser auch im

Sanfte grüne Hügel prägen die Landschaft in den südlichen Flinders Ranges in South Australia

königlichen Auftrag tätig. Sie landeten zuerst auf Kangaroo Island. Die Insel erwies sich als ungeeignet für die damalige landwirtschaftliche Arbeitsweise. Deshalb suchten die Siedler bald einen neuen Platz auf dem Festland für die künftige Hauptstadt der Kolonie. Der Marineoffizier Hindmarsh wollte einen Hafen als Hauptstadt, Light sprach sich für einen etwa zehn Kilometer landeinwärts gelegenen Landflecken am Ufer des Torrens River aus, um die Wasserversorgung der künftigen Stadt zu sichern. Er konnte sich durchsetzen und plante eine Stadt, die einzigartig ist auf dem australischen Kontinent: Adelaide.

Der alte Grundriß ist heute noch gut zu erkennen und gibt der Stadt einen entspannenden Charme, der viele Touristen anzieht. Light plante, den Wohnbereich der Stadt durch den Fluß von den Handels- und Verwaltungsbezirken zu trennen. Beide Stadtteile sind durch großzügige Parks charakterisiert. Die südlich des Torrens gelegene Innenstadt ist das vollendete Viereck, strikt geometrisch angelegt mit dem Victoria Square in der Mitte und vier kleineren Plätzen akkurat ringsum.

Der Victoria Square im Zentrum von Adelaide, der Hauptstadt von South Australia

Ergänzt wird dieser Eindruck durch eine elegante architektonische Gesamtgestaltung, auch wenn die Bürohochhäuser der Gegenwart nicht immer perfekt mit den nostalgischen Bauten des 19. Jahrhunderts abgestimmt sind. Die Prachtstraße ist die North Terrace nahe beim Flußufer, an ihr liegen Parlament und Regierungsgebäude, das rund um die Uhr geöffnete Spielkasino in einem schmucken einstigen Bahnhof, Bibliothek, Universität und die beiden Hauptmuseen der Stadt, das South Australian Museum mit seiner bekannten Aborigines-Kollektion und die Art Gallery of South Australia.

Bald nach den ersten Siedlern kamen deutsche Religionsflüchtlinge, die teilweise nach Hahndorf in den Adelaide Hills weiterzogen und die schnell wachsende Stadt mit frischem Gemüse versorgten. Ande-

Das Barossa Valley östlich von Adelaide ist eines der bekanntesten Weinbaugebiete Australiens

re Gruppen dieser schlesischen Siedler zogen 1842 in das etwas weiter nördlich gelegene Barossa Valley und begannen dort, obwohl mit Trauben gar nicht vertraut, den Weinanbau. Adelaide genießt folglich eine alte Weinkultur, was man der Stadt durchgängig anmerkt – sie ist den schönen Seiten des Lebens deutlich zugewandt. Dies zeigt sich in einer vielfältigen Restaurantszene, stärker aber noch in einem sehr aktiven Kulturleben.

Adelaide war früher eine ziemlich profillose Stadt. Sie galt bestenfalls wegen ihrer vielen Kirchen als *city of churches*, aber trotz des starken Einflusses der Geistlichkeit entwickelte die Stadt in den 70er Jahren eine lebendige Kunstszene. Das Symbol dieser Entwicklung ist das Festival Centre zwischen City und Fluß, eine eigenwillige Architektur, die an zwei große weiße Käfer erinnert. Der 1977 eröffnete Komplex wurde für das Adelaide Festival errichtet, Australiens bedeutendstes internationales Kulturereignis. Die dreiwöchige Veranstaltung mit Theater, Musik und bildender Kunst findet jeweils alle zwei Jahre (gerade Jahreszahl) im Februar/ März statt. Ein »Fringe Festival« ergänzt das Programm mit Veranstaltungen alternativer Künstler.

Mit den Festivals haben sich zahlreiche Galerien und Kleinbühnen etabliert, dank der Künstler belebte sich auch das gastronomische Angebot der Stadt. Wo es einst hauptsächlich Hotelrestaurants gab, laden jetzt nette kleine Bistros und Weinbars in der Rundle Street oder der Gouger Street zum Genießen ein. Und zur Lebensqualität dieser eleganten, unaufgeregten Stadt gehören sicher auch die nahen Strände am Gulf St. Vincent. Zum Seebad Glenelg rattert sogar eine alte Straßenbahn, deren nostalgische Waggons unmittelbar vor der Pier enden.

Auge in Auge mit dem weißen Hai

»Er ist wie eine Freßmaschine mit kaltem starren Blick. Ohne erkennbaren Flossenschlag, aber pfeilschnell schießt er auf dich zu. In dem Moment kriecht dir die Angst in alle Adern. Und schon kracht der Käfig, während die wie Sägeblätter wirkenden Zahnreihen sich kurz an dem Metall festbeißen.« So schilderte Silvio seine Begegnung mit dem weißen Hai.

Solche Treffen kann man in Port Lincoln im Büro der Touristeninformation buchen wie einen Pauschaltrip: Mit einem Boot geht es hinaus in den Spencer Gulf, wo an einem unterirdischen Riff meist ein oder zwei Dutzend weiße Haie ihre Kreise ziehen. Dort werden die Hai-Touristen mit Tauchgeräten versehen und dann in einem Schutzkäfig hinab ins Wasser gelassen.

Meist verläuft der Trip allseits zufriedenstellend: Der Veranstalter kassiert ordentlich, und die Taucher bekommen meistens einen oder mehrere weiße Haie zu sehen, ehe sie wieder an die Oberfläche gehievt werden. Eine Garantie für das erhoffte Treffen mit einem Hai gibt der Veranstalter allerdings nicht.

Kangaroo Island – Insel der Seelöwen

South Australia ist wie die Opale, die den Bundesstaat berühmt gemacht haben: In einem wenig attraktiven Umfeld (das sind die trockenen Wüsten im Norden und im Westen) finden sich immer wieder Edelsteine, die in den verschiedensten Farben funkeln. Zu solchen – zumindest in Europa – wenig bekannten Schmuckstücken gehört Kangaroo Island. Australiens drittgrößte Insel ist bei den Aussies zwar als Urlaubsziel durchaus geschätzt, liegt aber abseits des internationalen Touristenstroms. Folglich sucht man große Hotels oder luxuriöse Herbergen bislang noch vergeblich, ein »Mangel«, der dieser Insel gut bekommt. Kangaroo Island ist ein Ort für alle, die an der Natur mehr interessiert sind als am Nachtleben, und die größte abendliche Attraktion ist die Heimkehr der kleinen Pinguine in ihre Schlafhöhlen. Ob all das so bleibt, ist ein wenig fraglich, denn bei jedem Besuch erzählten mir die Insulaner stolz von neuen großen »Entwicklungsprojekten«. Bislang hat es aber immer am Geld zur Umsetzung der Pläne gefehlt.

Die etwa 150 Kilometer lange und gut 30 Kilometer breite Insel liegt südöstlich von Adelaide und ist an der Backstairs Passage nur 16 Kilometer vom Festland entfernt. Fast ein Drittel der Inselfläche wird von Nationalparks und anderen Naturschutzgebieten eingenommen und ist so dem Zugriff der Investoren, sollten sie denn kommen, entzogen. Entsprechend vielfältig zeigt sich die Vielfalt der Tierwelt, zumal es nie Dingos und Füchse auf der Insel gab. Und auch von der »australischen Plage«, den Kaninchen, die das Land kahl-

fressen, blieb Kangaroo Island verschont. Folglich mangelt es nicht an den Hüpfern, die der Insel ihren Namen gaben. Man findet sie etwa im Flinders Chase National Park oder im Cape Gantheaume Conservation Park, den beiden größten Schutzgebieten.

Seelöwen in der Seal Bay auf Kangaroo Island

Koalas waren eigentlich nicht heimisch auf Kangaroo Island, sie wurden aber eingeführt, weil die Naturschützer glaubten, auf der Insel könnte sich die bedrohte Tierart gut fortpflanzen. Die Annahme war richtig, so sehr, daß Kangaroo Island vor einigen Jahren weltweit in die Schlagzeilen geriet: Weil es inzwischen mehr Koalas als Futter auf der Insel gab, sollten 1997 viele von ihnen abgeschossen werden. Das führte zu heftigen Protesten, und seither suchen die Ranger in ganz Australien Plätze für ihre überzähligen Teddies – mit mäßigem Erfolg, denn seit sie nicht mehr zu den bedrohten Tierarten gehören, haben sie sich überall vermehrt. Jetzt erwägen Tierschützer sogar, die Weibchen mit Antiempfängnispillen zu füttern.

Selbst für viele Australier war es überraschend, daß so viele Koalas auf Kangaroo Island leben. Bekannter ist die Insel für die größte Kolonie australischer Seelöwen. Mehr als 500 Tiere wurden an der Seal Bay schon gezählt, viele verbergen sich allerdings – besonders bei kühler Witterung – in den

Australische Ansichten von vorne und hinten: Stockmen und Lifeguards, die Cowboys (Bild oben) und Rettungsschwimmer in »Down under« (Bild unten)

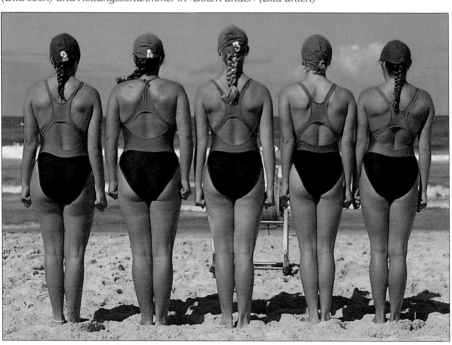

Vom »Floater« zum Filet

Ausgerechnet Adelaide, die Stadt der guten Küche, hat den *floater* zu ihrer inoffiziellen National-speise erklärt. Dabei ist er eine kulinarische Zumutung: eine in Erbsensuppe schwimmende Blätterteigpastete mit undefinierbarer Fleischfüllung. Adelaides Nachtschwärmer schätzen den *floater* als Stärkung, dargeboten an fahrbaren Imbißbuden rings um den Victoria Square.

Bei Leib- und Magenspeisen wie diesen wird man daran erinnert, daß die gefürchtete englische Küche 200 Jahre lang den lukullischen Horizont Australiens definierte: Salate ohne Dressing, Gemüse bis zum Zerfall zerkocht, Fleisch durchgebraten, bis es grau ist. Als Eigenheit steuerten die Aussies ihre geliebte *tomato sauce* hinzu, die Down-under-Version des amerikanischen Ketchup.

Erlösung kam erst nach dem Zweiten Weltkrieg mit den Einwanderern aus Südeuropa, die vor allem die italienische und griechische Küche zur Alternative stellten. Später kamen Einwanderer aus Asien hinzu und ergänzten das Angebot der chinesischen Köche mit vietnamesischen und indonesischen Varianten. Inzwischen ist eine Garde junger und innovativer Köche herangewachsen, die Australiens exzellente und frische Produkte sachgerecht zubereitet: Lamm- und Rindfleisch, Obst vom tasmanischen Apfel bis zur queensländischen Apfelsine, schmackhafte Schalentiere und einheimische Fische wie den John Dory oder den zu Recht gepriesenen Barramundi. Vorsichtig rücken auch die wohlschmeckenden und fettarmen Känguruhfilets auf den Speisekarten vor, für die ältere Generation ist das allerdings immer noch Hundenahrung. Emu-Steaks und Krokodilfilets stehen jedoch eher unter der Rubrik »Touristenfutter«.

In den Großstädten kann man seit der Entdeckung der Kochkunst vorzüglich speisen. Den vielgelesenen Restaurantkritikern mangelt es nicht mehr an empfehlenswerten Adressen. Auf dem Lande herrscht aber noch hier und da die einstige Küchentristesse. Es ist zwar schon besser geworden, aber bisweilen bleibt dort nur die Flucht zu *fish'n'chips* – und das ist beinahe immer eine solide Alternative.

Wer Australien kulinarisch ins Visier nimmt, darf natürlich *vegemite* nicht verschweigen, das einzig wahre Nationalgericht. Man muß mit diesem Gemüse-Hefe-Brei vermutlich aufgewachsen sein, um dem wie Altöl aussehenden Brotaufstrich ein Leben lang verbunden zu bleiben. Wer sich als Australier tarnen will, kann zwar lauthals »Waltzing Matilda« singen und jedermann mit »G'day mate« grüßen – aber am ausdauernden Genuß von *vegemite* erkennt man unzweifelhaft den echten Aussie *(Bild oben: Outback-Pub in William Creek am Oodnadatta Track)*.

75

Dünen. An schönen Tagen dagegen tummeln sich aber oft hundert und mehr Tiere zum Sonnenbaden am Strand. Bewegung kommt in die Herden eigentlich nur, wenn ein Bulle versucht, einem anderen eine Haremsdame abspenstig zu machen.

Früher gab es bisweilen Unruhe, wenn Menschen allzu nahe durch ihr Revier schlenderten. Heute kann man nicht mehr nach eigenem Gusto zwischen den Tieren entlangspazieren, die Seal Bay darf nur noch auf geführten Touren betreten werden. Die Ranger sorgen dann für den richtigen Abstand: nahe genug für »Charakterstudien« mit der Zoomlinse, aber doch in respektvoller Distanz.

VICTORIA – DAS LAND DER KÖNIGIN
Melbourne: Fine Arts, Footy und Formel 1

Majestät war, wie man hörte, »really amused«. Man hatte zwar schon Städte, Flüsse, Inseln, Wasserfälle nach ihr benannt. Aber eine ganze Kolonie – das war schon etwas Besonderes. So erteilte Queen Victoria ihren Untertanen im fernen Australien 1851 gerne die Genehmigung, der neuen Kolonie ihren Namen zu geben. Politiker und Kaufleute in Melbourne hatten mit der Versicherung allerhöchster Huld einen cleveren Schachzug getan: Natürlich sahen es die Herrschenden in Sydney nicht gerne, daß sich nun einer der wirtschaftlich attraktivsten Teile von New South Wales abspaltete. Aber wie sollte man der Monarchin die »eigene« Kolonie verweigern.

Für die Melburnians kam die Abspaltung gerade zur rechten Zeit, denn im Wettlauf um die ertragreichsten Goldminen hatten sie mit den Funden von Ballarat und Bendigo das bessere Los gezogen. Der Reichtum der Goldfirmen ließ die Wirtschaft erblühen und bescherte Melbourne viele prachtvolle Bauten. Von denen sind allerdings nur wenige erhalten, etwa das Exhibition Building zur großen Ausstellung von 1880, das seinerzeit als ein mo-

Entspannter Lebensabend in Victorias Hauptstadt Melbourne

dernes Weltwunder galt. In jenen Jahren war Melbourne sogar größer und bedeutender als die ewige Rivalin Sydney. Geblieben ist aus dieser wahrhaft goldenen Epoche das Geld der alten Familien, die fast alle noch immer in Victorias Hauptstadt ansässig sind.

Ihren einstigen Reichtum verdankt die Stadt auch ihrem größten Schatz, den weitläufig angelegten und allseits geliebten Parks. Die »Garden City« hat so viele Grünflächen, daß es kaum auffiel, als 1956 einige für die Stadien der ersten Olympischen Spiele, die auf australischem Boden stattfanden, geopfert wurden. Als ein Opfer hätten dies die Melburnians sowieso nicht verstanden, denn im ohnehin sportbegeisterten Australien gelten sie als geradezu sportnärrisch. So ist es nicht verwunderlich, daß der Melbourne Cricket Ground, gemeinhin nur als MCG bezeichnet, bis zu 110 000 Menschen fassen kann. Bei internationalen Cricket-Vergleichen ist das Stadion der Drei-Millionen-Stadt meist gut gefüllt. Restlos ausverkauft ist es aber mit Gewißheit, wenn das »Grand Final« im Football Australian Rules im Oktober ansteht.

Die Wirtschaftsmetropole am Yarra River – Melbourne

Footy, wie dieses sportliche Eigengewächs heißt, ist in Melbourne fast ein Religionsersatz. Die Sportart – eine schnelle, etwas wildere Version des Rugby – entstand in Melbourne. In dessen Vororten waren auch die besten Teams zu Hause, bis das Footy-Fieber auch andere Großstädte erfaßte und das Spiel zu einem großen Geschäft wurde. Die anderen Millionenstädte kauften sich ihre Spieler in und um Melbourne zusammen; Sydney legte sich gleich eine ganze Mannschaft zu und verpaßte ihr einen neuen Namen. Für die Melburnians war dies einerseits ein Triumph (»Sydney mußte um eines unserer Teams feilschen, weil es nicht einmal eine eigene Mannschaft zusammenkaufen kann«), andererseits eine Bedrohung. Nun war nämlich in Sydney über Nacht ein ernsthafter Konkurrent erwachsen, von den Truppen in Perth und Adelaide ganz zu schweigen.

Trotz allem ist Melbourne die Footy-Hochburg geblieben, auch wenn andere Sportarten bisweilen für einige Tage in den Vordergrund treten, etwa im Januar, wenn die besten Tennisspieler der Welt zum ersten Grand-Slam-Turnier des Jahres, den »Australian Open«, antreten. Ähnliche Begeisterung

Die Flinders Street Station im Zentrum von Melbourne gilt unter Experten als einer der eindrucksvollsten Bahnhöfe der Welt

Hors d'œuvre in der Straßenbahn

»Darf ich noch etwas nachschenken, Sir?« – Es geht nobel zu an Bord des Colonial Tramcar Restaurant. Der Straßenbahn-Veteran ist mit feinem viktorianischem Interieur zu einem der ungewöhnlichsten Restaurants der Welt umgebaut worden und rollt nun täglich zu Lunch und Dinner durch Melbourne. Es ist schon erstaunlich, was der Koch in seiner engen Küche zaubert: drei-, vier- oder gar fünfgängige Menüs, zu denen sehr ordentliche australische Weine ausgeschenkt werden – alles im Preis inbegriffen. Daß der sich im oberen Bereich bewegt, ist angesichts der wenigen Plätze verständlich. Und der Fahrer (den die städtischen Verkehrsbetriebe stellen) will ja auch bezahlt sein.

Die kulinarische Tram ist sozusagen das Flaggschiff einer stattlichen Flotte von Straßenbahnen, die Melbournes Innenstadt mit den wichtigsten Vororten verbindet und zum Wahrzeichen der Stadt wurde. Eine bequeme und gemütliche Bahn, die während des Tages alle paar Minuten vorbeifährt. Der Stadtkern wird sogar von einer City-Tram umrundet, die gratis benutzt werden darf.

Als alle anderen Großstädte Australiens die Straßenbahn als lahm und altmodisch abschafften (nur Adelaide behielt eine Linie), hat sich Melbourne der vermeintlichen Moderne verweigert. Es sollte nicht lange dauern, ehe dann Australier aus allen Ecken des Landes nach Melbourne reisten, um wieder einmal nostalgisch mit der Tram durch die Straßen zu schaukeln und ihren Kindern zu zeigen, was eine echte Straßenbahn ist.

Die wahre Stunde des Triumphes kam aber erst Ende der 90er Jahre, als sich Experten aus Sydney in Melbourne nach den Vorzügen einer Straßenbahn erkundigten. Die ewige Rivalin plante tatsächlich die Wiedereinführung der Tram.

herrscht, wenn die Boliden der Formel 1 ihre röhrenden Runden über den Rennkurs nahe der City ziehen. Und jeweils am ersten Dienstag im November gönnt sich Victoria sogar den wohl einzigen offiziellen Feiertag der Welt, der einem Sportereignis gewidmet ist: Der »Melbourne Cup« ist das wichtigste Pferderennen des Landes. Millionen Dollar werden allein an diesem Tag verwettet. Deshalb folgt auch der Rest der Nation gespannt dem Rennen, und in allen Bundesstaaten finden aus diesem Anlaß feuchtfröhliche Büroparties statt. Auf dem Flemington Racecourse verfolgen die Melburnians die Cup-Rennen auf ihre Art, teils nobel im grauen Cut und mit Champagner-Picknick vor dem Rolls-Royce, teils schrill mit karnevalsartigen Klamotten auf den Tribünen oder mit bierseligen Barbecues rings um die Rennbahn und überall in Victoria.

Victoria: Melbourne, Twelve Apostles

3

Melbourne, die aus Sicht der Sydneysider so spröde Stadt, arbeitet zwar feste, feiert aber auch so. Die Stadt gilt als der gastronomische Schwerpunkt des Kontinents und als die kunstsinnigste Metropole, als »City of Fine Arts«. Letzteres belegt vor allem das Victorian Arts Centre, Melbournes Antwort auf Sydneys Opera House – architektonisch weniger spektakulär, aber vom Programm her attraktiver. Eine Konzerthalle, mehrere Bühnen und ein Museum zur Geschichte der Bühnenkunst bilden mit der eindrucksvollen National Gallery ein Kulturangebot, das in Australien einzigartig ist. »Hier, nimm die mit«, sagten meine Freunde und drückten mir eine alte Decke in die Hand, als ich mich in die Nationalgalerie aufmachte. Wofür? »Du wirst schon sehen.« In der Tat, wer die Great Hall des Museums betritt, sieht warum: Einige Kunstfreunde liegen immer auf dem Boden, um ohne Halsstarre Leonard Frenchs riesiges Deckenkunstwerk aus Glas zu betrachten. »Ich wäre schon zufrieden, wenn die Leu-

Kirchtürme und die Kuppel des Flinders-Street-Bahnhofs vor der Hochhauskulisse von Melbourne

te vor meinen Werken auf die Knie gingen«, sagte in gespielter Verzweiflung ein australischer Amateurmaler, der neben mir auf dem Boden lag.

Die »Zwölf Apostel«: Ein Schwindel!

Sie sind mehr oder minder geschmackvoll, meistens aber monumental – die Denkmäler zur Erinnerung an die Gefallenen und die Soldaten der Kriege. Das bei weitem größte dieser Denkmäler ist rund 300 Kilometer lang, seine monumentale Wirkung verdankt es keinem Steinmetz oder Bronzegießer, sondern der Natur selbst: Die Great Ocean Road ist nicht zu Unrecht Australiens Vorzeige-Küstenstraße. Als 1918 die Truppen des Landes von den Schlachtfeldern Europas zurückkehrten, fehlte es an Arbeitsplätzen. Deshalb beschloß die Regierung von Victoria, eine Straße an der wilden Küste südwestlich von Melbourne bauen zu lassen. Die Bauzeit dauerte wegen des unzugänglichen Terrains bis 1932, eine Plakette auf dem Mount Defiance widmet die Straße den Soldaten und Matrosen.

Farbenfrohe moderne Kunst in Southgate am Südufer des Yarra River (Melbourne)

Wirtschaftlich und aus Sicht der Verkehrsplaner war die Great Ocean Road damals nicht unbedingt notwendig. Dennoch war ihr Bau prophetisch, denn mit dem Aufblühen des Tourismus nach dem Zweiten Weltkrieg hatte Victoria einen Trumpf zur Hand: Die Küstenstraße erschließt nicht nur einige der populärsten Seebäder an der Südküste, sondern auch Sehenswürdigkeiten wie die Twelve Apostles. Die prachtvollen, bis zu 100 Meter hohen Steinsäulen in der Brandung vor der Steilküste gehören zum vermutlich meistfotografierten Küstenabschnitt Australiens. Entstanden sind die Felsen durch die Launen der Erosion: Sie sind stehengeblieben, als die Brandung die Küstenfelsen unterspülte und im Laufe der Jahrtausende Scheibe für Scheibe abtrug.

Am Festland gibt es keinen Ort, von dem aus man alle »Zwölf Apostel« sehen kann, obwohl der Port Campbell National Park ein Podest auf einem Felsvorsprung anbringen ließ, auf dem die Fotografen ihre Kameras in Position bringen. So ist ein kleiner Schwindel möglich: Es stehen keine zwölf, sondern nur zehn »Apostel« in der schäumenden See. Ob es je wirklich zwölf Felssäulen waren, ist unbekannt, es gibt auch keine Zeugen dafür, daß irgendwann einmal eine Felsnadel den Wogen zum Opfer fiel. Das

Der wohl schönste und dramatischste Küstenabschnitt Australiens trägt den biblischen Namen »Zwölf Apostel« ▷

war ganz anders bei der »London Bridge«, einer weiteren Felsformation im Nationalpark. Hier hatte der Ozean zwei Bögen in einen Felsvorsprung gefräst, so kam die kleine Halbinsel zu ihrem Namen. Besucher benutzten die natürliche Brücke oft, um von ihrer Spitze aus die Steilküste zu fotografieren. Im Januar 1990 standen auch zwei Touristen an dieser Stelle, als plötzlich hinter ihnen einer der beiden Bögen krachend einstürzte. Die zu Insulanern gewordenen Touristen mußten schließlich von einem Helikopter geborgen werden.

Noch bekannter als dieses Ereignis ist in Australien die Geschichte der Loch Ard Gorge. Vor der engen sandigen Bucht lief im Juni 1878 der britische Dreimaster »Loch Ard«, dessen Kompaß defekt war, in einer Winternacht auf Grund und versank. Nur zwei der 54 Menschen an Bord überlebten das Unglück: die achtzehnjährige Eva Carmichael, eine Passagierin, und der gleichaltrige Offiziersanwärter Tom Pierce. Er sah das Mädchen, das sich in der Brandung an ein Stück Treibholz klammerte und in Ohnmacht fiel. Dennoch gelang es Tom, Evas Nachthemd zwischen seine Zähne zu nehmen und die Nichtschwimmerin in die Bucht zu schleppen. Dort fiel er vor Erschöpfung in einen tiefen Schlaf.

Am nächsten Morgen kletterte Tom zu den Felsen hinauf und fand schließlich Helfer. Als diese in die Bucht kamen, mußten sie Eva allerdings erst mühsam suchen, denn sie hatte sich in Panik und aus Angst vor vermeintlichen Aborigines in den Büschen versteckt. In Australiens Zeitungen entstand aus Toms Rettungstat und der Nacht am Strand schnell eine Liebesgeschichte, aber die Historiker sind sich einig, daß die gemutmaßte Romanze eine Erfindung ist: Eva kehrte bald nach dem Unglück ins heimische Irland zurück. Tom sah sie nie wieder, obwohl ihm ein Jahr später ein weiterer Schiffbruch – diesmal vor der irischen Küste – widerfuhr. Vor dem Informationszentrum des Nationalparks in Port Campbell liegt der Anker der »Loch Ard«, Taucher haben ihn 1978 geborgen.

Die Grampians: Der »Balkon der Nation«

Wenn in Australien von Napoleon Bonaparte die Rede ist, muß durchaus nicht immer der Korse gemeint sein. Krimileser werden vermutlich eher an

Die Parade der zaghaften kleinen Pinguine

Wenn die Dämmerung hereinbricht, haben die Fairy-Pinguine ihr Tagewerk in der See verrichtet. Dann wollen sie es sich nur noch bequem machen in ihren Höhlen auf Phillip Island. Wäre da nur nicht immer erst dieses Theater mit den Zuschauern. Hunderte, an Wochenenden bisweilen Tausende hocken auf den Tribünen und sehen zu, wie die zaghaften kleinen Kerle aus dem Wasser paddeln und sich am Ufer zusammenrotten,

bis sie genug Mut gesammelt haben. Dann watschelt die ganze Gruppe wie in einer Paraden-Parodie zwischen den Tribünen hindurch zu den Höhlen. Wehe aber, unterwegs ereilt einen Pinguin die Panik. Wenn er sich wieder in Richtung Meer wendet, wackelt die ganze Truppe nochmals eilig dem Wasser zu, um sich zu einem neuen Vorstoß zu sammeln.

Die Pinguin Parade ist eine der meistbesuchten Sehenswürdigkeiten Australiens. Phillip Island, knapp 140 Kilometer südöstlich von Melbourne gelegen, hat aber noch mehr zu bieten, unter anderem ein Koala-Schutzgebiet, in dem Laufstege in Baumwipfelhöhe verlegt sind, damit man die putzigen Eukalyptusfresser besser beobachten kann. Auch den Seal Rocks, den einheimischen Robben, kann man ganz nahe kommen, hier geht es allerdings abwärts: Ein Tunnel führt direkt in ein Unterwasser-Beobachtungszentrum, in dem man die flinken Schwimmkünste der Meeressäuger trockenen Fußes und Leibes verfolgen kann. Bei Ebbe geleiten Ranger zudem über einen Wanderweg durch ein Gebiet, aus dem sich der Ozean für ein paar Stunden zurückgezogen hat. Sie erklären dann das quirlige Leben in den kleinen Teichen, die die Flut zurückgelassen hat.

den gleichnamigen Inspector, einen Aborigine, denken, den Arthur Upfield zur Hauptfigur seiner weltweit gelesenen *crime stories* machte. »Mountains have a Secret«, 1952 veröffentlicht, spielt in den Grampians, ein Bergzug im Südwesten Victorias, in dem ein Polizeidetektiv umgekommen ist und mehrere Schulmädchen verschwunden sind. »Bony« gibt eingangs eine gute Beschreibung der Grampians, als er sich den Bergen von der Küste her nähert: »Sie erheben sich aus einer weiten Ebene mit goldenem Gras; anfangs sind es einzelne Felskuppen am nordwestlichen Horizont, dann steigen sie steil auf und schneiden in den kobaltblauen Himmel.«

Thomas Mitchell stieß bei seiner Überland-Expedition 1836 als erster Weißer auf das Gebirge. Der Schotte benannte es nach einem Bergzug seiner Heimat. Das Massiv ist zwar nur 95 Kilometer lang und etwa 55 Kilometer breit, steigt aber abrupt aus der Wimmera-Ebene auf mehr als

1 100 Meter an. Urzeitliche Vulkane schufen diesen Schatz der Natur, und die Kräfte von Wind und Wasser, Hitze und Eiseskälte haben die Vulkankegel in Feinarbeit zu einer schroffen, immer mit neuen Formen überraschenden Felsenlandschaft umgeformt. Mehrere Wasserfälle liegen in den dichtbewaldeten Bergen, und die meisten Seen sind durch ein un-

terirdisches System miteinander verbunden. Das 14 600 Kilometer lange Netz versorgt knapp 50 Städte und Dörfer und etwa 7 000 Farmen mit Wasser.

Das Gebirge liefert eine Vielzahl guter Aussichtspunkte über die zerklüftete Landschaft. Die bekannteste und spektakulärste Formation der Grampians

Die »Balconies« sind die spektakulärsten Felsformationen im Grampians National Park, der auch sonst über eine Vielzahl guter Aussichtspunkte verfügt (Bild links). Die rotgefiederten Galahs halten ebenfalls Ausschau, doch wohl eher nach Eßbarem als nach landschaftlichen Highlights (Bild oben)

sind gewiß die »Balconies«, zwei übereinanderliegende, spitz zulaufende Felsscheiben, die weit aus der Steilwand ragen. Weil sich fast jeder Grampians-Besucher auf der unteren der beiden Felszungen »über dem Abgrund« fotografieren läßt, die Szenerie also in Tausenden von Familienalben aufbewahrt wird, werden die beiden auffälligen Felsen auch der »Balkon der Nation« genannt.

Gariwerd nannten die hier heimischen Koori-Aborigines ihre Bergregion, eine Bezeichnung, die im Namen des Grampians-Gariwerd-Nationalparks fortlebt. Die Kooris waren schon Tausende von Jahren vor Eintreffen Mitchells hier heimisch. Das Brambuk Living Cultural Centre nahe beim einzigen Ort, dem nur für Touristen geschaffenen Halls Gap, gibt Informationen über die Natur des Nationalparks. In dem architektonisch der Landschaft angepaßten Kulturzentrum werden auch die Lebensweise und die Kunst der Koori-Aborigines erläutert. Einige der alten Felsmalereien sind für Besucher zugänglich, andere im Gebirge bleiben dagegen gut verborgen vor den neugierigen Augen der Weißen.

Symbiotische Futtersuche:
Während das Pferd gemächlich
grast, kümmert sich der Vogel
auf seinem Rücken um lästige
Parasiten

Der Murray: Down by the River

»Mighty Murray« wird Australiens längster Fluß genannt. Und mächtig ist der Strom wirklich, der Victoria von New South Wales trennt und in South Australia ins Meer mündet. An manchen Stellen ist er breit wie ein See. Aber ob er mit seinen 2 600 Kilometern Wasserlauf wirklich der längste des Kontinents ist, gilt *down under* als umstritten: »Mein Reiseführer«, so sagte ein Passagier auf der »PS Murray River Queen«, »nennt den Darling River als den längsten Fluß.« Der Nebenfluß des Murray war dort mit 2 739 Kilometern angegeben. Nun mußte die höchste Autorität des Raddampfers entscheiden, der Kapitän. »Der Murray ist der längste«, war die eindeutige Antwort. Und der Darling? »Pah, der ist doch nur eine Aneinanderreihung von Billabongs«, sagte er mit einer abwinkenden Handbewegung.

Fahrten mit dem Raddampfer sind ein beliebtes Urlaubsvergnügen im Tal des Murray River an der Grenze von Victoria und New South Wales

Nun war Übersetzungshilfe gefragt: Als *billabong* bezeichnen die Aborigines Seen und Teiche, die von einem Flußlauf übrigbleiben, wenn er im Hochsommer austrocknet. Und so ergeht es fast alljährlich dem Darling, der genaugenommen aus fünf verschiedenen Flüssen zusammenfließt. Der Murray hingegen trägt nur diesen einen Namen von der Quelle in den Snowy Mountains bis zur Mündung im Lake Alexandria an der Südküste. Auch ihm wird das Wasser bisweilen knapp, aber eine »Kette von Billabongs« war er nur zweimal, in den besonders trockenen Sommern von 1902 und 1914.

In jenen Jahren hatte der Murray seine große Zeit schon hinter sich, und der rühmende Beiname vom »Mississippi Australiens« geriet in Vergessenheit. Noch wenige Jahre zuvor hatte der Vergleich durchaus seine Berechtigung, dampften doch in der zweiten Hälfte des 19. Jahrhunderts weit mehr als hundert Raddampfer nach dem Vorbild der amerikanischen Riverboats über den Murray. Vorangegangen war dem 1853 der legendäre »Battle of the Captains«: Der Gouverneur von South Australia hatte einen Preis ausgeschrieben für den ersten Kapitän, dessen Schiff die Mündung des Darling in den Murray erreicht. Zwei Kapitäne trieben ihre Dampfer darob zu Höchstleistungen an, der Dampfkessel des einen Bootes mußte sogar mit eisernen Ketten umspannt werden, damit er dem Druck standhalten konnte. Das Rennen ging unentschieden aus, denn man beschloß, beide als Pioniere zu feiern, die den Fluß erschlossen hatten.

Die neue Verbindung sorgte schnell für gute Geschäfte. Echuca entwickelte sich bald zum wichtigsten Binnenhafen Australiens – eine allerdings kurze Blüte, weil Eisenbahn und Auto bald dem langsamen Schiff Fracht und Passagiere wegnahmen. Um 1890 war die Zeit der Schiffe mit dem »PS« vor dem Namen, der Paddlesteamer, vorüber. Erst der Tourismus gab dem Murray seine einst nobelste Aufgabe zurück, Menschen durch das Land zu tragen. Seit an den Ufern des Flusses Museen zu seiner Geschichte entstanden und alte Hafenanlagen oder historische Gebäude restauriert werden, wollen immer mehr Menschen den großen Strom erleben. So wuchs in den 1990er Jahren eine kleine Flotte von Raddampfern heran, die nostalgische Reisen verheißen, sei es auf Tagestouren, sei es auf mehrtägigen Kreuzfahrten mit Übernachtung an Bord.

Die Städte, die am meisten vom Touristenstrom profitieren, sind Mildura, Swan Hill und Echuca. Mildura, die sonnenreichste Stadt Victorias, besitzt mit diesem Rekord das wichtigste Kapital eines Urlaubsortes und nutzt es auch. So konnte die »PS Melbourne«, einer der wenigen original erhaltenen Raddampfer aus alten Zeiten, ein zweites Leben als Ausflugsschiff für Touristen genießen. Einer der größten, die je den Murray befahren haben, die »PS Gem«, ist in Swan Hill beim Museumsdorf »Pioneer Settlement« dauerhaft vor Anker gegangen. Was in Swan Hill nachgebaut wurde, ist in Echuca noch im Original vorhanden: der alte Hafen. Seine massigen, früher dreimal so langen Kaianlagen aus Eukalyptusstämmen sind das Symbol der Stadt. Der »Port of Echuca« wurde so gut restauriert, daß

Bretter, die die Welt bedeuten

Immer wenn die Osterglocken läuten, herrscht Hektik am Bells Beach nahe der Great Ocean Road. Dann werden am besten Surfstrand Australiens (und das will in diesem Land wirklich was heißen) die »Classics« ausgetragen, und die Weltelite der Wellenreiter rückt an. Das ist die Zeit, zu der fast immer gewaltige Wogen auf die Südküste zurollen – wahrlich kein Revier für Anfänger.

Das nahe Seebad Torquay hat sich freudig auf die Surf-Klientel eingestellt. Surf-Kneipen, Surf-Geschäfte und sogar Surfboard-Fabriken sorgen für gute Umsätze, ein Museum namens »Surfworld« kümmert sich um den wissenschaftlichen Unterbau und ist ein zusätzlicher Anziehungspunkt. Hauptattraktion sind jedoch die herbstlichen Brecher, die beim Zurollen auf Australien Tempo und Wucht gesammelt haben. Kein Wunder, daß selbst Hollywood schon angereist ist, um für seine Filme hier packende Surfer-Aufnahmen zu drehen. Einer dieser Filme hat es bis in Europas Kinos gebracht: »Gefährliche Brandung«. Ein durchaus passender Titel.

ihn immer wieder Filmteams für historische Aufnahmen nutzen. »Ein Regisseur«, so erzählte uns die Fremdenführerin durch die Anlage, »ließ sogar sein Drehbuch umschreiben, um unseren alten Hafen einbauen zu können.«

TASMANIEN – DER APFEL FÄLLT NICHT WEIT VOM KONTINENT
Hobart: Tasmaniens Hauptstadt

»Apfelinsel« nennen die Australier ihr größtes Eiland, den Bundesstaat Tasmanien. Das bezieht sich einmal auf die Form der Insel, die in der Tat an einen Apfel erinnert. Äpfel sind aber auch eines der Hauptprodukte Tasmaniens – und das seit 1788. Damals pflanzte Captain Bligh ein Apfelbäumchen, als er auf dem Weg in die Südsee (und zur Meuterei auf seiner »Bounty«) in Tasmanien Station machte. Blighs Apfelerbe selbst ist auf Tasmanien vergessen, ganz im Gegensatz zu Mrs. Smith, die als junge Frau in ihrem Garten Apfelbaum-Schößlinge

An der Mündung des River Derwent in die Tasman Sea liegt Tasmaniens Hauptstadt Hobart

entdeckte. Sie hegte die jungen Pflänzchen und experimentierte mit Züchtungen, bis stattliche Bäume herangewachsen waren, die der darüber Großmutter gewordenen Frau reiche Ernte eintrugen. Die Früchte wurden als »Granny Smith's Apples« verkauft – ein botanisches Lebenswerk, das als Granny Smith weltweit in aller Munde ist.

Bekanntlich ist der Apfel ein Symbol der Sünde – und auch das paßt ganz gut zur Insel. Hat Tasmanien Anfang der 70er Jahre doch als erster australischer Staat ein legales Spielcasino lizenziert. Das führte damals zu heftigen und moralschweren Diskussionen auf dem ganzen Kontinent, während die Zocker der Nation das Flugzeug nach Hobart buchten. Das gute Geschäft mit dem Glück hielt allerdings nur einige Jahre, denn bald zogen die anderen Bundesstaaten nach und bauten ihre eigenen Spielcasinos.

Tasmanien und seine Hauptstadt Hobart profitierten aber auch langfristig von den Debatten um das Casino, konnte sich die Insel doch zugleich als ideale Ferienlandschaft mit einer für Australien langen Geschichte darstellen. Tasmanien wirbt vorzugsweise mit seiner natürlichen Schönheit, seinen Seen, Flüssen und Wäldern, attraktiv sind aber auch die historischen Zeugnisse, insbesondere in Hobart und seiner Umgebung.

Als Häftlinge, Soldaten und Siedler 1804 Hobart, die erste Siedlung auf der Insel, gründeten, trug diese noch den Namen Van Diemen's Land. So hatte 1642 der Niederländer Abel Janszoon Tasman seine Entdeckung genannt. Die Siedlung, aus der 1825 die zweite Kolonie in Australien wurde, hatte wahrlich keinen guten Start: Die Aborigines wurden vertrieben und sogar wie Tiere gejagt. Und die Weißen, die in Hobart an Land gingen, waren oft besonders schwere Fälle unter den Häftlingen. Bereits 1830 mußte für die Gefangenen eine eigene Häftlingsstadt in Port Arthur errichtet werden, denn Hobart machte schnell Karriere als Hafen an der Route zwischen Europa und Australien sowie als Standort für Walfänger, die im Südpolarmeer auf Beutezug gingen.

Hobart wurde fein, da paßten die Knastbrüder nicht mehr ins Bild, es sei denn als billige Arbeitskräfte. Ihnen verdankt die Stadt viele jener historischen Bauten, die heute ihren besonderen Charme ausmachen: Das Parliament House, das ursprünglich als Zollgebäude diente, das Theatre Royal von 1837, die älteste Bühne Australiens, und die Criminal Courts mit der Gefängniskapelle sind die bekanntesten Beispiele. Insgesamt stehen allein aus der georgianischen Epoche mehr als hundert Gebäude in Hobart un-

Wochenmarkt auf dem Salamanca Place in Hobart

ter Denkmalschutz, unter ihnen auch die schlichtschönen, um 1830 entstandenen Sandsteinlagerhäuser am Salamanca Place, in denen Boutiquen und Kneipen eine adäquate Adresse gefunden haben. Jeweils samstags vormittags bilden sie die historische Kulisse für einen lebhaften Kunstgewerbe- und Trödelmarkt. Noch älter sind die Anglesea Barracks. »Die Kaserne stammt von 1811 und ist die älteste noch genutzte Militäreinrichtung in Australien«, sagte der freundliche Korporal, der mich durch das offen zugängliche Gelände führte. »Ist es nicht ungewöhnlich, daß jedermann so einfach durch die Kaserne stromern kann?« fragte ich. Er lachte: »Hobart ist ja ein Hort des Friedens, überdies haben wir alle wichtigen Geheimnisse gut versteckt.«

Nahe der Kaserne entstand auch der erste geschlossene Ortsteil von Hobart, auf einer hügeligen Halbinsel, die nach einer Batterie respektheischender, aber nie im Kampf abgefeuerter Kanonen den Namen Battery Point erhielt. Die kleinen Häuser, aber auch die stattlichen Herrenhäuser auf Battery Point haben den Eindruck einer authentischen Stadt des 19. Jahrhunderts gut erhalten. In diesem freundlichen Quartier liegen einige der schmucken viktorianischen Bed & Breakfast-Pensionen Tasmaniens, in zwei der noblen Villen fanden attraktive Museen ihre Heimstatt: das Maritime Museum mit der Seefahrergeschichte der Insel und das Van Diemen's Land Folk Museum, das älteste Heimatmuseum Australiens.

Auch das älteste Gebäude Hobarts beherbergt natürlich ein Museum: In einem Lagerhaus von 1808 wurde das Tasmanian Museum mit seiner Gemäldegalerie eingerichtet, zum Teil wenigstens, denn die vorzügliche Sammlung ist so umfangreich, daß ein moderner Anbau an die ehrwürdigen Mauern angefügt werden mußte. Hobart, das ist Geschichte, wo man hinschaut. Und dennoch stammt das einzige Bauwerk der Insel, dessen Foto rings um die Welt ging, nur aus dem Jahr 1964. Nach fünfjähriger Bauzeit wurde damals die Tasman Bridge über den Derwent River eröffnet. Elf Jahre später machte der ästhetische Betonbogen unfreiwillig Schlagzeilen, als ein Frachtschiff einen der Pfeiler rammte und die Brücke zusammenbrach. 24 Menschen starben bei dem Unglück, das Foto mit einem an der Bruchstelle festhängenden Auto war in nahezu jeder Zeitung zu sehen. Seither sind die Brückenpfeiler gegen Kollisionen besonders gesichert.

Wo der Derwent in die buchtenreiche See mündet, schlägt das Herz der Stadt: Hobarts Hafen. Die Kais haben zwar nicht mehr dieselbe wirtschaftliche Bedeutung wie zur Zeit der Segelklipper, aber Hobart hat Nischen entdeckt, zum Beispiel als Versorgungshafen für die Antarktis. Hier legen die bulligen Schiffe an, die den Forschern im Eis ihren Nachschub liefern. Und wenn die Eremiten vom Südpol zurückkehren, streben sie meist zuerst in die Elizabeth Street, die Haupteinkaufsstraße; sie mündet geradewegs auf die Elizabeth Pier am Constitution Dock. Das historische Hafenbecken genießt einmal im Jahr landesweite Aufmerksamkeit, wenn um die Jahreswende die Rennyachten der Sydney-to-Hobart-Regatta einlaufen, die als einer der schwersten Segelwettbewerbe der Welt gilt. Dann feiert Hobart ein ausgelassenes Fest, und niemand kann sich vorstellen, daß die freundliche Stadt einmal so aussah, wie sie ein entsprungener Häftling vor mehr als hundert Jahren schilderte: »Die Metropole der Mörder, die Universität für Einbruch und alle unmenschlichen Greuel.«

Zwischen Eis und heiß

Den Inselkontinent Australien säumen seinerseits zahlreiche Eilande; das größte, Tasmanien, ist wiederum im Osten und im Norden von mehreren Inseln umgeben, die selbst in Australien kaum bekannt sind, etwa Bruny Island (Bligh pflanzte hier den ersten Apfelbaum), Maria Island (ein Nationalpark), King Island (bekannt für seine Käsespezialitäten) und Flinders Island, wohin die unglücklichen letzten Aborigines Tasmaniens verbannt wurden.

Einige sind als Urlaubsreviere recht bekannt, etwa die Landflecken am Great Barrier Reef oder das einsam in der Südsee gelegene Lord Howe Island, das wegen seiner Schönheit von der UNESCO zum »Weltkulturerbe« erklärt wurde. Auch Norfolk Island ist zumindest in Australien nicht nur wegen seiner zollfreien Einkaufsmöglichkeiten bekannt: Die Insel war zunächst eine Sträflingskolonie und später der Zufluchtsort der Bewohner von Pitcairn. Die Nachfahren der »Bounty«-Meuterer mußten nach einigen Mißernten zeitweise ihr Heimateiland verlassen.

Die Palette reicht von Eis bis heiß: Heard und die McDonald Islands im Indischen Ozean liegen der Antarktis wesentlich näher als Australien, folglich bedeckt auch ein dichter Eispanzer die unbewohnten Vulkaninseln. Thursday Island wiederum befindet sich in den Tropen, in der Meerenge zwischen Australien und Papua-Neuguinea. Thursday ist das Zentrum der rund 70 Torres Strait Islands, die von Menschen besiedelt wurden, die den Aborigines ähnlich sehen, aber eine eigene Kultur haben.

Im Freycinet National Park an der Ostküste von Tasmanien liegt die Wineglass Bay, so benannt nach der nahezu perfekten Rundung ihres Sandstrandes ▷

Port Arthur: Um die halbe Welt in den Knast

Zum schlechten Image von Van Diemen's Land trug vor allem Port Arthur bei, die Häftlingssiedlung, die etwa 70 Kilometer von Hobart entfernt auf leicht zu kontrollierendem Terrain entstand. Von dort gab es so gut wie kein Entkommen mehr. Es ist kein Fall überliefert, in dem ein Gefangener die Sicherungen auf dem Landweg überwinden konnte. Wer heute mit dem Auto auf die historische Stätte zusteuert, wird das verstehen: Der Eaglehawk Neck, ein nur wenige hundert Meter breiter Landübergang zwischen zwei Halbinseln, wurde durch Zäune, scharfe Hunde, Soldatenstreifen und ein bis Hobart reichendes Signalsystem gesichert und hermetisch abgetrennt. Eine Flucht war nur schwimmend mög-

Die Kirche der Häftlingskolonie Port Arthur wurde nie geweiht, weil während ihres Baus 1836 ein Mord geschah. Von der Kirche (Bild unten) wie von den Gefangenenunterkünften (Bild rechts) blieben nur fotogene Ruinen

98

lich, aber wegen der vielen Haie ringsum überaus gefährlich.

Port Arthur ist heute eine Museumsanlage, die, aller landschaftlichen Reize zum Trotz, das harte Los der Inhaftierten durchaus vorstellbar macht. Bekannt sind die drakonischen Strafen, die selbst für kleine Vergehen verhängt wurden, andererseits erfuhren kooperationsbereite Häftlinge eine recht gute Behandlung. Die Kommandanten des Gefängnisses erprobten auch einen »humaneren« Umgang mit Schwerkriminellen – sie wurden statt massiven Züchtigungen einer Isolationshaft ausgesetzt; selbst am Hofrundgang durften sie nur unter schwarzen Kapuzen teilnehmen und keinen Kontakt mit anderen Menschen haben. Daß diese Maßnahme viele Gefangene in den Wahnsinn trieb, war die andere Seite dieser vermeintlich menschlicheren Bestrafung.

Die meisten Gebäude der Anlage sind heute Ruinen, etwa das Wachhaus mit dem runden Turm, in dessen Kellergeschoß die Zellen der zum Tode Verurteilten lagen, oder die hübsche Kirche, die nie eingeweiht wurde, weil bei ihrem Bau ein Häftling von einem anderen ermordet worden war. Ein Museum zeigt heute unter anderem die Fußeisen, die den Gefangenen bei der Arbeit auf den Feldern oder in Steinbrüchen angelegt wurden. Port Arthur diente noch bis 1877 als Haftanstalt, obwohl die Gefangenentransporte nach Tasmanien bereits 1853 eingestellt worden waren. Etwa 12 500 Menschen

Mit dem Pfeilmuster fing es an

Die meisten Häftlingskittel aus den Tagen, da England seine Kriminellen und politischen Gefangenen nach Australien transportierte, sind längst zerschlissen. Aber von Zeichnungen weiß man noch, wie die Gefangenenkleidung aussah: Merkwürdige Pfeile auf dem hellen Leinentuch markierten die häufig bei der Feldarbeit oder beim Bau eingesetzten *convicts*. Daß sich dieses Muster als Kennzeichen der Sträflingskleidung keiner besonderen Beliebtheit erfreute, ist gewiß nicht überraschend.

Heute spielen junge australische Designer bisweilen mit den historischen Pfeilen, wenn sie ihre pfiffigen Entwürfe vorführen. Eines dieser Unternehmen hat es inzwischen schon zu internationalem Erfolg gebracht: »Coogi« ist mit seinen bunten und plastischen Strickwaren in Paris ebenso erhältlich wie in New York oder Tokio. Von ganz anderer Art sind zwei typisch australische Textilmarken, die ebenfalls in aller Welt erhältlich sind: »Akubra« und »Drizabone«. »Akubra« stellt die breitkrempigen Hüte her, die von den Stockmen, Australiens Version der amerikanischen Cowboys, im Outback getragen werden und die sich zunehmender Beliebtheit in den Städten erfreuen. Aus dem ländlichen Australien stammen auch die Jacken und die knöchellangen eingeölten Mäntel von »Drizabone«, die, wie Stockmen glaubwürdig versichern, selbst im stärksten Regen knochentrocken bleiben. So denn auch der Name: *dry as a bone*.

*Im kühlen tasmanischen Regen-
wald herrschen ideale Lebensbedingungen für Farne und
Moose*

verschiffte man insgesamt um den halben Erdball von England nach Tasmanien, um sie dort einzukerkern.

Das Grauen kehrte noch einmal zurück nach Port Arthur: Im April 1996 lief dort ein junger Australier Amok und erschoß 35 Menschen. Das Restaurant, in dem die Bluttat geschah, wurde kurz darauf abgerissen. Es gab damals Stimmen, die sich für eine Einstellung der *ghost tours* aussprachen, um deren angeblich negativen Einfluß zu unterbinden. Diese beliebten Touren bei Laternenlicht zur Dämmerung werden von einem *guide* angeführt, der schauerlich düstere Geschichten über das Zeitalter der Gefangenen erzählt. Man ließ sich aber die Touren nicht abspenstig machen, sie werden bis heute fortgesetzt.

Der Midland Highway: Pfad der Geschichte

»Eigentlich sollten sie die Straße ›History Highway‹ nennen«, sagte der Tankwart in Oatlands, »das wäre typischer als ›Midland Highway‹ und besser für den Tourismus.« Der Mann an der Zapfsäule hatte recht, verband doch die Straße nicht nur die beiden größten Städte Tasmaniens, Hobart und Launceston, sondern auch die ältesten Siedlungen. 1805, ein Jahr nach Hobart, entstand Launceston, ein Hafen, der geschützt im langen Fjord des Tamar River und zugleich günstig lag für eine vergleichsweise kurze Überfahrt nach Melbourne. Mit dem Bau der Trasse durch die Inselmitte wurde dann wenig später begonnen, Gefangene mußten die Wildnis roden und die Straße anlegen. Entlang dieser Route wurden Garnisonen für die Wachmannschaften eingerichtet. Und weil sie ein fruchtbares Tal erschloß, ließen sich bald darauf freie Siedler hier nieder.

So entstanden geschichtsreiche Ortschaften wie Oatlands, Ross, Campbell Town, Perth und Evandale. Der Midland Highway, die meistbefahrene Überlandstraße Tasmaniens, macht inzwischen einen Bogen um die alten Ortskerne, was gleichermaßen dem Verkehrsfluß wie dem Denkmalschutz dient. Oatlands, das sich einst Hoffnung darauf machte, Hauptstadt der Midlands zu werden, besitzt aus jener expansiven Zeit vor 1840 die meisten georgianischen Gebäude in Australien – glücklicherweise waren begabte Steinmetzen unter den

Gefangenen. Davon profitierte auch das kleine Ross, dessen Bedeutung durch die Brücke über den Macquarie River gegeben war. Ross Bridge, die drittälteste Brücke Australiens, erhielt kunstvolle Steinhauerarbeiten. Die beiden Gefangenen, die sie schufen, wurden zur Belohnung in die Freiheit entlassen. Campbell Town, das touristisch weniger hermacht, hat eine ähnlich alte Brücke, die Häftlinge aus eigens am Ort gebrannten Ziegelsteinen mauerten. Die alte Brücke von Perth galt hingegen als fast so schön wie jene in Ross, 1929 wurde diese allerdings von einer Flut zerstört. Evandale unterstreicht seinen 19.-Jahrhundert-Charme alljährlich im Februar mit der nationalen Meisterschaft im Hochradfahren – und natürlich rollen dann auch würdige Gentlemen im Zylinder durch die Straßen und grüßen artig die Damen in ihren Krinolinen.

Launceston kann sich als alte Stadt einer Vielzahl schmucker viktorianischer Bauten rühmen. So war

Ross – im 19. Jahrhundert ein wichtiger Verkehrsknotenpunkt am Midland Highway – führt heute ein ruhiges Dasein

es auch keine Schwierigkeit, für das Queen Victoria Museum und seine sehenswerte Sammlung kolonialer Gemälde einen adäquaten Rahmen zu finden: das Macquarie House von 1830. Die touristische Hauptattraktion der Stadt ist jedoch die Cataract Gorge, die der South Esk River in Jahrtausenden aus den Klippen gespült hat. Am Eingang der schönen Schlucht liegt die Penny Royal World, ein Mittelding zwischen einem Freiluftmuseum und einem trubeligen Themenpark, der die »gute alte Zeit« mit Wind- und Wassermühle, altem Raddampfer und historischer Tram aufleben läßt. Das paßt recht gut zu Launceston, das eine britische Autorin 1967 zu Recht als eine *»overgrown English country town«* skizzierte. Es ist auch immer noch so, daß die »schmalen Straßen voller Menschen« sind, vergeblich sucht man inzwischen allerdings die »Damen, die überwiegend Handschuhe tragen«.

Launceston: Die zweitälteste Stadt Tasmaniens pflegt ihr koloniales Erbe

Cradle Mountain – Wiege der Goldsucher

Cradle heißt übersetzt Wiege – und an sie soll angeblich der Umriß des Cradle Mountain tief im Inneren von Tasmanien erinnern. Immer wieder stehen Wanderer vor der massigen Bergflanke und fragen sich, wer darauf kam, ihr ausgerechnet diesen Namen zu geben. Der »Cambridge Dictionary of Australian Places« kann weiterhelfen: Goldsucher gaben dem Berg diesen Namen, sie dachten dabei nicht an ein Babybett, sondern an eine Schale, mit der sie damals das wertvolle Erz aus dem Gestein wuschen.

Die Glücksritter sind längst wieder abgezogen, die Goldfunde waren zu bescheiden, um daraus ein ordentliches Geschäft zu machen. So liegt der Berg wieder einsam in einer der schönsten alpinen Landschaften Australiens, der rechte Namenspate für einen Nationalpark. Der Cradle Mountain/Lake St. Clair National Park ist der nördlichste von fünf Parks, die ineinander übergehen und bis an die

The Tassie Nessie

»Im Südsommer haben wir mehr Sichtungen, weil dann natürlich auch mehr Menschen in der Wildnis unterwegs sind«, sagte der Nationalpark-Ranger im Cradle Valley. »Aber im Frühjahr und im Herbst, wenn Regen- und Nebelschwaden durch die Täler ziehen, ist die Quote auch nicht schlecht.« Die Rede ist vom Tasmanischen Tiger, einem Beuteltier, das wie ein Hund mit Streifen aussieht und Schafe durchaus zu seiner Beute zählte, als diese in Tasmanien eingeführt wurden. Folglich wurde der Tasmanische Tiger gnadenlos gejagt, und das so erfolgreich, daß er heute höchstwahrscheinlich ausgestorben ist. Das wohl letzte Exemplar starb 1933 im Zoo von Hobart; im Tasmanian Museum ist der letzte *tiger* auf alten Filmaufnahmen zu sehen. Weil ihn aber immer wieder Wanderer in der Wildnis gesehen zu haben glauben, erinnert er viele Australier an das Monster von Loch Ness, das regelmäßig aus dem Sommerloch auftaucht. Daher der Spitzname *Tassie Nessie.*

So muß ein naher Verwandter, der Tasmanische Teufel, für den Raubtierruhm der Insel sorgen. Der *devil* ist zwar auch ein Raubtier, aber viel kleiner und somit keine Gefahr für die Schafe. Das kleine Beuteltier, das einst in ganz Australien heimisch war, heute aber nur noch auf Tasmanien anzutreffen ist, jagt nachts nach Mäusen, Vögeln, Krabben und anderer Beute dieser Größenordnung. Seinen Namen verdankt der Räuber im schwarzen Pelz nur der Tatsache, daß der »Teufel« mächtig knurrt, faucht und sein Gebiß bleckt, wenn er von Menschen im Unterholz aufgestöbert wird. Für Tasmanien ist der tierische Beelzebub ein geschätzter Bundesgenosse – die Insel wirbt mit dem Teufel um Touristen *(Bild unten: Der Mount Ossa im Cradle Mountain/Lake St. Clair National Park).*

103

südlichste Spitze Tasmaniens reichen. Mit den anderen Nationalparks – Walls of Jerusalem, Franklin-Gordon Wild Rivers, Southwest und Hartz Mountains – umfaßt das Gebiet eine Fläche, die einem Viertel der gesamten Insel nahekommt. Und dennoch ist dieses enorme Terrain nur durch eine quer hindurchführende Straße und zwei kleinere Stichstraßen erschlossen. Viele Gebiete können nur mit Wasserflugzeugen erreicht werden, die auf den ruhigeren Abschnitten der Flüsse und auf den Seen landen.

Insbesondere im Südwesten gibt es im Regenwald Regionen, die vermutlich noch nie von Weißen betreten wurden. Und der Rest des Nationalpark-Landes ist nur zu Fuß zu erreichen, auf einem nicht allzu dichten Netz von Wanderwegen. Der bekannteste ist der Overland Track vom Cradle Valley im Norden bis Derwent Bridge, einem kleinen Ort südlich des Lake St. Clair am Lyell Highway, der quer durch die Insel führt. Der Track ist rund 85 Kilometer lang und führt ausschließlich durch völlig unbesiedeltes Gebiet. Von der Hauptroute gehen verschiedene Nebenstrecken ab, die größtenteils wieder zum Track zurückführen. Über einige Pfade gelangt man auch auf Berggipfel, etwa auf den Mount Campbell, den Cradle Mountain oder den Mount Ossa, mit 1 617 Metern Tasmaniens höchster Gipfel. Für die Benutzung der Wanderwege und Campingeinrichtungen ist eine Gebühr zu entrichten, die allerdings für zwei Monate lang auch den Eintritt in alle anderen Nationalparks auf der Insel einschließt. »Nehmt Regenumhänge mit«, hatten die Ranger im Nationalpark-Informationszentrum trotz des strahlenden Sonnenscheins und der guten Wetterprognose geraten. »Die Wettervorhersage gilt für ganz Tasmanien. Im Gebirge sieht das oft anders aus, und der Cradle Mountain ist immerhin 1 545 Meter hoch.« Und in

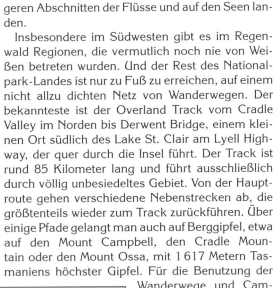

Queenstown am Rand des Cradle Mountain/Lake St. Clair National Park ist eines der ältesten Minenreviere Australiens

der Tat, die Wandergruppe geriet in einige gewaltige Regenschauer.

Die Experten hatten ferner empfohlen, ein Zelt mitzunehmen. Auch das war ein guter Ratschlag, denn einige der zwölf Schutzhütten entlang dem gut ausgeschilderten Pfad waren bereits voll belegt, als die müden Wanderer eintrafen. Aber sie schwärmten von blumenübersäten Bergwiesen, von dunklen Wäldern, romantischen Moorlandschaften und dem schönen Weg entlang dem Lake St. Clair, als sie nach sechs gemütlichen und strapazenarmen Wandertagen an der Brücke über den Derwent eintrafen. Sie berichteten von fast zutraulichen Wallabies, diesen kleineren Vettern der Känguruhs, und von Vögeln in allen Farben des Regenbogens. Und sie wären sofort umgekehrt und noch einmal zurückgelaufen, wären nicht die Urlaubstage gezählt gewesen.

Cradle Mountain/Lake St. Clair National Park: Auf dem Overland Track lassen sich die Schönheiten der tasmanischen Landschaft »erwandern«

WESTERN AUSTRALIA – TEST THE WEST!
Perth: Die westliche Cup-Stadt

Den Westen lassen viele Australien-Touristen links liegen, zumindest, wenn sie den fünften Kontinent zum ersten Mal besuchen – zu weit abseits, zu lange und teure Flüge. Da aber die meisten begeistert von *down under* zurückkehren, heißt es für viele vor der nächsten Reise: *Test the West!* Es hat kaum einen Rückkehrer gereut, denn Western Australia ist sehr ungewöhnlich: Der Bundesstaat, der fast die Hälfte des Kontinents einnimmt, hat etwa halb soviel Bewohner wie Melbourne. Und von diesen rund eineinhalb Millionen Westaustraliern leben über zwei Drittel in der Hauptstadt Perth.

Die schnell wachsende Millionenstadt wirkt immer noch wie ein aus den Fugen geratener Kurort, in den irgendein Narr eine Reihe von Hochhäusern verpflanzt hat. Perth genießt eine tägliche Sonnenscheindauer von rund acht Stunden und lebt auch danach. Freizeit hat dort einen noch höheren Wert als in den Großstädten des Ostens – und das will wirklich etwas heißen. Das Zentrum von Perth mißt, bei großzügiger Auslegung, im Durchmesser etwa zwei Kilometer, Hauptachsen sind die Fußgängerzonen in der Hay Street und der Murray Street. Rings um das Einkaufsgebiet herum kurven im regelmäßigen Turnus städtische Busse, die gratis benutzt werden dürfen. Insbesondere Angestellte, die in den Bürohochhäusern arbeiten, schätzen diesen Bus-

Die Hauptstadt von Western Australia, Perth, gilt als die isolierteste Millionenstadt der Welt

Spanische Neugotik nordöstlich von Perth: Das Kloster New Norcia wurde 1846 von spanischen Benediktinermönchen gegründet ▷

Ein historisches Zitat zwischen den Hochhäusern der Banken und Bodenschatz-Konzerne: Das Türmchen der Town Hall von 1867 in Perth

service, der ihnen das Shopping in der Mittagspause erleichtert. Außerdem kann man sich gleich zum Lunch-Schwätzchen in der Hay Street treffen. In allen australischen Städten sind Fußgängerzonen in der City während der Mittagspause beliebte Treffpunkte für Gespräche über Mode und Make-up bei Meat Pie und Milk Shake. Nach Büroschluß verödet die Innenstadt von Perth noch schneller als andernorts, denn alle zieht es zum Wasser, zum Surfen auf dem nahen Indischen Ozean oder zum Segeln und Schwimmen im Swan River, der sich vor Perth zu einem See verbreitert. Der Fluß wurde bereits 1697 von William de Vlamingh entdeckt. Der Holländer war beeindruckt von den ungewöhnlichen schwarzen Schwänen. Sie sind heute das Wappentier von Western Australia.

Ganze Kolonien schwarzer Schwäne finden sich am Ufer »ihres« Flußes vor dem Kings Park, auch wenn das mehr als 400 Hektar große Gelände durch eine Autobahn vom Fluß getrennt ist. Dennoch lieben die Bürger ihren Park, der zwar unmittelbar bei der City liegt, aber doch zu einem großen Teil aus unberührtem Buschland besteht. Von der Höhe hat man einen prachtvollen Blick auf die Stadt: im Vordergrund ein Straßenknoten, der selbst Los Angeles Ehre machen würde, dahinter die Skyline, die daran erinnert, daß diese gepflegte und ruhige Stadt ein Zentrum des australischen Bodenschatz-Booms ist.

Das hat leider auch dazu geführt, daß jahrelang die Abrißbirne das wichtigste Instrument der Stadtplanung war. Es gibt durchaus noch Zeugnisse alter Baukultur, etwa die Deanery von 1859, das Government House von 1864, die Town Hall von 1867 und His Majesty's Theatre von 1904. Aber viele dieser alten Gebäude sind hoffnungslos eingekeilt zwischen modernen und selten architektonisch attraktiven Neubauten. Angesichts dessen ist die verkitschte – aber von Touristen sehr geschätzte –, im Tudor-Stil errichtete Einkaufspassage London Court schon fast ein lobenswertes Beispiel.

Wenn auch von baulich bescheidenem Reiz, so pflegt Perth doch durchaus seine Künste. Rings um die Museen in Northbridge – das Western Australia Museum, die Art Gallery und das Institute of Contemporary Art – sind zwischen Pubs und Boutiquen viele Galerien entstanden. Der Stadtteil nördlich des Bahnhofs hat sich dadurch zu seinem Vorteil entwickelt, früher beherrschten eher Kaschemmen

das Revier rings um das alte Gefängnis, das in das Western Australia Museum eingegliedert wurde. Aber das Kapitel »Perth und seine Museen« ist damit längst noch nicht abgeschlossen. In der Stadt und ihrem Umland gibt es mehr als ein Dutzend mehr oder minder große Sammlungen, sei es für Eisenbahnfreunde, sei es für Feuerwehrfans, ein »Museum der Kindheit« oder eine Flugzeugkollektion. Und wen es mehr zu lebendigen »Ausstellungsstücken« zieht, ist im Aquarium der Underwater World, im Cohunu Koala Park oder im Zoo an der rechten Stelle. Letzterer ist von der Innenstadt aus bequem mit einem der kleinen Fährboote über den Swan River zu erreichen.

Für längere Touren empfehlen sich die Weingüter stromaufwärts oder der stromab gelegene Hafenvorort Fremantle. Auf der Fahrt in Richtung Mündung passieren die Boote auch den Yacht Club, in dem für einige Jahre die begehrteste Trophäe aller Segler zu Hause war, der America's Cup. Als die siegreiche Yacht »Australia II« die »Kanne«, wie der Cup wegen seiner barocken Schnörkelei respektlos genannt wird, 1983 erstmals in der mehr als hundertjährigen Geschichte des America's Cup aus den

Ein Freizeitvergnügen in Western Australia – Surfen im Indischen Ozean

USA entführte, wurde Perth zur Cup-Stadt – erstmals errang Westaustraliens Metropole international Schlagzeilen.

Als 1987 in den Gewässern vor Fremantle der Cup verteidigt werden mußte, polierte sich der historische Hafenort mit einigen Dollarmillionen auf. Glücklicherweise hatte die Bauspekulation in Fremantle kaum gewütet, so zeigt sich heute eine ansprechende Kleinstadt mit einer mehr als hundert Jahre alten Markthalle und einer Reihe weiterer historischer Bauten, etwa dem Lagerhaus von 1852, in dem das Maritime Museum einen sehr passenden Platz fand. In einem der Räume kann man den Restaurateuren dabei zuschauen, wie sie die »Batavia« wiederherrichten. Das Schiff war 1629 mit rund 300 Menschen an Bord bei den Houtman Abrohos Islands weiter nördlich vor Geraldton auf Grund gelaufen und gesunken. Die meisten Menschen konnten sich zwar auf eine Insel retten, erlebten dort aber eine schreckliche Zeit. Während sich der Kapitän mit einigen Seeleuten im Beiboot auf die Fahrt nach Batavia machte, kam es auf der Insel zu einer Meuterei. Als die Retter eintrafen, hatten die Aufständischen bereits rund 120 Menschen umgebracht.

Als 1983 die siegreiche Yacht »Australia II« den America's Cup aus den USA in den Yachthafen von Perth »entführte«, wurde der Segelsport hier noch populärer

Kalgoorlie: Ein Wüstennest baute auf Gold

»Als mein Großvater hier nach Gold schürfte, war Wasser fast noch wertvoller als Gold«, sagte Jim, ein ehemaliger Minenarbeiter, der uns durch Hannan's North Tourist Mine führte. »Damals um die Jahrhundertwende machten Kaufleute ein Vermögen mit Brandy, weil das Brackwasser, das in Kalgoorlie aus der Erde gepumpt wurde, nur mit Schnaps ge-

nießbar war.« An Geld mangelte es dem Wüstennest und seinen Nachbarorten Boulder und Coolgardie nicht, die meisten Bewohner lebten prächtig von dem Gold, das hier so reichlich im Boden lag. 1892 hatte ein Reiter in der Halbwüste beim späteren Coolgardie zufällig Nuggets auf dem Boden gefunden. Das sprach sich schnell herum, und als Paddy Hannan ein Jahr darauf das Edelmetall beim heutigen Kalgoorlie entdeckte, brach ein Goldrausch

Minenanlage in Kalgoorlie (Bild links) und Pub in Ora Banda bei Kalgoorlie, etwa 550 Kilometer östlich von Perth (Bild oben)

aus. Tausende strömten in die wasserlose Ödnis, in der aber das reichste Riff Australiens lagerte.

Der visionäre Ingenieur Charles O'Connor machte die Goldstädte aber erst überlebensfähig. Gegen alle Widerstände schuf er eine hölzerne Pipeline von den Bergen bei Perth bis ins 550 Kilometer entfernte Kalgoorlie – eine Meisterleistung, deren Vollendung 1903 O'Connor aber nicht mehr erlebte. Im Jahr zuvor hatte er sich, immer noch von Anfeindungen verfolgt, das Leben genommen. »Kalgoorlie lebt noch immer von O'Connors Wasserleitung, auch wenn diese heute moderne Röhren hat«, Jim wies in Richtung des Mount Charlotte, auf dem die Pipeline noch wie einst in einem großen Kessel endet, »schade, daß Charlie dies nicht mehr erlebt hat. Er hätte es den verdammten Bastarden gezeigt.«

In Kalgoorlie spricht man immer noch die deutliche Sprache der Bartresen, daran hat auch die neue Goldader, der Tourismus, kaum etwas geändert. Im Gegenteil, viele der Besucher erwarten geradezu den ruppigen Ton, den sie mit einem Goldgräbernest verbinden. Dabei ist die Doppelstadt Kalgoorlie-Boulder längst eine moderne Gemeinde mit Schulen, Bibliotheken, Sportanlagen, Flughafen und Eisenbahnanschluß. Das Edelmetall wird nur noch in einer Mine zutage gefördert, aber rund um die Stadt arbeiten verschiedene Bergwerke, die Erze aller Art aus dem Boden holen. Aber ohne die Touristendollars wären schmucke viktorianische Kneipen wie das Exchange, das Palace oder das York Hotel in Kalgoorlie wohl längst dem Verfall preisgegeben. Sie wurden in den »goldenen Jahren« errichtet, in denen jeder Bauherr auch nach außen seine finanzielle Potenz demonstrierte. So findet man eine ganze Reihe viktorianischer oder sogar maurisch verzierter Bauten – gefragt war, womit man ordentlich Eindruck schinden konnte.

Die Renommierbauten von einst sind die Sehenswürdigkeiten von heute. In *Kal*, so die Einheimischen zu Kalgoorlie, fand eines der beiden Goldrauschmuseen zumindest teilweise Platz in der schmalsten Kneipe des Kontinents, in den »British Arms«. Im inzwischen fast menschenleeren Coolgardie (die verkaufsfördernde Bezeichnung *ghost town* ist allerdings übertrieben) verrät die »Goldfields Exhibition«, daß sogar ein späterer Präsident der USA sein Glück als Goldgräber in Australien versuchte. In Gwalia, 235 Kilometer nördlich von Kalgoorlie gelegen, hat der damals 22 Jahre alte Bergbauingenieur Herbert Hoover 1898 eine Mine als Manager geleitet. Er ging später zurück in die Staaten, kam aber 1905 noch einmal nach Australien, um in Broken Hill eine Zinkminengesellschaft zu gründen. Hoover wurde in Australien zu einem wohlhabenden Mann; 1929 wählten ihn die Amerikaner zu ihrem 31. Präsidenten.

Ningaloo Reef: Die größten Fische der Welt

Im März, im Sternzeichen der Fische, sammeln sich vor dem North West Cape einige Dutzend Walhaie. Wale sind sie eigentlich nicht, denn die bis zu 18 Meter langen Giganten sind echte Fische – die größten der Welt – und echte Haie, und dennoch paddeln Taucher furchtlos um die Meeresriesen herum. Ihre

Der Cape Range National Park im Nordwesten des australischen Kontinents

Die insgesamt mehr als 12 500 Kilometer lange Küste Westaustraliens hat eine Vielfalt an Küstenformen zu bieten ▷

Vor der Küste des Cape-Range-Nationalparks liegt das Ningaloo Reef, das zweitgrößte Riff Australiens

Mäuler sind zwar so groß, daß sie einen ausgewachsenen Menschen quer in ihren Schlund saugen könnten, aber als strenge Vegetarier stellen die Walhaie keine Gefahr dar. Sie kommen auch gerne nahe an die Wasseroberfläche, deshalb können selbst Schnorchler die Riesen der Gattung *Rhiniodon typus* recht gut beobachten.

Die winzigen Korallen des Ningaloo Reef locken die freundlichen Tiere an, wenn sie gegen Ende März in ihren bunten Kalkgehäusen »blühen«, das heißt, sie stoßen millionenfach ihre Eier und Samen aus. Das ist offensichtlich eine Delikatesse für die Walhaie, ebenso wie das Plankton, das in den folgenden Wochen gleichermaßen für ihre Fortpflanzung sorgt. Deshalb bleiben die gewaltigen Fische etwa bis Ende Mai vor dem Riff. Das rund 260 Kilometer lange Ningaloo Reef, das zweitlängste Australiens, liegt im Zentrum eines Meeres-Nationalparks, von daher ist auch die Zahl der Bootsführer, die Touristen zu den Walhaien schippern dürfen, streng begrenzt. Das macht die Touren zwar relativ teuer, schützt aber die Fische vor allzu vielen Neugierigen.

Der Ningaloo-Nationalpark reicht genau bis zur Wasserlinie des breiten Sandstrandes, der wiederum schon zum Cape Range National Park gehört;

dieser erstreckt sich etwa bis zur Mitte der gleichnamigen Halbinsel. Die North West Cape Range, ein nicht allzu hoher Bergzug, ist quasi das Rückgrat der Halbinsel, die selbst Australien-Spezialisten oft unbekannt ist. Ein Grund dafür könnten die Kaserne und die 13 Antennenmasten an der Spitze der Halbinsel sein. Die Anlage war bis vor wenigen Jahren streng geheim: Hier gingen per Funk die Kommandos an die U-Boot-Flotte der Australier und vor allem der Amerikaner im Pazifik. Im Satelliten-Zeitalter sind die Masten – alle höher als der Eiffelturm, der höchste bringt es fast auf 400 Meter – nicht mehr so wichtig. Sie werden aber noch für weniger geheime Kommunikationszwecke genutzt, die Kaserne soll künftig zivilen Vorhaben dienen.

In Exmouth, der einzigen Stadt auf der Halbinsel, hofft man auf eine Hotelanlage im Militärcamp, denn inzwischen ist der touristische »Geheimtip« North West Cape so wenig geheim wie die Sendemasten. Die bunten, von verschiedenen Steinschichten gezeichneten Flanken der Schluchten im Nationalpark ziehen immer mehr Wanderer an. Na-

Interessant für Touristen wie für Wissenschaftler: Die Höhlen an der Küste von Western Australia – hier die Höhle bei Eagle Bay am Cape Naturaliste

Von Küste zu Küste mit dem »Indian Pacific«

Wie in Zeitlupe rollt das silberschimmernde Aluminiumband des »Indian Pacific« in Perth an. Australiens berühmtester Zug macht sich auf seine 4 350 Kilometer lange Strecke vom Indischen Ozean bis nach Sydney am Pazifik. Rund 65 Stunden ist der Zug unterwegs, meistens zieht die massige Diesellok ihre Waggons durch Steppe und Wüste, nur scheinbar eine eintönige Sache, denn vor den Fenstern gibt es immer wieder etwas zu beobachten, etwa Känguruhs, die davonspringen, Emus, die gemächlich durch das trockene Land traben, oder Adler, die in der heißen Luft fast reglos kreisen, um dann plötzlich auf ihre Beute hinabzustoßen. Ein Teil dieser Strecke steht in allen Rekordlisten: Die längste Gleisgerade führt über 478 Kilometer durch die Nullarbor-Wüste, die ihrem Namen (lateinisch: ohne Baum) alle Ehre macht. Auf dem Kalkboden, in dem jeder seltene Regentropfen sofort versickert, kann sich bestenfalls hier und da ein niedriger Strauch festkrallen. Der Zug führt zwei Restaurantwagen mit sich. Während die Landschaft an den Fenstern vorbeizieht, tafeln die Passagiere der ersten Klasse mehrgängig auf Leinen, im Buffetwagen der zweiten Klasse geht es etwas schlichter zu. Für beide Klassen rollt auch jeweils ein Salonwagen einschließlich einer Bar mit. Die Schlafsessel sind vor allem bei Rucksackreisenden begehrt, für einige stattliche Dollars mehr erhält man sein privates Schlafabteil.

Der »Indian Pacific« hält nur hin und wieder auf seiner transkontinentalen Reise, Kalgoorlie, Adelaide und Broken Hill gehören zu den Haltepunkten. Aber auch mitten in der Steppe muß der Zug einmal stoppen, um Treibstoff nachzutanken. Cook heißt das winzige Nest an den Gleisen in der Mitte von Nichts. Für die paar Einwohner des Dorfes, meist Bahnbedienstete und ihre Familien, bietet der Stopp die Chance, auf eine etwas ungewöhnliche Weise ein paar Spenden für die örtliche Krankenstation zu schnorren: »Unterstützt unser Krankenhaus«, heißt es mit übergroßen Lettern, »werdet hier krank!«

turfreunde besuchen das Riff, weil dort im Juni/Juli und im Oktober/November die Buckelwale entlangziehen. Um die Jahreswende, zwischen November und Januar, robben nachts die Seeschildkröten unweit des Leuchtturms an der Landspitze an den Strand, um dort ihre Eier abzulegen – ein Schauspiel, das eine ständig wachsende Besucherzahl anzieht.

Kein Wunder, daß Exmouth seine Zukunft im Ökotourismus sieht. Dazu passend hat der Nationalpark sein Informationszentrum am Strand der Westküste nur aus natürlichen Baustoffen, vornehmlich aus Holz und Lehm, errichtet. Das dürfte aber kaum der Grund dafür sein, daß fast immer ein paar Wallabies und Pelikane an der Terrasse herumlungern – sie hoffen auf Leckerbissen von den Touristen, auch wenn die Ranger mahnen: »Bitte nicht füttern!« Wer das Zentrum mit dem Auto erreichen will, muß einige Kilometer ungeteerte, aber gut zu befahrene Straße in Kauf nehmen – wer jedoch ein weiter südlich gelegenes Ziel ansteuert, sollte besser einen Geländewagen haben, denn sonst sitzt er mit Sicherheit bald fest im feinen Sand.

*An der westaustralischen Nord-
küste bei Derby zeichnen die
Gezeiten tiefe Muster in den Sand* ▷

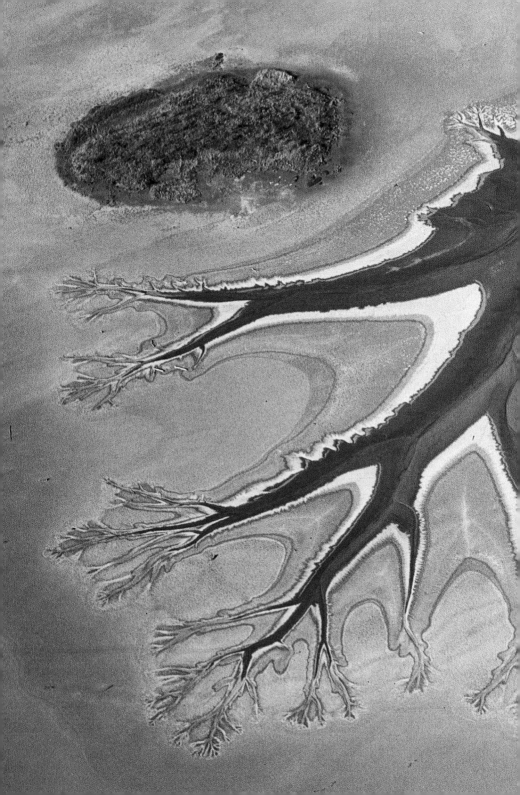

»Wave Rock« heißt die Flanke des Hyden Rock östlich von Perth. Seine Form verdankt der »Wellenfelsen« der nagenden Witterung ▷

Broome im tropischen Norden von Western Australia hat sich den Charme eines alten Perlensucher-Nestes erhalten

Nicht weit von Broome – Dino was here

»Der Bursche muß ganz schön feist gewesen sein, wenn er solch einen Eindruck in einem Stein hinterläßt«, kalkuliert ein Knirps, der voller Eifer die Fußabdrücke eines Dinosauriers auf dem Felsen am Cable Beach, dem Strand von Broome, untersucht. Es stört den Junior nicht, daß die Pranken im Fels des Gantheaume Point nur eine Nachbildung sind – die echten Dino-Stapfen liegen einige Meter vor der Klippe im Meer, sie sind nur bei extremer Ebbe zugänglich. »Wie alt sind die Spuren?« will der Zweit- oder Drittkläßler von seinem Papa wissen. Der schlägt seinen Reiseführer auf: »Rund 120 Millionen Jahre ist das her.« – »Und was war das für ein Dino?« Daddy blätterte: »Hier heißt es nur, es war eine fleischfressende Gattung, mehr weiß ich auch nicht.« Der Wissensdurst des Sprößlings ist noch nicht zufriedengestellt: »Meinst Du, der Dino ist gesprungen, damit er so tief in den Stein reinkam?« – »Ich glaube eher, als der Dinosaurier damals hier entlanglief, war das noch eine weichere Erde, die erst später versteinerte.«

Auch wenn Dinos Visite bereits eine Weile zurückliegt, rühmt sich Broome gerne der Tatsache, daß es

schon immer ein beliebtes Ferienziel gewesen ist –
und das nicht nur für große Tiere. Allerdings hatte
die nach dem damaligen Gouverneur benannte Ortschaft bei ihrer Gründung um 1870 herum mit Touristen nichts im Sinn, auch wenn damals schon die
ersten Schafzüchter und Perlenhändler von den pal-
mengesäumten Stränden und dem türkisfarbenen
Meer an der tropischen Nordküste schwärmten. Die
Schafhirten traten bald den Rückzug an, weil sich
die Aborigines mit allen Mitteln gegen die Einzäu-
nung ihrer Wasserstellen wehrten.

Ebbe und Flut lassen an der
westaustralischen Nordküste
großartige Landschaftsbilder
entstehen: Die Horizontal Falls
an der Talbot Bay nördlich von
Derby

Aber die Perlentaucher machten Broome reich,
ein feiner Ort wurde es damit allerdings nicht, denn
das große Geld strichen die »Perlenbarone« ein.
Hunderte von Perlentauchern und die Verarbeiter
der Perlenschalen mußten sich mit eher knappen

Löhnen bescheiden. Wichtiger als die vereinzelt gefundenen Schmuckperlen waren die Schalen, die die Taucher aus der Tiefe holten, denn Perlmutt war damals weltweit gefragt, vor allem für die Knopfherstellung. Um die Wende zum 20. Jahrhundert lagen mehr als 400 Lugger in Broome vor Anker, die zu dieser Zeit rund 80 Prozent des Weltbedarfs an Perlmutt deckten. Mit dem Vordringen der Plastikknöpfe ging dieses blendende Geschäft allmählich dahin. Heute hat Broome nur noch etwa ein Dutzend Lugger, die bei Ebbe meist fotogen an der mangrovenumwucherten Pier liegen. »Die verdienen mehr mit Touristen-Rundfahrten als mit der Perlensuche. Und das Perlengeschäft läuft jetzt über die Zuchtfarm außerhalb der Stadt«, erklärte die Dame im Touristik-Informationsbüro.

Whirly Willie und Konsorten

Cyclone nennen die Australier, was in anderen Weltgegenden als Hurrican oder Taifun firmiert – tropische Wirbelstürme, die verheerende Zerstörungskräfte entfalten können. Der Norden Australiens ist immer wieder Ziel solcher Stürme, die im Sommer (November bis März) von Norden her auf Australien zuwirbeln und sich über der See mit Feuchtigkeit aufladen. Deshalb gehen mit den Wirbelstürmen auch immer heftige Wolkenbrüche einher, die zusätzlich zu den Schäden beitragen.

Im Landesinneren haben *cyclones* trockene Vettern, die nicht minder unerfreulichen Sand-Wirbelstürme. Sie sind in der Regel nicht so zerstörerisch wie die im Norden. Aber wenn sie auf einen zurasen, gibt es nur eins: Volle Deckung suchen. Die Stürme können einem die Haut regelrecht abschmirgeln. Nicht selten sind kleinere Landwirbelstürme, etwa zwei, drei Meter hohe dunkle Luftsäulen, die über die Ebenen toben. *Whirly Willie* nennen die Australier die unberechenbaren windigen Gesellen.

Western Australia: Broome 3

Spektakuläre Muster im Sand – sogenannte »Mudflats« – hinter- läßt das bei Ebbe abfließende Wasser an der westaustralischen Nordküste bei Derby ▷

Die Halbinsel zwischen Broome und Derby wird nur von wenigen Aborigines bewohnt und nur selten von Touristen besucht

Broome, das freundlich-entspannte Tropenstädt- chen, präsentiert seine Perlenhistorie heute auf viel- fältige Weise: Auf dem Japanischen Friedhof wur- den die Gräber der japanischen Taucher restauriert, sie und andere Asiaten übernahmen meist den ge- fährlichen Job auf See. Bei einem der in Broome häufigen Wirbelstürme kamen mehr als 150 Japa- ner in der Timor Sea um. Auch im Museum der Bro- ome Historical Society spielt die Perlenwirtschaft eine zentrale Rolle. Schließlich erinnern drei Herren aus Bronze am Eingang der Chinatown an Japaner, die einst das Perlengeschäft führten. Chinatown be- steht genaugenommen nur aus einer Straße, in der immer noch chinesische Händler ihrem Tagewerk nachgehen; viele verkaufen inzwischen statt Tauen und Segeltuchen japanische Zuchtperlen an Touri- sten.

Chinatown wird aber auch die ganze Altstadt von Broome genannt – das Juwel dieses Viertels ist das Kino »Sun Pictures«. Das älteste noch täglich geöff- nete »Gartenkino« der Welt hat seine Leinwand und den größten Teil der »Sitze« – es sind bequeme alte Liegestühle – unter freiem Himmel. Nur der Projek- tor und einige wenige Sitzreihen im hinteren Teil des Kintopps sind überdacht. Es ist schon ein besonde- res Erlebnis, die Stars von Hollywood unter den Ster- nen Australiens zu sehen. ✳

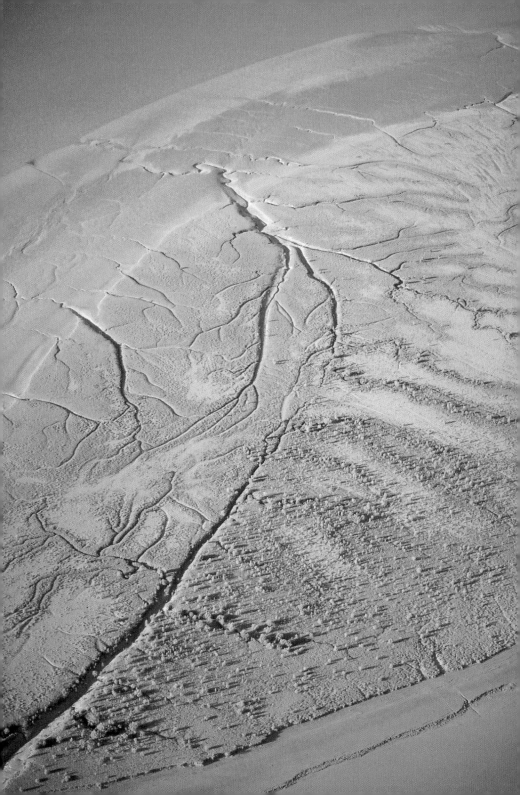

Australien in seinen Höhen und Tiefen

Gewiß, die Amerikaner waren etwas schneller. Sie richteten 1872 in Yellowstone den ersten Nationalpark der Welt ein. Aber schon 1879 folgten die Australier dem guten Beispiel: Der Royal National Park bei Port Hacking südlich von Sydney war der zweite Park. Seither waren die Aussies fleißig: Das Land hat 475 Nationalparks, weitere Gebiete sind als künftige Parks vorgesehen. Die Zahl 500 wird sicherlich bald erreicht.

Die Nationalparks zeigen Australien auch in seinen Extremen. Der höchste Gipfel, der Mount Kosciuszko, wird ebenso von Rangern geschützt wie die Tiefen beim Great Barrier Reef oder beim zweitgrößten Korallenriff des Landes, dem Ningaloo Reef in Western Australia. Das Gebiet mit den höchsten Niederschlägen, der 1 591 Meter hohe Bellenden-Ker-Gipfel in Queensland, ist von einem Nationalpark umgeben. Dasselbe gilt für den vielleicht trockensten Bereich im Land, den Lake Eyre in South Australia. Der etwa 5 800 Quadratkilometer große See hat fast nie Wasser und ist von einer soliden Salzkruste überzogen.

Manche Parks liegen weitab von menschlichen Siedlungen, etwa der Simpson Desert National Park im Grenzgebiet von South Australia, Northern Territory und Queensland – eine echte Wüstenregion. Aber auch in unmittelbarer Nähe aller australischen Millionenstädte, in Sydney sogar mittendrin, wurden Gebiete unter Schutz gestellt *(Bild oben: Felsformation in der Kimberley-Region im Norden von Western Australia)*.

1. Kontinent am Wendekreis des Steinbocks

Eine Fly-and-Drive-Route zu den Highlights Australiens

Nach der Ankunft in der Hauptstadt des Northern Territory, Darwin, verläuft die Reiseroute zunächst durch einen der schönsten Nationalparks Australiens, den Kakadu National Park. In Katherine trifft sie dann auf den Stuart Highway, die berühmteste Fernstraße des Kontinents. »The Track«, wie die Einheimischen das gut 3 000 Kilometer lange Asphaltband zwischen Darwin im Norden und Adelaide im Süden in Erinnerung an die einstige Sandpiste nennen, ist zu allen Jahreszeiten immer noch eines der großen Erlebnisse »down under«. Doch keine Sorge, diese Entfernung sollen Sie nicht mit dem Auto zurücklegen. Denn um die wichtigsten Highlights Australiens in einem zeitlich begrenzten Urlaub kennenzulernen, heißt es, sich wie die Känguruhs mit großen Sprüngen fortzubewegen.

Zurück in Darwin geht es per Flugzeug nach Alice Springs und weiter zum Ayers Rock im Zentrum des fünften Kontinents. Auch die Strecke von »The Alice« nach Adelaide legen Sie mit dem Flugzeug zurück. Abstecher führen ins Barossa Valley mit seiner 150jährigen Weinbautradition und nach Kangaroo Island, anschließend besteigen Sie erneut das Flugzeug, um nach Melbourne, in die Hauptstadt Victorias zu gelangen – nach dem Northern Territory und South Australia ist dies der dritte der sieben australischen Bundesstaaten, den Sie besuchen. Der Besichtigung der Sportmetropole Melbourne und einem Ausflug an die Great Ocean Road, Australiens eindrucksvollste Küstenstraße, folgt die Fahrt durch das Revier des berüchtigten Buschräubers Ned Kelly in die australische Hauptstadt Canberra.

Auf der weiteren Route durch New South Wales Richtung Sydney sind Stopps im Reservat von Captain Cook's Landing Place eingeplant, der Stelle, an der der große Navigator 1770 erstmals australischen Boden betrat, und im Royal National Park, dem ersten Nationalpark Australiens. Die beiden folgenden Tage sind für ein ausgiebiges Kennenlernen der »First City« – Sydney – vorgesehen, danach fliegen Sie in den tropischen Norden von Queensland, nach Cairns. Im nahen Palm Cove verbringen Sie die letzten Tage Ihrer Reise: am Palmenstrand, am festlandsnahen Great Barrier Reef oder in den tropischen Regenwäldern des Atherton Tableland.

Gesamtlänge der Reiseroute: ca. 3 345 km (ohne Flugkilometer, ohne Ausflüge, Abstecher und Städtetouren)

Reisedauer vor Ort: 18 Tage

Reisezeit: Südlich des *Tropic of Capricorn* (Wendekreis des Steinbocks) sind Dezember und Januar die Hochsommermonate, Juli und August sind die kälteste Jahreszeit. Nördlich des *Tropic of Capricorn* wird es nie richtig kalt. Hier unter-

◁ Die Steilküste im Port Campbell National Park südwestlich von Melbourne

scheidet man zwischen der *wet* und der *dry season*. In der Regenzeit (November bis März) werden hohe Niederschläge gemessen. Aus diesen Klimalagen ergeben sich auch die besten Reisezeiten.

Route: Darwin – Kakadu National Park (Ankunftstag); Kakadu National Park – Katherine; Katherine – Darwin; Dawin – Flug nach Alice Springs – Ayers Rock; Ayers Rock – Alice Springs; Alice Springs – Flug nach Adelaide; Adelaide; Adelaide – Barossa Valley – Adelaide – Flug nach Melbourne; Melbourne; Melbourne – Albury; Albury – Canberra; Canberra – Sydney; Sydney; Sydney – Blue Mountains – Sydney; Sydney – Flug nach Cairns – Palm Cove; Palm Cove (3 Tage); Rückflug.

131

1. Tag: Darwin – Kakadu National Park (ca. 230 km)

Route/Programm:

Ankunft in Darwin, danach auf dem Stuart Highway (Hwy. 1) Richtung Süden, Abzweigung auf den Arnhem Highway (Hwy. 36), auf diesem Highway bis zum Kakadu National Park. Ausflug zum Nourlangie Rock.

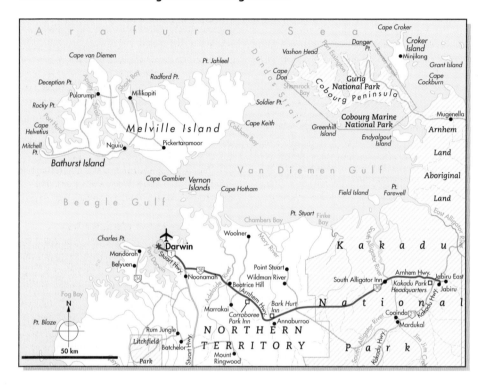

Service & Tips: Informationen nicht nur für Darwin, sondern auch für andere Gebiete des Northern Territory gibt es bei Darwin Region Tourism Association, 33 Smith St. Mall, Darwin, NT 0800, ☎ (08) 89 81 43 00. Eine Filiale existiert am Flughafen. Wer Zeit und Lust hat, kann auf dem Adelaide River eine Bootstour mit Krokodilbeobachtung einplanen, Dauer ca. 2 Std., am besten vorher telefonisch nach den Abfahrtszeiten erkundigen: Adelaide River Queen, Adelaide River Crossing, ☎ (08) 89 88 81 44. Gut 15 Firmen bieten im Kakadu National Park halb- oder ganztägige Ausflüge an. Auskunft über die verschiedenen Angebote erhält der Besucher in den Hotels oder beim Visitor Centre. Bowali Visitor Centre, Kakadu Hwy., Jabiru, NT 0886, ☎ (08) 89 38 11 00. Die Felsmalereien am Nourlangie Rock südlich des Kakadu Hwy. und ca. 30 km nordöstlich von Cooinda gehören zu den eindrucksvollsten im Kakadu National Park. Lohnend ist auch der ausgeschilderte Billabong Walk.

Ihre Reise beginnt auf dem Stuart Highway, von dem nach 34 Kilometern der Arnhem Highway abzweigt. Einige Kilometer westlich von Beatrice Hill biegt eine asphaltierte Straße zur sechs Kilometer entfernten **Fogg Dam Conservation Reserve** ab. Der Stausee ist heute ein Eldorado für Fische, Krokodile und zahllose Wasservögel.

Wenn Sie ein auffälliges Gebäude bemerken, so handelt es sich mit Sicherheit um das **Window of the Wetlands**. Der moderne Bau auf dem Beatrice Hill erlaubt von seiner Dachplattform aus einen Rundumblick über die weite Flutebene des Adelaide River.

Nach weiteren 60 Kilometern Fahrt gibt es eine Abzweigung in die gut 2 500 Hektar große **Mary River Crossing Reserve**, ein nur bei trockenem Wetter zugängliches Naturreservat, dessen *billabongs* (Teiche) einigen großen Krokodilen als Heimstatt dienen. An der Grenze zum **Kakadu-Nationalpark** wird eine Eintrittsgebühr fällig. Nun sollten Sie den berühmten **Nourlangie Rock** ansteu-

ern (siehe Karte zum 2. Tag, S. 135). Der Felsen birgt neben dem Ubirr Rock die bekanntesten »Galerien« für die Felsmalereien der Ureinwohner. Darüber hinaus gibt es aber noch mehr als 5 000 andere Stätten mit alter Aborigines-Malerei; es heißt, einige werden von den Aborigines und wenigen eingeweihten Weißen geheimgehalten, weil sie immer noch eine sakrale Bedeutung haben. Sie sind auf jeden Fall Zeugnisse der ältesten bis heute weiterentwickelten Kunst auf der Erde; manche Felszeichnungen im Kakadu National Park und im angrenzenden, noch viel größeren Arnhemland werden auf ein Alter von mindestens 30 000 Jahren geschätzt (die Aborigines leben seit mindestens 50 000 bis 60 000 Jahren in diesem Gebiet). Viele dieser Zeichnungen aus Erdfarben konnten sich über die Jahrtausende erhalten, weil sie wie in Nourlangie unter schützenden, überhängenden Felsen angebracht wurden. Aber auch an Stellen, die Regen und Sonne direkter ausgesetzt waren,

Der Egret, ein weißer Reiher, stelzt auf Futtersuche durch den Kakadu National Park

Die Bäume haben sich den jährlichen Überflutungen in den Wetlands angepaßt

haben sich die Farben bisweilen über Tausende von Jahren gehalten. Die Farbpigmente konnten sich aufgrund chemischer Prozesse nicht nur auf der Oberfläche, sondern tief im Inneren der Steine verankern. Allerdings war es auch durchaus gängige Praxis, einige Werke der Ahnen von Zeit zu Zeit aufzufrischen.

Am Nourlangie Rock, der durch Treppen, Holzstege und Plattformen gut erschlossen ist, kann man die verschiedenen Stilarten und -epochen erkennen. Die ersten Künstler benutzten nur eine Farbe und ummalten Gegenstände oder Hände, die einfach gegen den Felsen gehalten wurden. Aber auch die mehrfarbigen Bilder wurden schon vor mindestens 20 000 Jahren gemalt – im für den Norden typischen »Röntgenstil«. Dabei werden Tiere und Menschen so dargestellt, daß ihr Skelett oder ihre inneren Organe sichtbar

werden. Daß die Tradition der Felsmalerei bis in die jüngste Zeit anhielt, zeigen Motive weißer Männer mit Gewehren. Bisweilen täuscht aber auch der erste Eindruck. Der Zweimaster, der mit geblähten Segeln in Nourlangie zu sehen ist, deutet nicht auf einen frühen Kontakt mit Europäern hin. Experten sehen in dem Schiff vielmehr einen indonesischen Bootstyp, und es ist bekannt, daß indonesische Seeleute die Nordküste Australiens schon lange vor dem Eintreffen der Holländer, der ersten Europäer in dieser Region, ansteuerten. Und noch ein Irrtum ist zu klären: Dichtbemalte Orte wie der Nourlangie Rock waren im Gegensatz zur weitverbreiteten Meinung keine heiligen Stätten, sondern dienten vermutlich eher als Siedlungsschwerpunkte. Insbesondere die Felsüberhänge boten in der Regenzeit trockene Orte.

2. Tag: Kakadu National Park – Katherine (ca. 425 km)

Route/Programm:

Vom Kakadu National Park über den Kakadu Highway (Hwy. 21) Richtung Südwesten bis Pine Creek, hier auf dem Stuart Highway (Hwy. 1) nach Südosten bis Katherine. Unterwegs Abstecher zu den Edith Falls.

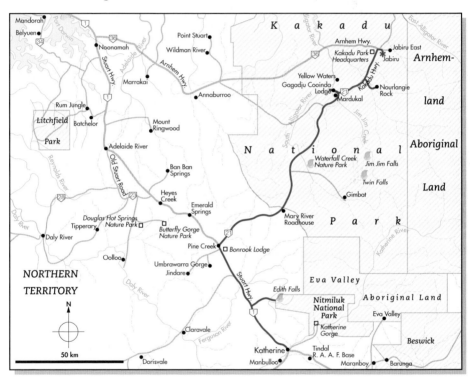

Service & Tips: Edith Falls, östlich des Stuart Hwy., ca. 65 km südöstlich von Pine Creek. Besonders schön an diesem Badesee sind die Pools im Felsen, die man nach einem ca. 30minütigen unstrapaziösen Aufstieg links am Parkplatz erreichen kann. BP Transit Centre, Stuart Hwy., Katherine, NT 0850, ℰ (08) 89 72 10 44. Tankstelle mit Restaurant und Buchungszentrum für das gute und interessante Tourenangebot von Travel North und Aborigines-Touren, z.B. zu den »Lightning Men«, den Felsmalereien im Stammesgebiet der Wardaman-Aborigines etwa 100 km südöstlich von Katherine. Katherine Museum, Giles St., Katherine, Mo–Fr 10–14, So 14–15 Uhr. Springvale Homestead Resort, Shadford Rd. (8 km westlich von Katherine): In der *dry season* (April–Sept.) finden abends auf dem Fluß »Croc Spottings Tours« statt, dabei kann man die Süßwasser-Krokodile an den reflektierenden Augen im Lampenstrahl erkennen. Zum Abendessen empfiehlt sich das Restaurant des Pine Tree Motel, 3rd. St., Katherine, ℰ (08) 89 72 25 33, $$.

135

Wie kam der **Kakadu-Nationalpark** zu seinem Namen? Unter den hier heimischen 275 Vogelarten kreischen zwar auch einige Kakadus, die eindrucksvollsten Vögel sind jedoch die Seeadler, die *Jabirus* (Australiens einzige Störche) und die weißen *Brolgas* aus der Familie der Kraniche. Die Lösung ist der Name eines Aborigines-Stammes in dieser Region: *Gagadju.* Der Name hat zwar nichts mit Kakadus zu tun, doch die Parkverwaltung fand ihn so einprägsam, daß sie beschloß, ihn beizubehalten.

Neben den unzähligen Vögeln leben in dem fast 20 000 Quadratkilometer großen Park auch 25 verschiedene Frosch- und 75 Reptilienarten, darunter die bis zu sieben Meter langen *Estuarines* oder Salzwasser-Krokodile, die aber durchaus auch im Süßwasser zu Hause sind.

Eine gute Chance, einige dieser seit der Urzeit kaum veränderten Tiere zu sehen, besteht bei einer Bootsfahrt auf den **Yellow Waters** bei Cooinda. Gerade in den Morgen- und Abendstunden kann man die reiche Vogelwelt rings um das Gewässer gut erleben. *Billabongs* nennen die Australier solche großen Teiche, die nach Ende der Regenzeit von den Flüssen und Strömen übrigbleiben. In Yellow Waters sind dann spezielle Algen so konzentriert, daß sich das Wasser gelblich verfärbt. Das schöne Gewässer gilt als vorzügliches Terrain für Angler, insbesondere, wenn sie auf die wohlschmeckenden großen *Barramundis* aus sind. An diesem vielbesuchten Ort im Park wurde 1995 das **Warradjan Cultural Centre** gebaut, es stellt die Entstehungsgeschichte aus Sicht der Bininj-Aborigines dar. Der Besucher wird wie die Regenbogenschlange, ein großer Schöpfer in der Aborigines-Mythologie, durch die Ausstellung »geschlängelt«.

Auf dem seit Mitte der 90er Jahre durchgehend asphaltierten Kakadu Highway geht die Reise weiter Richtung Südwesten zum nächsten Tagesziel, dem **Waterfall Creek Nature Park**, in dem zum Teil der berühmte Film »Cocodile Dundee I« gedreht wurde. Eindrucksvoll ist ein 100 Meter hoher Wasserfall. Hier haben Sie Gelegenheit zum Ba-

den und Spazierengehen. Kurz vor Pine Creek zweigt eine Straße ab zur **Bonrook Lodge.** Die Franz Weber Foundation, eine Schweizer Stiftung zum Schutz der Natur und der Wildtiere, hat 1998 die verlassene Rinderfarm gekauft und ein 50 000 Hektar großes Schutzgebiet für *Brumbies,* australische Wildpferde, eingerichtet.

Pine Creek ist wie manch anderer Ort entlang des Stuart Highway dank der Telegrafenlinie entstanden. 1870 notierte ein Arbeiter der Telegrafengesellschaft, er sei auf einen Bach gestoßen, der »zwar nicht groß, aber auffällig sei wegen der dort wachsenden Kiefern«. Seine Kollegen, die Löcher für die Kabelmasten buddelten, fanden ganz anderes bemerkenswert: Spuren von Gold im Erdreich. Ihre Nachrichten lösten den kurzen, aber heftigen Goldrausch von 1872 aus, und dies führte zur Gründung von Pine Creek. In der Umgebung der Stadt wird zwar immer noch erfolgreich Gold gefördert, aber an den Rausch von einst erinnern heute nur noch die Erzstampfanlage am Ortseingang und die alten Gerätschaften im Miners Park. Im Ort führt eine steile Straße hinauf zu einem Aussichtspunkt, von dem aus man auch einen Blick in die offene Goldmine werfen kann. Aber man darf gegen Gebühr auch selbst aktiv werden, wenn man den Schildern mit der Aufschrift »Goldpanning« an den Ortsrand folgt.

In Pine Creek haben Sie wieder den Stuart Highway erreicht. Nach etwa 60 Kilometern geht es linker Hand zu den **Edith Falls** ab, einem schön gelegenen Badesee. Besonders ansprechend sind die Pools im Felsen, die man von unten nicht sehen kann, die aber in einem 30minütigen Fußmarsch zu erreichen sind.

Schließlich **Katherine.** Katherine ist ein Tribut an eine junge Dame: Als John Mc-Douall Stuart 1862 bei seinem dritten Versuch, den Kontinent von Süden her zu durchqueren einen wasserreichen Fluß erreichte, benannte er ihn nach der Tochter des Farmers James Chambers, der Stuarts Expedition großzügig unterstützt hatte. Der Ort gleichen Namens entstand erst, als eine

Der Springvale Homestead bei Katherine veranstaltet regelmäßig »Corroborees«, wie die Aborigines ihre Treffen nennen

Telegrafenstation am Flußufer errichtet wurde. Heute sind die hohen Türme bei Knotts Crossing, über die einst das Kabel hochwassersicher verlegt war, nur noch ein beliebter Platz zum Angeln und Schwimmen. Mit der Eisenbahnlinie (die 1926 auch eine 23 Meter hohe Flutbrücke erhielt) wurde das Zentrum der Stadt an den Bahnhof verlegt. Dieser ist heute allerdings auch nur noch ein kleines Museum mit Erinnerungen an die einstige Bahnlinie und an die Truppen, die während des Zweiten Weltkriegs in der Region stationiert waren. Zwischen dem Bahnhof und der High Level Bridge wurde ein Wanderweg angelegt, an dem Tafeln über die Geschichte Katherines informieren. Das jüngste Kapitel dieser Historie ist noch nicht verzeichnet: Anfang Januar 1997 stieg der Katherine River so an, daß selbst die Stadt unter Wasser stand. Und ein vier Meter langes Krokodil glitt seelenruhig durch die Main Street.

Eine größere Sammlung birgt das **Katherine Museum**, dessen Vorzeigestück die »Gipsy Moth« von Clyde Fenton ist. Er ge-

hörte zu den bekanntesten »Flying Doctors« im Outback, und sein kleines Flugzeug war ein vertrauter Anblick in vielen entlegenen Stationen (Farmen) des Top End. Zu den historischen Stätten gehören auch das **O'Keeffe House**, eine 1942 im typischen Outback-Stil erbaute Offiziersmesse, und der **Springvale Homestead**, der acht Kilometer westlich der Stadt am Katherine River liegt. Springvale war die erste Farm im Top End, sie entstand 1878 nach einem 20monatigen Treck mit 2 000 Rindern und 12 000 Schafen von Adelaide durch die Wildnis – eine der großen Heldensagas des Outback. Die – gegen Angriffe von Aborigines befestigten – Farmhäuser sind heute größtenteils restauriert und Zentrum eines Touristenkomplexes, in dem während der Saison regelmäßig *corroborees* mit Tänzen der Aborigines und nächtliche Fahrten zur Krokodilbeobachtung auf dem Fluß stattfinden. Der Katherine River strömt von hier aus weiter westwärts, ehe er nach Norden abschwenkt und – unter dem Namen Daly River – schließlich in die Timor Sea mündet.

3. Tag: Katherine – Darwin (ca. 350 km)

Route/Programm:
Ausflug in die Katherine Gorge, danach zurück auf den Stuart Highway (Hwy. 1) und weiter nach Norden über Pine Creek. Abzweigung nach Batchelor nehmen zu einem Abstecher in den Litchfield National Park. Zurück auf den Stuart Highway und weiter nach Darwin (siehe Karte 2. Tag, S. 135). Abends: Bummel durch Darwin.

Service & Tips: Nitmiluk National Park: Die 13 Schluchten des Nationalparks nordwestlich von Katherine sind größtenteils nur per Boot zu erkunden. In der *wet season* (Nov.–März) sind die Felseinschnitte zeitweise geschlossen. Über das Plateau verlaufen zahlreiche Wanderwege. Abends in Darwin z.B. zum Lindsay Street Café, 2 Lindsay St., ℰ (08) 89 81 86 31, mehrfach prämiertes Restaurant mit Plätzen im kleinen tropischen Garten, Mo geschl., $$–$$$; Christo's on the Wharf, Stokes Hill Wharf/Wharf Precinct, ℰ (08) 89 81 86 58: auf Fischgerichte spezialisiertes griechisches Restaurant am Pier, $$.

Dem Katherine River verdankt die Stadt ihre Hauptattraktion, den 1 800 Quadratkilometer großen **Nitmiluk National Park** mit der **Katherine Gorge.** Auf zwölf Kilometern Länge hat der Fluß während der letzten 25 Millionen Jahre hier 13 eindrucksvolle Schluchten in das Felsplateau des Arnhemlandes gefräst – und das, obwohl der Katherine River nur in den Wochen der *wet season* zwischen November und März die Kraft zu solcher Leistung hat. Dann tost der Fluß zehn Meter hoch durch die Schluchten, deren rote Wände bis zu 70 Meter steil ansteigen. In den übrigen Monaten sind nur die Pools zwischen den Schluchten mit Wasser gefüllt, und in den Stromschnellen, die sonst gurgelnd die einzelnen Abschnitte trennen, sind dann bestenfalls nur noch schmale Rinnsale zu finden. Die beste Art, die Schluchten zu erkunden, ist per Boot, sei es auf eigene Faust im Mietkanu, sei es im Touristen-Motorboot. Letzteres ist nicht nur bequemer, es hat auch den Vorteil, daß die Ranger – meist Aborigines aus der Region – Erklärungen zu den Pflanzen und Tieren des Nationalparks geben. Nur mit ihnen hat man gemeinhin die Chance, eines der scheuen, im Uferdickicht verborgenen Krokodile oder eine Schildkröte zu entdecken. Die Bootstouren durch die Schluchten werden je nach Jahreszeit in verschiedener Länge angeboten. Die kürzeste Strecke führt durch zwei Felseinschnitte mit einem kurzen bequemem Gang von einem Boot zum anderen. Die längsten Ausflüge dauern bis zu acht Stunden und bringen die Besucher auch durch die fünfte, die eindrucksvollste Klamm. Die längeren Strecken erfordern einige Märsche und leichte Kletereien zwischen den Schluchten, die längste Fußmarschstrecke beträgt knapp vier Kilometer. Bei der Bootsanlegestelle in der ersten Klamm beginnt ein kürzerer Weg bis zu einem Aussichtspunkt. Am Anleger hat die Parkverwaltung ein Informationszentrum zur Entstehung der Katherine Gorge und ihrer Tier- und Pflanzenwelt eingerichtet.

Nun geht es zurück nach Darwin. Auf der etwa 300 Kilometer langen Strecke passiert man jenseits von Pine Creek erst einmal Emerald Springs, ein Rasthaus am Wegesrand, bevor das Hayes Creek Roadhouse erreicht wird. Auf der Fahrt nach Norden sind immer wieder Termitenhügel zu sehen, die die imposante Höhe von bis zu sechs Metern erreichen können und ein Gewicht von sechs Tonnen. Im tropischen Norden Australiens sind etwa 50 Termitenarten heimisch. Termitenhügel sind geradezu Kunstwerke und immer so ausgerichtet, daß sie sich beim Höchststand der Sonne möglichst wenig erhitzen.

Zu Recht gerühmt ist der **Litchfield National Park**. Die Strecke von Batchelor aus in den Park ist geteert und problemlos zu befahren. Außer Badeseen mit kristallklarem Wasser warten auch zahlreiche Wasserfälle auf Besucher, so z.B. die Tomler Falls, die Sandy Creek Falls oder die Florence Falls.

Achtung: In der Regenzeit sind viele Wege im Park unpassierbar.

Abends können Sie in **Darwin** vielleicht noch ein wenig bummeln. Viel Historisches darf man jedoch nicht erwarten. Nicht nur die schweren japanischen Bombenangriffe während des Zweiten Weltkriegs haben ihre Spuren hinterlassen, vor allen Dingen »Tracy«, ein Wirbelsturm, wie ihn der Kontinent bis dato noch nicht erlebt hatte, verheerte die Stadt. Weihnachten 1974 legte er Darwin in Trümmer, 65 Menschen starben, und man diskutierte ernsthaft, ob Darwin

Das Government House in Darwin: Eines der wenigen Gebäude, die nach dem Wirbelsturm »Tracy« restauriert werden konnten

überhaupt wieder aufgebaut werden sollte. Immerhin, ein paar restaurierte Gebäude sind sehenswert: Das Victoria Hotel von 1894, eine populäre Kneipe in der Smith Street Mall, oder das giebelreiche **Govern-** **ment House** gehören dazu. Zum Sonnenuntergang sollte man einen Spaziergang entlang der Esplanade machen, die von einem kleinen Park entlang der Klippen über der See gesäumt wird.

---

4. Tag: Darwin – Flug nach Alice Springs – Ayers Rock (ca. 490 km)

Route/Programm:

Nach der Ankunft in Alice Springs über den Stuart Highway (Hwy. 87) nach Süden bis Erldunda, dann rechts ab und auf dem Lasseter Highway zum Ayers Rock. Ausflug zu den Olgas.

Service & Tips: Uluru Kata Tjuta Cultural Centre, im Nationalpark am Ayers Rock, ℡ (08) 89 56 31 38: Das Zentrum besitzt einen Ausstellungsteil, einen Infoschalter, zwei Geschäfte und ein Restaurant. Hier ist der einzige Platz am Rock, wo es gekühlte Getränke gibt. In Broschüren werden die Besucher auf das korrekte Verhalten im Park hingewiesen: **Die vier gesperrten Stätten am Fuß des Felsens dürfen von Touristen auf keinen Fall betreten oder fotografiert werden!**

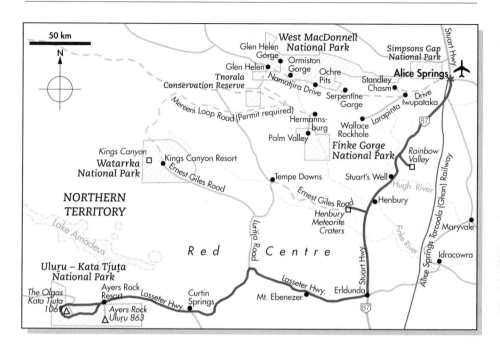

Der Stuart Highway wird kurz hinter **Alice Springs** flankiert von der Eisenbahnstrecke aus Port Augusta. Das **Heavitree Gap** ist der Grund für die parallele Streckenführung. Den engen Durchbruch des Todd River durch die MacDonnell Ranges müssen sich die Bahngleise, der Stuart Highway und der gewöhnlich sandtrockene Todd River teilen.

Kurz bevor das meist trockene Bett des Hugh River überquert wird, erreicht man **Jim Cotteril's Roadhouse**, unmittelbar neben Noel Fullerton's **Virginia Camel Farm**. Beide tragen im Outback wohlbekannte Namen. Noel Fullerton hat die gezähmten (und mittlerweile gezüchteten) Wildkamele aus dem Outback zu einer Touristenattraktion gemacht, er ist auch der Erfinder der Kamelrennen in Alice Springs. Bei ihm kann man den Ritt auf einem der Dromedare erproben. Jim ist mittlerweile fast ebenso bekannt wie sein Vater Jack, der einst Hausherr auf der Wallara Ranch war und sich für den Schutz des Kings Canyon einsetzte. Nach dem Tod von Jack leitete Jim die Ranch mit der legendären Outback-Bar, über deren Tresen

Dessous hingen – jedes Stück hatte natürlich seine eigene Story. Nach einem Streit mit den damaligen Landbesitzern mußte Jim weichen, Wallara wurde abgerissen. In »Jim's Place« am Stuart Highway baumelt jetzt zwar keine Damenwäsche mehr von der Decke, dafür zieren zahlreiche Polizeiwappen aus aller Welt die Kneipe – Bremens Ordnungshüter sind gleich zweimal vertreten.

Weiter südlich kreuzt der Stuart Highway den **Finke River**, einen der ältesten Ströme der Welt. Ein mächtiges Flußsystem aus Sand, das 1988 wieder einmal fast auf ganzer Länge Wasser führte. Der Finke River endet nahezu spurlos in der Simpson Desert, dort hat er seit 10 000 Jahren kein Wasser mehr geführt.

Wer dem Stuart Highway in südlicher Richtung nach Erldunda folgt, sieht rechter Hand einen Abzweig auf die Ernest Giles Road. Auf dieser gelangt man zur **Henbury Meteorite Craters Conservation Reserve**. Dort ist vor etwa 4 700 Jahren ein Meteorit auf die Erde gestürzt; da er vor dem Aufprall in mehrere Stücke zerbarst, entstanden zwölf

141

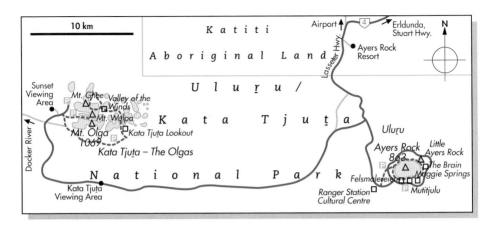

Krater. Der größte hat einen Durchmesser von 180 und eine Tiefe von 15 Metern.

Bei Erldunda geht es auf dem Lasseter Highway zum **Ayers Rock**. »Der Ayers Rock ist der größte Monolith der Erde.« So liest man es allenthalben in Büchern oder Zeitungsartikeln über Australien. Und dennoch ist es falsch. Ein Monolith ist kein Fels, er ist ein Kunstwerk, das aus einem Stück Stein gemeißelt wurde. Und das ist der *Rock*, der fast genau im geographischen Zentrum Australiens liegt, gewiß nicht. Aber selbst wenn sich eines Tages die falsche Bezeichnung »Monolith gleich Felsbrocken« durchsetzen würde, wäre der Ayers Rock nicht der größte seiner Art auf dem Globus. Nicht einmal auf

Sonnenuntergang am Ayers Rock

seinem Heimatkontinent wäre er die Nummer eins. Der Mount Augustus an der Westküste ist um einiges mächtiger. All dies kratzt natürlich nicht am Ruhm und an der eigenwilligen Schönheit des Ayers Rock.

Heute sollten Sie jedoch zuerst zu den **Olgas** fahren, bevor Sie morgen früh eine Tour um den Ayers Rock herum unternehmen. Die Olgas sind für Champagner-Trips weniger geschätzt als der Ayers Rock. Doch bei Wanderern und Naturfreunden steht die Berggruppe viel höher im Kurs als der einzelne Felsblock. *Kata Tjuta*, zu deutsch: »viele Köpfe«, ist ein passender Name für die 36 Kuppen, Gipfel und Berge, die hoch aus dem Sand ragen. Sie sind über ein Gebiet von 35 Quadratkilometern verstreut, ihre höchste Spitze ragt 546 Meter hoch in den immer blauen Himmel. An der Straße zu den Olgas befindet sich eine Parkbucht, die einen schönen Blick auf die Gebirgskette bietet. Die eigentlichen beiden Parkplätze für Wanderer liegen an der Westseite der Berge, bei beiden beginnt ein ausgeschilderter Wanderweg. Der erste führt in die immer enger werdende Olga-Schlucht, hin und zurück zwei Kilometer, für die man aber eine Stunde ansetzen sollte. Am zweiten Parkplatz beginnt die Wanderung in das **Valley of the Winds**, eine sechs Kilometer lange Strecke, die man in drei Stunden bequem bewältigen kann. Wanderungen in den Olgas sind bei den Besuchern deshalb so beliebt, weil in den engen Tälern genug kühlender Schatten ist, um Wasser und demzufolge eine reiche Pflanzenvielfalt zu garantieren, und weil dort entsprechend viele Tiere leben. Unweit der Parkplätze befindet sich auch ein ausgeschilderter Picknickplatz, der ein guter Ort ist, um den Sonnenuntergang zu beobachten und zu fotografieren.

Die asphaltierte Straße zu den Olgas geht vor dieser *sunset viewing area* westwärts in eine ungepflasterte Piste über, die quer durch den Kontinent bis zur Goldgräberstadt Kalgoorlie in Western Australia führt – eine echte Expeditionsroute, nichts für wüsten- und allradunerfahrene Touristen.

5. Tag: Ayers Rock – Alice Springs (ca. 490 km)

Route/Programm:

Tour zum Ayers Rock, nachmittags über den Lasseter Highway bis Erldunda, dann auf dem Stuart Highway (Hwy. 87) nach Norden bis Alice Springs (siehe Karte 4. Tag, S. 141).

Service & Tips: Anangu-Tours, Info-Schalter am Uluru-Kata-Tjuta-Kulturzentrum, ✆ (08) 89 56 21 23: Die relativ teuren Touren des lokalen Aborigines-Stammes geben gute Einblicke in das Leben und das spirituelle Denken der australischen Ureinwohner. Abends in Alice Springs auf einen Snack zu Flynns on the Mall, im Territory Motor Inn, Todd St. Mall, unmittelbar an der Fußgängerzone mit Plätzen drinnen und draußen, $.

Der Reiz des **Ayers Rock**, den die Aborigines *Uluru* nennen, liegt in der scheinbaren Ebenmäßigkeit, mit der er unvermittelt aus der sandigen Ebene emporragt. Scheinbar, weil die vermeintlich glatte Oberfläche von nahem gesehen eher einer faltigen Elefantenhaut gleicht, aus der überdies große Stücke herausgerissen sind. Aber auch das nimmt dem Felsen nichts von seiner steinernen Majestät. Er wirkt höher, als er mit seinen 348 Metern wirklich ist. Am Fuß mißt der von einem Pfad gesäumte Rock einen

Majestätisch zieht der König der Lüfte seine Kreise über dem Outback

Umfang von fast neun Kilometern, eine angenehme Wanderung, wenn man sie nicht gerade in der heißen Mittagssonne unternimmt. Aus der Nähe sieht man auch, daß zahlreiche Höhlen das Gestein angenagt haben und daß mehrere kleine Seen und Tümpel Wasser für die Tiere speichern. An einigen der Grotten verbieten Schilder den Zugang, weil diese Orte den Ureinwohnern der Region immer noch für religiöse Riten dienen. Wer mit einem der Aborigines-Ranger auf eine Tour um den Uluru geht oder fährt, wird mehr davon hören und bei anderen zugänglichen Höhlen leichter die Felsmalereien erkennen und verstehen. Die Ranger informieren ferner über die Pflanzen und Tiere im Nationalpark. Es gibt aber auch Handzettel und Broschüren für selbstgeführte Wanderungen um den Felsen.

Unmittelbar am Felsen haben die örtlichen Aborigines 1995 das **Uluru Kata Tjuta Cultural Centre** gebaut. Das Kulturzentrum präsentiert sich, obwohl gut in die Landschaft eingepaßt, als ein architektonisch eindrucksvolles Bauwerk, es symbolisiert zwei Schlangen und andere mythologische Bedeutungen. Das Cultural Centre dient zugleich als Informationsstelle für den Nationalpark, der seit 1987 auf der UNESCO-Liste des unbedingt schützenswerten Welterbes steht. Auf Schautafeln werden Natur und Geschichte des Gebietes erklärt; zu dem – weitgehend aus natürlichen Baustoffen errichteten – Komplex gehören auch Räume und Freiflächen für Tanzvorführungen der Ureinwohner. In den gutsortierten Geschäften erhält man Kunst und Kunsthandwerk der Aborigines, aber auch Bücher und Souvenirs. Das Restaurant bietet durch große Fenster einen Blick auf den Felsen mit der langen Geschichte, denn schon seit mindestens 22 000 Jahren leben Aborigines in seinem Schatten, das belegen archäologische Funde. Es sollte lange dauern, ehe Weiße bis in das unwirtliche Zentrum Australiens vorstoßen konnten. Die Europäer erreichten erst ein Jahrhundert, nachdem James Cook unweit des heutigen Sydney erstmals australischen Boden betreten hatte, das Innere des Kontinents. Den Ruhm des Ayers-Rock-Entdeckers errang William Christie Gosse. Er stand am 19. Juli 1873 vor dem Felsen und benannte ihn nach Sir Henry Ayers, dem Premierminister von South Australia. Gosse war, gemeinsam mit dem afghanischen Kamelhüter Kamran, der erste Weiße, der den Felsen bestieg. Der Aufstieg ist nur scheinbar leicht. Aber obwohl die Bergflanke am Aufstieg in den steilsten Strecken inzwischen mit einer Eisenkette gesichert ist, kommt es immer wieder zu Unfällen und nicht selten sogar zu Todesstürzen. Der gesamte Weg hinauf und zurück, markiert durch eine weiße Linie, beträgt rund 1,6 Kilometer. Wenn man die Strecke ohne übermäßigen sportlichen Ehrgeiz bewältigen will, muß man zwei Stunden Zeit einplanen.

Im Kulturzentrum der Aborigines fordern Texte die Besucher auf, den Uluru nicht zu besteigen, weil er für die Ureinwohner heilig ist. Sie haben jedoch ihre Genehmigung für die Nutzung des *climb* nicht verweigert. Und Tausende von Besuchern nutzen dies alljährlich und steigen hinauf auf das von tiefen Furchen durchzogene Gipfelplateau. Dabei wird auch deutlich, weshalb die Uluru geologisch korrekt nicht als Monolith, sondern als *Monadnock* (nach einem Berg in Neuengland) oder als *Inselberg* (das deutsche Wort wird auch international benutzt) bezeichnet wird. Ayers Rock, die Olgas, Mount Connor und einige entfernte Bergrücken ragen wirklich wie Inseln aus dem Meer von Sand.

6. Tag: Alice Springs – Flug nach Adelaide

Programm:
Vor dem Abflug nach Adelaide Bummel durch Alice Springs.

Service & Tips: In Alice Springs: <u>Aboriginal Dreamtime & Bushtucker Tour</u>, Rod Steiner Tours, Buchung: ✆ 1-800-67 94 18, vormittags werden in der Nähe des Flughafens Vorführungen zur Jagd und traditionellen Lebensweise der Aborigines veranstaltet, relativ teuer, aber sehr informativ. <u>Royal Flying Doctor Service</u>, Stuart Terrace, Alice Springs, Mo–Sa 9–16, So 13–16 Uhr: Die Einsatzzentrale des RFDS veranstaltet jede halbe Stunde eine Führung durch die Basis. <u>Adelaide House Museum</u>, Todd Street Mall, Alice Springs, Mo–Fr 10–16, Sa 10–12 Uhr (nur März–Nov.). <u>Alice Springs Desert Park</u>, Larapinta Dr., Alice Springs, tägl. 9–21 Uhr. Abends in Adelaide zum Essen, z.B. zu <u>Nedz Tu</u>, 170 Hutt St., ✆ (08) 82 23 26 18: sehr gute asiatisch-französische Küche, aber auch australische Gerichte, $$$.

Ihr Flug nach Adelaide geht am späten Nachmittag. Vielleicht haben Sie noch Zeit, sich in Alice Springs ein wenig umzusehen. **Alice Springs** entwickelte sich schnell zum Ausgangspunkt für Touren zum Ayers Rock, insbesondere in den Zeiten, da am Felsen noch kein jettauglicher Flughafen war und alle Rock-Reisenden in Alice Springs in kleinere Maschinen umsteigen mußten. Die Stadt hat diese Chance genutzt und sich zu einer Touristenattraktion von eigenem Rang entwickelt, zum einen dank der Schönheit der MacDonnell Ranges, in deren Mitte Alice Springs liegt, zum anderen dank vieler neuer Sehenswürdigkeiten im Stadtgebiet. Vor wenigen Jahrzehnten war Alice Springs noch ein wenig besuchtes Zentrum für die Menschen in den weit umher verstreuten Farmen. Auf dem **Anzac Hill**, einem kleinen Aussichtshügel nahe beim Zentrum an der Wills Terrace, erkennt man, wie weit sich die Stadt inzwischen vor dem Riegel der Mac-

Transport im Outback ist das Thema der Wandmalerei in Alice Springs

Donnells ausbreitet. Auffallend ist der Rundbau des Panorama Guth, auf dessen kreisrunder Wand ein Maler die Umgebung der Metropole abgebildet hat. Unterhalb des Hügels hat die Kriegsveteranen-Organisation RSL ein **War Museum** eingerichtet. Es zeigt Erinnerungsstücke von allen Kriegen, in denen australische Soldaten mitgefochten haben. Weiter nördlich, drei Kilometer außerhalb, liegt an einem Wasserloch die Keimzelle von Alice Springs: die Telegrafenstation von 1871.

Zu den Sehenswürdigkeiten, die sich von der Todd Street Mall aus, der Fußgängerzone im Stadtzentrum, zu Fuß erreichen lassen, gehört die **Royal Flying Doctor Base**. Ihr »Pendant«, die **School of the Air**, liegt etwas außerhalb der City. Beide Institutionen, die dasselbe Funknetz benutzen, wurden gegründet, um den Bewohnern der abgelegenen Aborigines-Siedlungen und der isolierten Outback-Farmen zu helfen. Die School of the Air – bei ihrer Gründung 1951 die einzige der Welt – unterrichtet die Kinder per Funk, die »fliegenden Doktoren« sorgen für ihre Gesundheit und helfen im Notfall.

Der Priester John Flynn, wegen seiner Missionsarbeit als *Flynn of the Inland* gepriesen, griff 1917 die Idee eines jungen Fliegers auf und gründete ein Jahrzehnt später den medizinischen Notdienst aus der Luft. Der erste und auch gleich erfolgreiche Rettungsflug des Royal Flying Doctor Service (RFDS) fand 1928 im Outback von Queensland statt. Heute versorgen 13 Stationen das gesamte Inland. Die Doktoren und Krankenschwestern schweben im regelmäßigen Turnus die Siedlungen und Farmen zu Sprechstunden an. Kleinere Malaisen werden zu anderen Zeiten per Sprechfunk geklärt: Der Arzt gibt eine Ferndiagnose und »verschreibt« ein Medikament aus den Arzneikästen, die überall identisch bereitliegen. In Notfällen fliegen Pilot, Arzt und Schwester zu den Patienten, die Maschinen sind so ausgerüstet, daß die Kranken schon auf dem Weg ins Hospital behandelt werden können.

Das **Adelaide House Museum** an der Todd Street Mall, ein ehemaliges Hospital, ist ebenso wie die **John Flynn Memorial Church** daneben dem Gründer des RFDS gewidmet. Ein paar Schritte weiter liegt in einem Einkaufszentrum das **Spencer and Gillen Museum** mit seiner Sammlung zur Natur von Zentralaustralien und der Kunst seiner Ureinwohner. Im großzügigen Atrium des Shopping Centre gibt es auch einen der in Australien sehr beliebten *food courts*, in denen man an verschiedenen Ständen Gerichte asiatischer, italienischer oder sonstiger Geschmacksrichtung erhält. Interessanter ist aber eine Lunchpause in einem der Straßencafés auf der Todd Street Mall. Es sind von hier aus nur ein paar Schritte zu einem Gebäude aus der kurzen Geschichte der Stadt, zum **Old Stuart Town Gaol**. Das erste Gefängnis des damals noch Stuart genannten Ortes aus dem Jahr 1908 ist aus Steinen erbaut, die aus dem nahen Gebirge stammen. Es wurde noch bis 1938 als Haftanstalt genutzt.

Die anderen Sehenswürdigkeiten sind leichter mit dem Auto zu erreichen, etwa das **Araluen Centre for Arts**, dessen Architektur dem Farmhausstil des Outback nachempfunden wurde, das benachbarte **Museum of Technology, Transport and Communications** oder das Strehlow Research Centre ein paar Schritte weiter.

Außerhalb der Stadt wurde 1997 der **Alice Springs Desert Park** eröffnet. In ihm stellt die Parks and Wildlife Commission des Northern Territory die Tier- und Pflanzenwelt Zentralaustraliens vor: Ein 1,6 Kilometer langer Fußweg beginnt am Informationszentrum und führt durch verschiedene Landschaftsformen: ausgetrocknete Flüsse, Sanddünen und Gebüschgebiete. In ihnen werden jeweils die dort lebenden Tiere gezeigt.

In südlicher Richtung, hinter dem Heavitree Gap, konzentrieren sich ebenfalls mehrere Sehenswürdigkeiten, z.B. der **Transport Heritage Precinct**. Dort ist an einer nachgebauten Outback-Bahnstation der alte »Ghan« zu sehen, die Schmalspurbahn, die 1929–80 Alice Springs mit Südaustralien verband. Von Zeit zu Zeit kann man auch zu Fahrten auf der Schmalspurstrecke einsteigen.

7. Tag: Adelaide

Route/Programm:

Stadtbummel durch Adelaide. Alternative: Ein Tagesausflug nach Kangaroo Island.

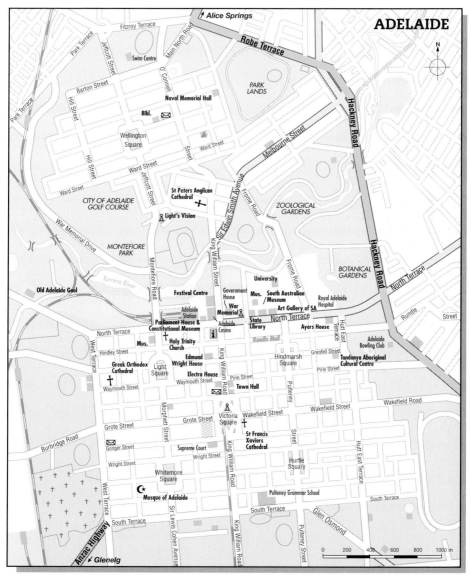

> **Service & Tips:** <u>Tourism South Australia Travel Centre</u>, 18 King William St., Adelaide, SA 5000, ✆ (08) 82 15 15 05, Touristeninformation für Adelaide und South Australia. <u>Old Parliament House</u>, North Terrace, Adelaide, Mo–Fr 10–17, Sa/So 12–17 Uhr. <u>Tandanya Aboriginal Cultural Centre</u>, 253 Grenfell St., Adelaide, ✆ (08) 82 23 24 67, Mo–Fr 10–17, Sa/So 12–17 Uhr: Das Ausstellungszentrum für Aborigines-Künstler hat auch ein gut sortiertes Geschäft mit Aborigines-Arbeiten. <u>Botanical Gardens</u>, North Terrace, Adelaide, Mo–Fr 7–19, Sa/So 9–19 Uhr (im Winter bis 17.30 Uhr): Di und Fr Gratisführungen um 10.30 Uhr. Spezialist für australische Gerichte in exzellenter Qualität ist <u>Red Ochre Grill</u>, 129 Gouger St., ✆ (08) 82 12 72 66, \$\$–\$\$\$. Bodenständiger sind die <u>Pie Carts</u> in Adelaide, die ab 18 Uhr ihre Standorte beziehen, z.B. am Victoria Square oder in der King William St. Die Imbißstände servieren u.a. *floater*, eine lokale Spezialität: Blätterteigpastete mit Fleischfüllung in Erbsensuppe.

Twenty Minute City nennen die Einheimischen ihre Metropole, weil man angeblich alle Orte in der Innenstadt als Fußgänger binnen 20 Minuten erreichen kann. Das ist zwar ein wenig knapp kalkuliert, aber tendenziell richtig. Man merkt es der akkurat und zugleich großzügig angelegten City von **Adelaide** nicht an, daß sie das Zentrum der jüngsten australischen Millionenstadt ist. Sie ist quadratisch, praktisch, überschaubar! In dem Geviert, das von North, East, South und West Terrace umrahmt wird,

Hochhäuser und Festival-Hallen: Blick von Light's Vision auf Adelaide

kann man sich kaum verirren. Adelaides Charme wird auch durch eindrucksvolle Gebäude aus dem 19. Jahrhundert geprägt. Unübersehbar ist vom Montefiore Hill aus der **Festival Centre Complex** jenseits des Parks, der beide Ufer des Torrens River säumt. Das Festival Centre fällt mit seinen eckig-ovalen weißen Kuppeln und den bunten Außenplastiken des deutschen Künstlers Otto Herbert Hajek aus dem architektonischen Rahmen der ansonsten eher viktorianisch geprägten Stadt.

Wo das Gelände des Festival Centre an Adelaides Prachtstraße, die **North Terrace**, stößt, reihen sich nebeneinander drei eindrucksvolle Gebäude auf: das **Parliament House**, das **Old Parliament House** von 1855 mit dem Constitutional Museum und das **Casino**, das dem prachtvollen Bahnhof von 1929 ein neues profitables Leben mit Roulette und Black Jack gab. Die Regionalzüge fahren immer noch in der Nähe des Casinos ab; der transkontinentale »Indian Pacific«, der von hier aus nach Perth oder Sydney verkehrt, hält jedoch an einer modernen Station außerhalb der City.

Adelaides Hauptstraße, die baumgesäumte und mehr als 40 Meter breite **King William Street**, kreuzt die North Terrace und führt quer durch die City. Rechter Hand liegt im ersten Block die Touristeninformation. Die nächste Querstraße rechts ist die Hindley Street, links beginnt Adelaides beste Einkaufsstraße, die Fußgängerzone **Rundle Mall** (alle Querstraßen tragen beiderseits der King William Street unterschiedliche Namen). Die Hindley Street war einst bis tief in die Goldgräbercamps im Outback berühmt als Kneipen- und Vergnügungsrevier. Davon blieb allerdings nur ein schäbiger Abglanz.

Im zweiten Block auf der King William Street fällt rechts das **Edmund Wright House** auf, eine ehemalige Bischofsresidenz von 1876 im Stil der Neorenaissance. Es ist zwar heute ein Behördenbau, aber zugänglich. Die beiden beherrschenden Gebäude an der Renommier-Avenue sind nicht zuletzt wegen ihrer hochaufragenden Türme rechts

das **Hauptpostamt** und links das **Rathaus**, beide unweit des Victoria Square. Das General Post Office (GPO) birgt ein kleines Postmuseum. Der benachbarte **Victoria Square**, das geographische Zentrum der Innenstadt, wird beherrscht von dem ausladenden Brunnen von John Dowie; das Kunstwerk soll den Zusammenfluß des Murray, Torrens und Onkaparinga River symbolisieren.

An der Ecke des Platzes, der rechts vom Supreme Court House markiert wird, beginnt die Gouger Street, eine der beiden Restaurantstraßen. Die andere, die Rundle Street, ist die Verlängerung der erwähnten Fußgängerzone.

Die **St. Francis Xavier Cathedral** jenseits des Platzes ist eine der eindrucksvollsten unter den vielen Kirchen der Stadt (sehenswert sind ferner die 1869 begonnene St. Peter's Cathedral mit ihren 51 Meter hohen Zwillingstürmen und die Holy Trinity Church von 1838).

Wieder zurück zur North Terrace, auf der sich östlich der King William Street und des Government House die wichtigsten Museen aneinanderreihen. Wer sich für die Kultur der Aborigines und vor allem für deren zeitgenössische Kunst interessiert, sollte hinter dem Ayers House in die East Terrace einbiegen und zwei Blocks bis zur Grenfell Street spazieren. Das dortige **Tandanya Aboriginal Cultural Centre**, das erste seiner Art in Australien, gehört teilweise dem Aborigines-Stamm, der naturgemäß auch an den Erträgen des Geschäfts und des Cafés beteiligt ist. Wer mehr der Natur zugeneigt ist, sollte auf der North Terrace weitergehen bis zu den **Botanical Gardens**, die ebenso wie der benachbarte Zoo in die Parklandschaft am Torrens River eingebettet sind.

Falls Sie den Tag nicht in Adelaide verbringen möchten, sollten Sie einen Ausflug nach Kangaroo Island unternehmen. Mit dem Flugzeug ist es von Adelaide aus schnell zu erreichen. **Kangaroo Island** wurde Anfang des 19. Jahrhunderts von Weißen entdeckt. 1836 wurde hier mit Reeves Point, später umbenannt in Kingscote,

Kangaroo Island: Bizarre Formen aus Stein

nicht nur die erste Siedlung der Insel, sondern auch ganz Südaustraliens gegründet. Weitere Siedlungen folgten, und heute bewohnen etwa 4 000 Personen die drittgrößte australische Insel.

Kingscote ist der Hauptort von Kangaroo Island. Der Heritage Walking Trail leitet die Besucher durch das Städtchen und garantiert, daß keine Sehenswürdigkeit vergessen wird. Der alte Maulbeerbaum, der Friedhof und die erste Poststation liegen ebenso am Wegesrand wie das Hope Cottage (heute ein kleines Museum), die St. Alban's Church von 1884 und das Pioneer Memorial. Allabendlich gibt es die Penguin Parade zu bestaunen, wenn die Tiere vom Fischen zu ihren Nestern zurückkehren. Ansonsten bietet der Ort noch ein altes Postamt von 1860 und das Folk Museum in der Main Road. Ein Abstecher über die Dudley Peninsula könnte bis zur äußersten Ostecke der Insel führen, Cape Willoughby. **Parndana**, im Herzen der Insel gelegen, ist landwirt-

schaftliches Versorgungszentrum für das Umland.

Entlang der Nordküste wechseln sich zahlreiche kleine Buchten ab, die zum Teil als Naturschutzgebiete deklariert sind und die besten Strände der Insel bieten. Cape Borda am nordwestlichen Ende von Kangaroo Island besitzt einen alten Leuchtturm, der allerdings nicht bestiegen werden kann.

Im südwestlichen Inselteil breitet sich der mit über 700 Quadratkilometern größte Nationalpark Südaustraliens aus, der **Flinders Chase National Park**. Dank seiner ausgedehnten Eukalyptuswälder lassen sich hier viele einheimische Tierarten beobachten. Zahlreiche Vogelarten, Wildschweine und Possums, Wallabies, Känguruhs, Schnabeltiere und nicht zuletzt Koalas sind im Park heimisch.

In der Seal Bay, weiter westlich, ist zudem die größte Kolonie australischer Seelöwen zu Hause. Unter Führung von Rangern darf man sich ihnen auf Fotoweite nähern.

150

> **8. Tag:** Adelaide – Barossa Valley – Adelaide (ca. 160 km)
> Flug nach Melbourne

Route/Programm:

Machen Sie vor Ihrem Flug nach Melbourne noch einen Abstecher ins Barossa Valley. Die Route könnte über den Highway 20 nach Nordosten gehen, weiter auf dem Stuart Highway bis Gawler, über Tanunda nach Nuriootpa. Dann nach Angaston und über Bethany zurück nach Adelaide.

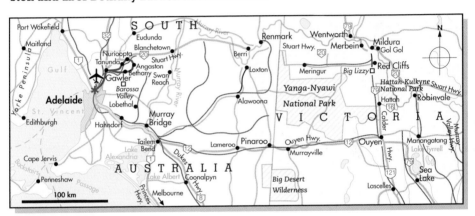

Service & Tips: Barossa Valley Visitor Centre, 66 Murray St., Tanunda, SA 5352, ℰ (08) 85 63 06 00. Young & Jackson Hotel, Swanston St./Flinders St., ℰ (03) 96 50 38 84: eines der bekanntesten Pubs von Melbourne.

Auf ins **Barossa Valley**! Sie heißen Blass, Henschke, Lehmann oder Seppelt, und ihre Namen verraten: Hier spielt Deutsches eine große Rolle. Genauer: Deutsche Weinbautradition. Die Namen stehen für erfolgreiche Weingüter. Seit sich 1842 die ersten deutschen Siedler im Barossa Valley, knapp 50 Kilometer nordöstlich von Adelaide, niedergelassen haben, wird in dem gut 30 Kilometer langen und etwa acht Kilometer breiten Tal erfolgreich Wein angebaut. Das ist um so erstaunlicher, als die damaligen Einwanderer aus Schlesien kamen, also nicht unbedingt aus einer typischen Weingegend. Aber Boden- und Klimaverhältnisse waren ideal für den Rebenanbau.

Das hatte vermutlich schon Colonel William Light, der Gründer von Adelaide, erkannt. Er, offenkundig ein Liebhaber spanischer Weine, nannte das Tal nach dem iberischen Vorbild Barossa Valley (mit einem kleinen Mißgeschick, Spaniens Weinland heißt Barrosa). Die frommen Altlutheraner machten sich unter Führung ihres Pastors August Ludwig Christian Kavel daran, die biblische Frucht aufzuziehen. Ihre Orte nannten sie Bethanien, Hoffnungsthal, Gnadenfrei oder – etwas weltlicher – Langmeil.

151

Die Langmeil Lutheran Church in Tanunda

Im Ersten Weltkrieg, als alles Deutsche in Australien verpönt war, wurde daraus Bethany, Lyndoch, Marananga und Tanunda. Aber deutsch blieb das Tal dennoch, dafür sorgten – bei aller Loyalität zu Australien – schon Traditionsvereine wie die Schützen oder die Sänger der Liedertafel. Außerdem erwies sich die unpolitische Deutschtümelei als erfolgreich bei der Vermarktung der Weine und für den Tourismus im Barossa Valley. Heute sorgen das »Essensfest« im März oder das »Oom Pah Festival« mit seiner vermeintlich deutschen Blasmusik im Januar für Andrang in **Tanunda**. Andere Orte im Tal haben ähnliche Feste. Die Hauptveranstaltung ist das »Vintage Festival«, das jeweils in ungeraden Jahren am Ostermontag beginnt. Das ganze Jahr über gibt es natürlich allenthalben Schnitzel, Strudel und anderes aus der deutschen Küche, sehr zur Freude der Touristen, die mit einem Bus nach dem anderen zu Weinproben ins Tal rollen.

All das hört sich wenig einladend an, aber der Massenbetrieb ist nur eine Seite des Barossa Valley. Die andere sind seine historischen Zeugnisse, seine teilweise vorzüglichen Rebensäfte und einige solide bis gute Restaurants. Geradezu zum optischen Symbol des Barossa Valley ist jene der vier lutherischen Kirchen von Tanunda geworden, deren Zugang mit einer Zypressenallee bepflanzt wurde. Auf ihrem Kirchhof wurde auch Pastor Kavel beerdigt. Das **Barossa Valley Historic Museum** schildert seine Geschichte.

Die Weine – das Tal produziert jährlich rund 55 000 Tonnen Trauben – kann man in jedem Weingut probieren. Die meisten *wineries* sind bereits seit Mitte des 19. Jahrhun-

9. Tag: Melbourne

Route/Programm:

Ausgiebige Stadtbesichtigung von Melbourne. Alternative: Ein Ausflug zur Great Ocean Road mit ihren zahlreichen Highlights, z.B. dem Port Campbell National Park und seinen spektakulären Felsformationen wie die Twelve Apostles, London Bridge u.a. (ca. 370 km).

Service & Tips: Victoria Tourism Centre, 230 Collins St., Melbourne, Vic 3000, ✆ (03) 96 58 99 72, tägl. 9–17 Uhr. Captain Cook's Cottage, in den Fitzroy Gardens, Melbourne, tägl. 9–16.45 Uhr: Ausstellung zum Leben des berühmten Navigators. Victoria Police Museum, 376 Russell St., Melbourne, Mo–Fr 10–16 Uhr. Old Melbourne Gaol, Russell St., Melbourne, tägl. 9.30–16.30

Uhr: Eine der Stätten, die an Australiens bewegte Sträflingsvergangenheit erinnern. Jeden Abend um 20.35 Uhr fährt das Colonial Tramcar Restaurant an der National Art Gallery ab. Das Straßenbahn-Restaurant ist auch zu Lunch- und Dinner-Fahrten unterwegs, alle Getränke sind im Preis inbegriffen, vorher reservieren! ✆ (03) 96 96 40 00, $$$.

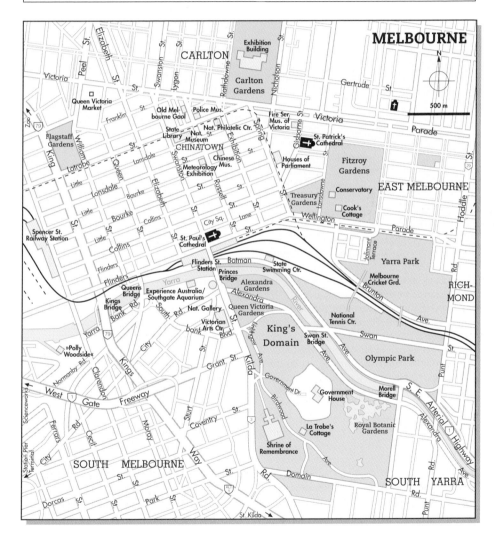

»Gold hat Melbourne geschaffen«, schrieb George Sala 1885, »es war das Goldfieberjahr 1851, das **Melbourne** so wunderbar machte.« Salas Bezeichnung *marvelous Melbourne* blieb seit jenen Tagen der inoffizielle Slogan der Stadt. Bereits 1853, zur Zeit des Goldrausches, wurde auch das Hotel an der Kreuzung Swanston Street/Flinders Street erbaut, das heute den Namen **Young & Jackson Hotel** trägt und eines der bekanntesten Pubs der Stadt ist. Das verdankt es nicht zuletzt »Chloe«, dem Bild eines nackten Teenagers, das der französische Maler Jules Lefebre 1880 auf der »Great Exhibition« in Melbourne zeigte. Die beiden Pub-Besitzer, zwei erfolgreiche Goldsucher, kauften das Gemälde, das damals für Aufruhr sorgte. Seither hängt es im Bistro im Obergeschoß des Pubs und ist zu einer Ikone Melbournes geworden.

Anfangs blickten die Zecher im »Young & Jackson« noch auf den Fischmarkt, wenn sie in Richtung Yarra River schauten. Seit 1899 steht dort aber die **Flinders Street Station**, die Experten zu den eindrucksvollsten Bahnhofsgebäuden der Welt zählen. Die Swanston Street, die hier an der Princes Bridge beginnt, ist eine der geschäftigsten Straßen der Stadt, an Eleganz läßt sie es allerdings missen.

Die **Collins Street** führt nach links zwischen die Hochhäuser der Banken, Versicherungen und Konzerne, nach rechts zu ihrem »Pariser Ende«. Nicht, daß es dort an Wolkenkratzern fehlte, aber dennoch prägen kleine Straßencafés und schattige Bäume den Charakter dieses Teils der Collins Street. Dort liegen auch die elegantesten und teuersten Geschäfte sowie einige der nobelsten Hotels der Stadt. Das »Regent Hotel« ist aber nicht nur deswegen bekannt, dort finden kundige Melburnians auch *the loo with the view*, die Toilette mit der weitesten Aussicht: Die meisten Restaurants des Hotels (und deren Toiletten) liegen im 35. Stock hoch über Melbourne.

Wer von der Höhe des »Regent« herab in Richtung Osten blickt, sieht fast zu Füßen des Turms zwei Parkanlagen, die **Treasury Gardens** und etwas dahinter die **Fitzroy Gardens**. In deren Mitte steht ein eher unscheinbares kleines Steinhaus: **Captain Cook's Cottage,** das Haus seiner Eltern in Yorkshire. Ein reicher Melburnian erwarb es 1934, ließ es zerlegen und halb um die Welt verschiffen, um es seiner Stadt zum Geschenk zu machen. Es ist heute im Stil des 18. Jahrhunderts möbliert und birgt eine Ausstellung zum Leben und Wirken des

großen Navigators. In den Fitzroy Gardens stehen überdies ein **Conservatory** mit wechselnden blühenden Bepflanzungen und ein **Tudor Model Village** mit Miniaturen altenglischer Gebäude.

Sportfans können von hier aus zum MCG, dem knapp ein Kilometer entfernten **Melbourne Cricket Ground**, spazieren. Das größte Stadion von Australien bietet mehr als 100 000 Besuchern Platz – Plätze, die beim »Footy Final« und bei großen *cricket matches* auch mühelos verkauft werden.

Wer auf den sportlichen Abstecher verzichtet, sollte gleich zur **St. Patrick's Cathedral** an der Gisborne Street hinter dem

Parlamentsgebäude weiterschlendern. Die größte Kirche der Stadt wurde nach einem neogotischen Entwurf von William Wardell 1863 begonnen und 1939 vollendet. Die Victoria Parade geht bei den Carlton Gardens in die Victoria Street über. Inmitten der Parkanlage steht das eindrucksvolle **Exhibition Building** von 1880, das immer noch zu Ausstellungszwecken genutzt wird. Der Stadtbummel geht weiter über die Latrobe Street, wo an der Kreuzung zur Exhibition Street zumindest die Briefmarkensammler einen Blick ins **National Philatelic Centre** werfen sollten. Schräg über die Latrobe Street hinweg ist bereits der Eingang zum

kleinen **Victoria Police Museum** im Keller des Polizeikomplexes zu erkennen – die richtige Vorbereitung für eines der meistbesuchten Museen der Stadt, das Old Melbourne Gaol: Im Polizeimuseum liegt eine der vier Rüstungen des Buschräubers Ned Kelly, der 1880 im alten Gefängnis von Melbourne gehängt wurde.

Das **Old Melbourne Gaol** (gesprochen wie *jail*) wurde 1841 erbaut und bis 1929 als Gefängnis benutzt. In den Zellen des düsteren Trakts stehen die Todesmasken von vielen der 104 hier hingerichteten Gefangenen. Unter dem Galgen ist die Szene von Ned Kellys letzten Minuten dezent nachgestellt.

Melbourne: Blick auf die Skyline von der Port Phillip Bay aus

Mitten in Chinatown wartet das **Chinese Museum** mit seinen Ausstellungsstücken auf Besucher.

Am anderen Ende der City und der Swanston Street liegt jenseits der Princes Bridge und des Yarra River das **Victorian Arts Centre**. Es ist leicht an seiner weißen Stahlkonstruktion zu erkennen und dient außer als Ausstellungsort auch für verschiedenste Veranstaltungen.

Gegenüber der **National Gallery** mit seiner bedeutenden Sammlung beginnt die größte Parkanlage der Hauptstadt des *Garden State* Victoria. Die interessantesten Teile liegen weiter südlich in der **King's Domain** und in den **Royal Botanic Gardens**. Der deutsche Biologe Baron Ferdinand von Müller legte die botanischen Gärten 1852 an, sie zählen weltweit zu den schönsten ihrer Art. In der King's Domain stehen das **Government House**, **Governor La Trobe's Cottage** und der **Shrine of Remembrance**. Die schlichte Hütte, die Gouverneur La Trobe 1840 in Einzelteilen aus England geschickt bekam, gibt einen Eindruck davon, unter welchen Verhältnissen die ersten Gouverneure in Australien residieren mußten. Der 1934 eröffnete tempelartige Shrine of Remembrance ist ein Mahnmal für die Kriegstoten Victorias; von seinem Dach aus hat man einen schönen Blick auf die Hochhauskulisse von Melbourne.

Eine lohnende Alternative zu einem Bummel durch Melbourne ist ein Abstecher zur **Great Ocean Road**. Die schönste Küstenstraße Australiens bietet zwischen Cape Otway und Warrnambool im **Port Campbell National Park** spektakuläre Felsformationen vor der Steilküste Victorias. Die – nicht ganz – **Zwölf Apostel** sind die bekanntesten Steinsäulen in der tosenden See, die all den Brechern an der Südküste Victorias trotzen. Auf einem Felsvorsprung an der Steilküste hat die Nationalparkverwaltung ein Podest errichtet, das eine gute Fotoperspektive auf die Felsen bietet. Andere fotogene Felsformationen sind die **London Bridge** oder die **Loch Ard Gorge** etwas weiter westlich.

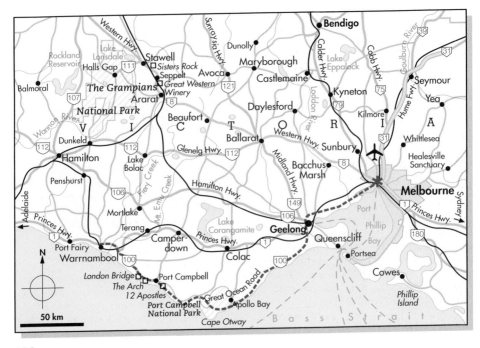

10. Tag: Melbourne – Albury (ca. 310 km)

Route/Programm:
Von Melbourne aus auf dem Hume Highway (Hwy. 31) nach Albury.

Service & Tips: Sehenswert ist das <u>Kelly Museum & Information Centre</u> in Glenrowan mit Relikten aus dem Leben des gefürchteten wie populären *bushranger.*

Der **Hume Highway** zwischen Melbourne und Sydney ist eine der meist befahrenen Fernstraßen Australiens. Touristen benutzen ihn gerne, weil er durch **Ned Kellys Revier** führt: Kelly ist unter den legendären Buschräubern, die im 19. Jahrhundert das Land unsicher machten, der mit Abstand berühmteste. Bis heute wird der Bandenchef als Volksheld gefeiert. In **Euroa** verübte die Kelly Gang einen ihrer spektakulärsten Banküberfälle, das Museum im einstigen Farmers Arms Hotel informiert natürlich über das Ereignis, mit dem das Städtchen ein wenig bekannt wurde. **Benalla**, die nächste größere Ortschaft, macht schon mehr aus dem Räuber und Mörder: Im Touristenbüro kann man die Zelle ansehen, in der Kelly für eine Nacht einsaß. Er sollte in Benalla vor Gericht gestellt werden, konnte aber entkommen. Als er wieder gefangen wurde, sagte Kelly dem Polizisten, der ihn festnahm, wenn er je einen Menschen erschieße, sei der Gendarm der erste. So geschah es später auch.

Die besten Kelly-Geschäfte macht **Glenrowan**, wo die Reisenden von einer übergroßen Räuberstatue mit der eisernen Rüstung begrüßt werden. 1880 überfiel die Bande eine Kneipe und nahm 60 Geiseln. Die Polizei umzingelte das Pub, bei der folgenden Schießerei wurden einige Geiseln und die gesamte Bande außer ihrem Anführer erschossen. Der nur leicht verletzte Kelly wurde in Fesseln nach Melbourne transportiert und dort später zum Tode verurteilt. *Ned Kelly's Last Stand* nennt sich die computerisierte Show, bei der das Publikum in Glenrowan durch verschiedene nachgebau-

Weidende Rinder in New South Wales

te Szenarien aus dem Leben des populären Räubers geführt wird.

Die Stadt **Wangaratta** kann zwar keine Kelly-Untaten vorweisen, sie hat aber immerhin das Grab Dan Morgans zu bieten, der es als »Mad Dog« ebenfalls zu zweifelhaften Ehren als Buschräuber brachte. Die größte Attraktion der Stadt ist jedoch das **Airworld Museum** auf dem Flughafen, das eine große Sammlung von Oldtimern der Luftfahrt birgt. Das kleine **Chiltern** zeigt sich als charmanter Ort mit zahlreichen viktorianischen Bauten. In **Wodonga** ist nicht nur der Murray, Australiens mächtigster Strom, erreicht, sondern auch die Grenze zwischen den Bundesstaaten Victoria und New South Wales. Am anderen Ufer liegt **Albury** in New South Wales.

11. Tag: Albury – Canberra (ca. 290 km)

Route/Programm:
In Albury auf dem Hume Highway (Hwy. 31) bis zum Barton Highway (Hwy. 25), auf diesem weiter bis Canberra.

Service & Tips: Visitor Information Centre/Jolimont Tourist Centre, 65 Northbourne Ave., Canberra City, ACT 2600, ℂ (02) 62 05 00 44, Mo–Sa 8.30–17, So 8.30–13.30 Uhr: Die Touristeninformation ist in einem kleinen Einkaufszentrum untergebracht, dort gehen auch die meisten Stadtrundfahrten und andere touristischen Touren ab. In Canberra abends zur Hill Station, Sheppard St., Hume, ℂ (02) 62 60 13 93, etwa 12 km außerhalb der Stadt gelegene alte Farm, in dessen Haupthaus von 1909 ein angenehmes Restaurant eingerichtet wurde, $–$$.

Nördlich von Albury wird der Hume Highway zur *Road to Gundagai*, wie es in einem bekannten australischen Volkslied heißt. Doch bevor der kleine Ort erreicht ist, durchquert der Highway das noch kleinere **Holbrook**. Einst hieß es dank seiner deutschen Gründer Germantown, im Zweiten Weltkrieg gab es sich den neuen Namen nach einem vielgeehrten britischen U-Boot-Kommandanten. Seither ist ein Neun-Meter-Modell des Bootes das Schmuckstück der gut 250 Kilometer vom Meer entfernten Stadt, und die australische Marine hat ein inniges Verhältnis zu dem Nest entwickelt. Das drückt sich in gelegentlichen Truppenbesuchen aus, während derer ganz Holbrook angeblich zu einer großen Hafenkneipe werden soll. Vielleicht erleben Sie es ja selbst.

In **Gundagai** geht es hingegen meist ziviler zu. Das Städtchen, das in mehrere australische Lieder Eingang gefunden hat, kann auf eine reichlich wilde Vergangenheit zurückblicken. In den Goldgräbertagen ließen die *digger* hier die Puppen tanzen und die Nuggets springen. Das zog natürlich auch Gesindel wie den legendären Buschräuber Captain Moonlight an. Gundagais bekannteste Attraktion ist das Denkmal »The Dog on the Tuckerbox« (Der Hund auf der Verpflegungskiste), das an eine in Australien sehr populäre Buschballade erinnert.

Bei **Yass** zweigt der Barton Highway ins 55 Kilometer entfernte Canberra ab. Am Barton Highway haben sich in den letzten Jahren trotz des relativ kühlen Klimas mehrere Weingüter angesiedelt, die Besucher gerne zu Kostproben einladen.

Dann ist die Bundeshauptstadt **Canberra** erreicht. Sie ist ein Kind des Kompromisses: Weil im 19. Jahrhundert, als sich die australischen Kolonien zu einem gemeinsamen Staat zusammenfanden, weder Sydney noch Melbourne auf den Hauptstadtrang verzichten wollten, wurde die Kapitale auf die grüne Wiese verlegt. Nirgends war der Ausdruck passender als für Canberra. Dieser »Treffpunkt« – so die Übersetzung des Aborigines-Namens – lag wirklich inmitten hügeliger Wiesen und Wälder am Fuß der **Snowy Mountains**, des höchsten australischen Bergmassivs.

Die Gründungsväter des Commonwealth of Australia hatten seinerzeit nur eine Bedingung für ihre künftige Hauptstadt festgeschrieben: Sie mußte mindestens 100 Meilen, also etwa 160 Kilometer, von beiden Rivalen entfernt sein. Und weil dieses Terrain zwangsläufig entweder in New South Wales oder in Victoria – als Staaten ebenso große Rivalen wie ihre Hauptstädte – liegen mußte, erhielt die neue Hauptstadt nach dem Vorbild des amerikanischen Washington ein eigenes »Staatsgebiet«: das Australian Capital Territory, kurz ACT genannt.

Das Hauptstadtterritorium ist 2 402 Quadratkilometer groß, einschließlich der 73

Blick auf Canberras schönste Achse: im Vordergrund das War Memorial Museum, in der Mitte der Lake Burley Griffin, dahinter Old Parliament und Parliament House ▷

Quadratkilometer an der Jervis Bay. Die Staatsgründer waren der Ansicht, eine Hauptstadt im Landesinneren müsse auch ihren eigenen Hafen haben. So kam das ACT zu 35 Kilometer Küstenlinie. Die Stadt Canberra selbst hat eine Fläche von etwa 807 Quadratkilometern, dort lebt auch die überwiegende Zahl der rund 250 000 ACT-Bewohner. Seit 1989 kann sich das ACT selbst verwalten – im Gegensatz zu Washington, das sich als »letzte Kolonie der USA« empfindet. Nahezu 70 Prozent des ACT bestehen aus Naturschutzgebieten, Wald und urtümlichem Buschland – ein Umstand, der zur hohen Lebensqualität beiträgt in einer Hauptstadt, in der es – wie ein deutscher Diplomat einmal formulierte – »kaum politische Tretminen gibt«.

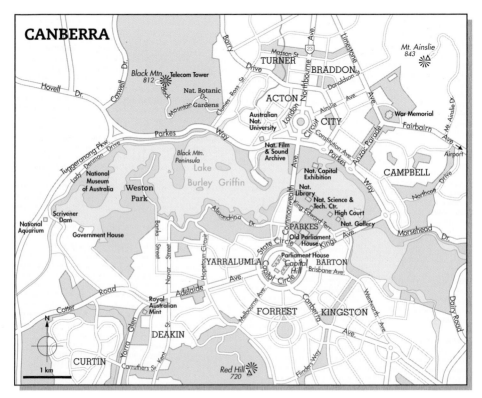

12. Tag: Canberra – Sydney (ca. 305 km)

Route/Programm:

Stadtrundfahrt durch Canberra, danach auf dem Federal Highway (Hwy. 23) Richtung Nordosten bis zum Hume Highway (Hwy. 31), bei Moss Vale auf den Illawarra Highway nach Osten bis zum Princes Highway (Hwy. 1), diesem nach Norden bis Sydney folgen. Unterwegs Abstecher zu Captain Cook's Landing Place oder in den Royal National Park.

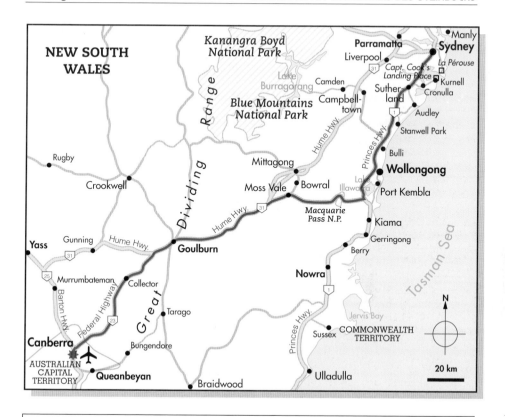

Service & Tips: Australian National Gallery, King Edward Terrace, Canberra (Parkes), tägl. 10–17 Uhr, mit Snackbar und Restaurant. National Science & Technology Centre, King Edward Terrace, Canberra (Parkes), tägl. 10–17 Uhr. National Aquarium of Canberra, Lady Denman Dr., Canberra, tägl. 9–17 Uhr. Captain Cook's Landing Place, Kurnell, tägl. 7.30–19, im Sommer bis 20 Uhr: historischer Nationalpark mit Cook Museum (hin und zurück ca. 20 km). Royal National Park, südlich von Sutherland: Der Park ist durchgehend geöffnet.

Von den Aussichtspunkten auf den Hügeln rings um **Canberra** kann man sich einen guten Überblick verschaffen. Mount Ainslie (843 Meter), Mount Pleasant (665 Meter) und der Red Hill (720 Meter) offenbaren solche Einsichten, noch besser ist jedoch der 812 Meter hohe **Black Mountain** geeignet, zumal auf seiner Spitze noch der 195 Meter hohe **Telecom Tower** in den Hauptstadthimmel ragt. Der 1980 in Betrieb genommene Turm hat drei Besuchergalerien, darunter eine mit Drehrestaurant und eine mit *coffee shop.* Von hier aus läßt sich auch der Lake Burley Griffin gut überblicken. Der Stausee trennt die City vom Regierungsviertel.

Unweit des **Regatta Point** steht am Ufer des Sees ein metallener Globus. Er ist ein Teil des **Captain Cook Memorial**, das 1970 zur Erinnerung an Cooks erste Landung in Australien 1770 aufgestellt wurde. Der andere Teil des Denkmals ist zwar nicht immer sichtbar, wenn aber in Aktion, dann noch eindrucksvoller als der Globus: Bei entsprechendem Wetter treiben auf dem See

161

zwei 560-Kilowatt-Motoren jeweils zwischen 10 und 12 sowie zwischen 14 und 16 Uhr eine 137 Meter hohe Wassersäule in die Luft.

Das Seeufer wird geprägt von vier Gebäuden: der Nationalbibliothek, dem National Science & Technology Centre, dem Obersten Gerichtshof und der Nationalgalerie. Die 1982 eröffnete **Australian National Gallery** birgt eine internationale Sammlung aller Epochen. Der Schwerpunkt liegt aber erwartungsgemäß auf australischer Kunst.

Der benachbarte, über eine Fußgängerbrücke verbundene **High Court of Australia** beeindruckt vornehmlich durch seine Architektur. Das jüngste Gebäude in der Reihe am Seeufer ist das **National Science & Technology Centre**, auch als Questacon bekannt. Es fasziniert Technik-Fans jeden Alters.

Die in jeder Hinsicht größte Attraktion Canberras ist das 1988 eröffnete **Parlament,** ein architektonisches Meisterwerk: Das Dach des Parliament House ist mit Gras begrünt und wächst wie ein Hügel aus der umgebenden Grünanlage. In der Tat ist die ursprüngliche Hügelkappe des **Capital Hill** abgetragen worden, um Platz für Parlament und Regierungssitz zu schaffen. Über dem »Gipfel« des Grasdachs ragt ein 81 Meter hoher Flaggenmast auf, an ihm weht eine mehr als omnibusgroße australische Flagge.

Wer dem Lady Denman Drive nach Südwesten folgt, erreicht am Scrivener Dam, dem Ende des Lake Burley Griffin, das **National Aquarium of Canberra.** Das Aquarium, entstanden aus Forschungseinrichtungen der Australian National University, erlaubt dank gläserner Röhren einen Gang durch die Unterwasserwelt. Auf dem Gelände des Aquariums liegt auch ein kleiner Zoo

mit Känguruhs, Emus, Koalas und anderen australischen Wildtieren. Der Lady Denman Drive führt jenseits des Scrivener-Damms am **Government House** vorbei. Der Sitz des *Governor-General*, des offiziellen Vertreters der Queen, ist zwar nicht zugänglich, aber von einem Aussichtspunkt an der Straße kann man einen Blick auf das Gebäude werfen, dessen erste Teile 1891 als Privathaus errichtet wurden. Die Regierung erwarb das »Yarralumla« genannte Haus 1913. Über den Federal und Hume Highway geht die Fahrt heute noch nach Sydney.

Goulburn am Hume Highway, die größte und älteste Stadt der Region, ist nicht nur wegen der schönen alten Gebäude bemerkenswert, sondern auch wegen des unübersehbaren »The Big Merino«, die Nachbildung eines Schafes in Höhe eines dreistöckigen Hauses, in dessen Innerem man bis zum Ausguck in den beiden Augen aufsteigen kann. Auf mehreren Stockwerken ist in dem gut 15 Meter hohen und 18 Meter langen Bau eine Ausstellung über die Schafzucht untergebracht.

Wenn Sie bei **Moss Vale** auf den Illawarra Highway fahren, führt die Route durch den Macquarie Pass National Park bis zum Lake Illawarra. Der Princes Highway hält nun stur auf Sydney zu. **Wollongong**, Stahlzentrum der Region und einst beliebter Wohnort unter Pensionären wird passiert, und es geht am **Royal National Park** entlang, nicht nur der erste Nationalpark Australiens, sondern – nach dem Yellowstone Park – auch der zweitälteste der Welt. In dem kleinen Reservat **Cook's Landing Place** können Sie noch das Cook Museum besuchen, dann haben Sie Sydney erreicht.

13. Tag: Sydney

Programm:

Stadtrundgang/-fahrt durch Sydney, nachmittags Hafenrundfahrt ab Circular Quay (ca. 2 1/2 Stunden).

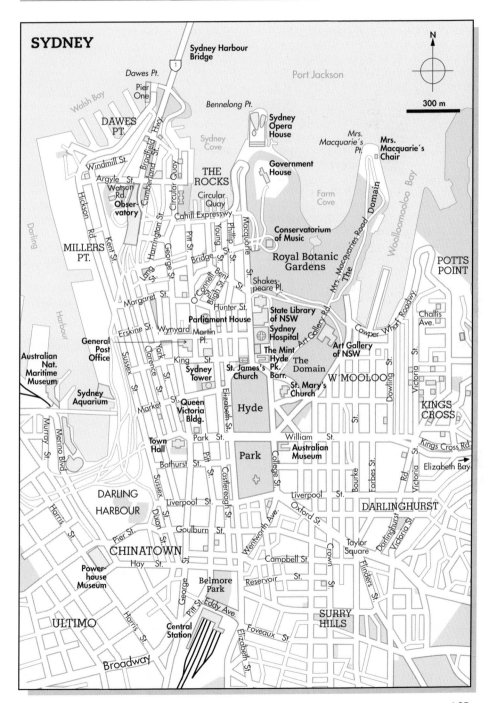

SYDNEY

N

300 m

Port Jackson

Sydney Harbour
Bridge

Dawes Pt.

Pier
One

Walsh Bay

Bennelong Pt.

Sydney
Cove

Sydney
Opera
House

Mrs.
Macquarie's
Pt.

Mrs.
Macquarie's
Chair

DAWES
PT.

Windmill St.

Argyle St.

Watson
Rd.

Obser-
vatory

THE
ROCKS

Government
House

Circular
Quay

Circular
Quay

Cahill Expresswy

Farm
Cove

Hickson Rd.

MILLERS
PT.

Kent St.

Long St.

George St.

Harrington St.

Pitt St.

Bridge St.

Young St.

Phillip St.

Macquarie St.

Conservatorium
of Music

Royal Botanic
Gardens

Mrs. Macquaries Road Domain

The

Woolloomooloo Bay

POTTS
POINT

Darling

Margaret St.

O'Connell St.

Bent St.

High St.

Hunter St.

Shakes-
peare Pl.

State Library
of NSW

Art Gallery Rd.

Cowper Wharf Roadway

Challis
Ave.

Harbour

Erskine St.

Wynyard

Martin
Pl.

Parliament House

Sydney
Hospital

Art Gallery
of NSW

Dowling St.

Victoria St.

Australian
Nat.
Maritime
Museum

General
Post
Office

Sussex St.

York St.

Clarence St.

King St.

Sydney
Tower

St.

The Mint
Hyde
Pk.
Barr.

The
Domain

W MOOLOO

KINGS
CROSS

Sydney
Aquarium

St. James's
Church

St. Mary's
Church

Murray St.

Merino Blvd.

Market St.

York St.

Queen
Victoria
Bldg.

Elizabeth St.

Hyde

Kings Cross Rd.

Town
Hall

Park St.

Park

William St.

Australian
Museum

Bourke St.

Forbes St.

Victoria St.

Elizabeth Bay

Harris St.

DARLING

HARBOUR

Bathurst St.

Sussex St.

Dixon St.

Pitt St.

Castlereagh St.

College St.

Liverpool St.

Oxford St.

DARLINGHURST

Darlinghurst Rd.

Victoria St.

Pier St.

Liverpool St.

Goulburn St.

Wentworth Ave.

Crown St.

Taylor
Square

Flinders St.

Power-
house
Museum

CHINATOWN

Hay St.

George St.

Campbell St.

Reservoir St.

ULTIMO

Harris St.

Belmore
Park

Central
Station

Pitt St.

Eddy Ave.

Foveaux St.

Elizabeth St.

SURRY
HILLS

Broadway

Service & Tips: The Rocks Visitors Centre, 104 George St., Sydney, NSW 2000, ℰ (02) 92 55 17 88, Mo–Fr 8.30–17.30, Sa 9–17 Uhr. Nutzen Sie für die Stadtrundfahrt den Sydney Explorer Bus, Sie können an allen 27 Haltestellen beliebig ein- und aussteigen. Die Busse verkehren zwischen 9.30 und 21 Uhr, nach 19.30 Uhr fahren sie auch über die Sydney Harbour Bridge. Art Gallery of New South Wales, Art Gallery Rd., Sydney, Mo–Fr 10–17, So 12–17 Uhr. Powerhouse Museum, 500 Harris St., Sydney, tägl. 10–17 Uhr. Australian National Maritime Museum, Darling Harbour, tägl. 10–17 Uhr. Zum Abendessen Doyle's on the Beach, 11 Marine Parade, Watson's Bay, ℰ (02) 93 37 20 07: Das Restaurant am Strand, spezialisiert auf Fisch- und Meeresfrüchte, ist in Sydney eine Institution, Reservierungen werden nur in begrenztem Umfang angenommen.

Als **Centrepoint**, der ausladende Büro- und Einkaufskomplex mitten in der City von **Sydney**, in den 60er Jahren geplant wurde, rechneten Australiens Architekten noch mit den Maßen des British Empire: in *inches*, *feet* und *yards*. Wie sonst wären sie auf die Idee gekommen, den **Sydney Tower** über dem Centrepoint-Block 304,8 Meter hoch zu bauen? Das sind exakt 1 000 Fuß – eine verkaufsfördernde Ziffer für die Läden und Büros im Sockelgeschoß und ausreichend für den stolzen Titel des höchsten Bauwerks der südlichen Hemisphäre.

Der Sydney Tower sorgt hoch über der Stadt auf den vier Decks, die jedermann zugänglich sind (Beobachtungsplattform, Konferenzräume, zwei Ebenen mit Drehrestaurants), erwartungsgemäß für Weitblick.

Feuerwerk der Natur für die »First City« – Sydney

Man merkt, diese Stadt ist reich versorgt mit Attraktionen und Sehenswürdigkeiten. In der George Street, zwei Blocks vom Sydney Tower entfernt, lockt die schmucke, schnörkelreiche Fassade des **Queen Victoria Building** (QVB) in das laut Pierre Cardin »schönste Einkaufszentrum der Welt«. **Martin Place** ist das Zentrum des Banken- und Geschäftsviertels. Der für Autos gesperrte Straßenzug an der viktorianischen Hauptpost (**General Post Office**) ist tagsüber ein beliebter Treffpunkt, zumal hier bei schönem Wetter fast immer irgendwelche Theater- oder Musikgruppen Gratisproben ihrer Talente geben. Weiter geht es zum **Circular Quay**, wo die Hafenfähren und die Boote für die Hafenrundfahrten abgehen. Er wird begrenzt vom ältesten Stadtteil Sydneys, »**The Rocks**«. Das beliebte Bummelrevier bietet unter anderem das historische **Observatorium** und das **Museum of Contemporary Art**. Am Wo-

chenende findet in den »Rocks« ein attraktiver Markt statt. Auf dem Felsen der »Rocks« liegt auch die **Harbour Bridge** auf. Die Führungen über die hohe Stahlbogenbrücke sind meistens ausgebucht. Über die Cumberland Street erreicht man den Südostpfeiler der Brücke, in dem sich eine Aussichtsplattform befindet.

Von den »Rocks« zum **Sydney Opera House**, dem Bauwerk, das international zum Symbol Australiens geworden ist und im eigenen Land eine »Kulturrevolution« auslöste. Mitte der 50er Jahre stritten sich Sydneys Stadtväter und Bürger heftig darüber, ob sie für Millionen Pounds (der australische Dollar wurde erst 1966 eingeführt) ein Opernhaus bauen sollten. 1954 wurde ein internationaler Architekten-Wettbewerb ausgeschrieben, den der dänische Architekt Jörn Utzon gewann. Sein Entwurf war wiederum heftig umstritten, dem einen wirkten die weißen Dächer »wie geblähte Segel eines in See stechenden Klippers«, dem anderen wie »kopulierende Schildkröten«. Unter diesen Vorzeichen begann der Bau 1959. Er wurde – nicht zuletzt wegen notwendiger Bautechniken – viel teurer als vorgesehen. Obwohl ein Großteil der Baukosten durch eine Lotterie finanziert wurde, gedieh die Kostendiskussion immer schriller. Utzon verließ schließlich Sydney im Zorn und schwor, nie wieder nach Australien zurückzukehren. Trotz allem: Am 20. Oktober 1973 eröffnete Queen Elizabeth II. die inzwischen mehr als 300 Millionen Dollar teure Oper. Sie wurde schnell zu einem Symbol für ein anderes, auch kulturellen Werten zugewandtes Australien. Jetzt will Utzons Sohn die Inneneinrichtung der Oper stilgerecht umbauen.

Weiter geht es zu den **Royal Botanic Gardens**. Das Konservatorium im Park, einst als Stallungen für das nahe, nicht zugängliche Government House erbaut, ist ein Werk von Francis Greenway. Der als Betrüger deportierte Architekt hat unter dem fähigen Gouverneur Lachlan Macquarie einige der stilvollsten Gebäude der frühen Kolonialepoche errichtet. Die Unterlagen jener Tage sind gesammelt in der **State Library of New South Wales**. Nachbarn der Bibliothek sind an der eleganten Macquarie Street das Parliament House of New South Wales, das Sydney Hospital, The Old Mint und die Hyde Park Barracks. Der Komplex mit Parlament, Krankenhaus und Old Mint bildete einst das *Rum Hospital*, entstanden in einer Zeit, da der Rum als Ersatzwährung diente und die lukrative Rumlizenz gegen die Auflage vergeben wurde, ein großes Hospital zu bauen.

Die **Art Gallery of New South Wales** besitzt eine vorzügliche Sammlung australischer Malerei, aber auch gute Kollektionen europäischer und asiatischer Kunst. **Kings Cross**, das traditionelle Vergnügungsviertel der Stadt, hatte einst einen legendären Ruf im ganzen Südpazifik. Aus allen Städten des noch in den 50er Jahren sehr puritanischen Australiens und Neuseelands reisten Männer an, um die Mischung aus Bohème- und Rotlichtdistrikt zu erleben. Einen geschäftlichen Vorwand für eine Sydney-Reise gab es immer. Heute ist davon nicht mehr viel geblieben.

Szenenwechsel: Sydneys **Chinatown.** Etwa 60 000 Chinesen leben in Australiens größter Stadt, viele von ihnen sind schon in der zweiten oder dritten Generation in Australien geboren. Die **Dixon Street**, unübersehbar mit ihren chinesischen Straßenlampen und den bunten Zeremonientoren, ist das Zentrum von Chinatown, wo es unter anderem einen kleinen buddhistischen Tempel, ein chinesisches Kino und, so wispert man, mehrere illegale Spielhöllen gibt. Die meisten Sydneysider kommen aber, um in den vielen Restaurants mit regional unterschiedlichen China-Küchen zu essen.

Das **Powerhouse Museum** am Rand von Darling Harbour ist nicht zufällig binnen weniger Jahre seit der Eröffnung 1988 zum meistbesuchten Museum Australiens geworden. Das einstige Kraftwerk im Stadtteil Ultimo zeigt heute eine faszinierende Sammlung aus Wissenschaft und Technik, Kunst und Design. **Darling Harbour**, einst ein verfallendes Hafenviertel, lockt heute

auch mit Geschäften, Restaurants, einem großen Aquarium und dem **Australian National Maritime Museum**. Mit der Einschienenbahn, der Monorail, geht es zurück in die City und zum Rathaus. Vorbei an der **Town Hall** von 1874 – ihre Treppenstufen sind ein beliebter Platz zum »Leute gucken« – und zurück in die George Street und zum Queen Victoria Building. Die einstige Stadtbibliothek wurde mit Millionenaufwand außen wie innen in viktorianischer Grandeur wiederhergestellt. Sie bietet nun mit 200 Läden und Restaurants im großen, was die ebenfalls viktorianische Strand Arcade zwischen George und Pitt Street in kleinerem Maßstab offeriert: Ein nicht ganz billiges Einkaufsvergnügen in historischem Ambiente.

Das Queen Victoria Building kennt zwar keinen festen Ladenschluß und ist dank seiner Bistros und Cafés auch abends noch belebt. Generell ist die City aber nach Büroschluß nicht der aufregendste Teil der Stadt. Das Leben verlagert sich dann in die »Rocks« oder in andere restaurantgesprenkelte Stadtteile wie Kings Cross, Darlinghurst, Surry Hills oder Paddington.

Für den Nachmittag empfiehlt sich eine Hafenrundfahrt, auf der man Sydney von einer anderen Seite kennenernen kann. Die Fahrt dauert etwa zweieinhalb Stunden und beginnt am Circular Quay. Wenn die futuristisch elegante »Captain Cook III« ablegt und auf Kurs geht, ist sie ihrem berühmten Namenspatron weit voraus. James Cook selbst war nie in dieser prächtigen Naturbucht, der Sydney den Ruhm verdankt, zu den schönsten Städten der Welt zu gehören. Nicht daß der große Navigator die 1 500 Meter breite Hafeneinfahrt zwischen den beiden steilen Klippen übersehen hätte, als er 1770 als erster Europäer die australische Ostküste erkundete. Cook vermerkte die Bucht als Port Jackson in seinem Logbuch. Aber mangels Zeit segelte er weiter. Sie sollten sich jedoch die Zeit nehmen, um auf einer Hafenrundfahrt eine weitere Facette von Sydneys Schönheit zu erleben.

14. Tag: Sydney – Blue Mountains – Sydney (ca. 220 km)

Route/Programm:

Wer keinen zweiten Tag in Sydney verbringen möchte, sollte einen Ganztagesausflug in die Blue Mountains machen. Fahren Sie auf dem Western Highway (Hwy. 32) nach Westen. Katoomba ist das Zentrum der Blue-Mountain-Region.

Service & Tips: Koala Park Sanctuary, Castle Hill Rd., West Pennant Hills (ca. 25 km nordwestlich von Downtown Sydney, über Great Western Hwy. (Nr. 32) bis Parramatta, dann nach Norden abbiegen), tägl. 9–17 Uhr: Ein Naturreservat voller Eukalyptusbäume, in denen die Koalas frei leben. Zum Abendessen in Sydney vielleicht in das Viertel »The Rocks« zu Phillip's Foote, 101 George St., ✆ (02) 92 41 14 85: preiswertes Restaurant mit der Möglichkeit, selbst zu grillen, $–$$. Oder Rockpool, 109 George St., ✆ (02) 92 52 18 88, exzellent, aber sehr teuer ($$$), spezialisiert auf Fisch und Krustentiere, unbedingt reservieren!

Etwa 25 Kilometer nordwestlich von Sydney gibt es in **West Pennant Hills** ein **Koala Park Sanctuary** – ein lohnender Abstecher für alle, die auf dieser Reise noch nicht mit Koalas in Berührung gekommen sind. Der Tierpark wurde 1930 durch Privatinitiative eines Tierschützers eröffnet und ist heute Heimstatt nicht nur von Koalas, sondern auch von Possums, Wombats, verschiedenen Känguruharten sowie Vögeln.

Doch zurück auf den Great Western Highway. Die Region der **Blue Mountains** beginnt etwa 70 Kilometer westlich von Sydney und ist über den Highway 32 gut zu erreichen. Entsprechend viel Betrieb herrscht besonders an Sommerwochenenden, wenn die Sydneysider zum Ausflug anrollen.

Die Blue Mountains haben ihren Namen von dem bläulichen Dunst, der entsteht, wenn sich die ätherischen Öle des Harzes der zahlreichen Eukalyptusbäume in der Hitze verflüchtigen.

Für die ersten Siedler waren die Blue Mountains eine unüberwindbare Barriere. 1813 fanden schließlich drei Entdecker einen Weg über das Gebirge und schufen so die Voraussetzung für die Besiedlung des westlich gelegenen Hinterlandes.

Der Great Western Highway teilt mit seinem Verlauf den Nationalpark in eine Nord- und eine Südhälfte. Während der Norden noch sehr ursprünglich und nur für gut gerüstete und ausgestattete Wanderer zu empfehlen ist, durchzieht die südliche Hälfte ein relativ dichtes Netz von gut ausgeschilderten Wanderwegen.

Glenbrook ist sozusagen das Einstiegstor zur Blue-Mountain-Region. Die in der Nähe liegenden Aussichtspunkte Marge's und Elizabeth's Lookout bieten einen großartigen Blick auf den Nepean River. Mit etwas Glück und bei schönem Wetter kann die Sicht über die Cumberland Plains bis Sydney reichen. Die Red Hand Cave, etwas südlich von Glenbrook, war Lagerplatz von Aborigines und hat ihren Namen den Handabdrücken an den Höhlenwänden zu verdanken. Durch Springwood geht es nach **Faulconbridge**, wo in der **Norman Lindsay Gallery**, die im ehemaligen Wohnhaus des Künstlers eingerichtet wurde, zahlreiche Gemälde und Zeichnungen zu sehen sind. Sehenswert sind auch die **Wentworth Falls:** 300 Meter stürzen hier die Wassermassen in einen See. Folgt

man dem Great Western Highway, gelangt man nach Katoomba, dem Hauptort in den Blue Mountains. Die früher eigenständigen Orte **Katoomba,** Leura und Wentworth Falls sind heute mehr oder weniger zusammengewachsen und bilden einen beliebten Ausgangspunkt für Exkursionen in die Bergwelt. Am Echo Point, einem Aussichtspunkt südlich des Ortes, kann man die vielfotografierten Felsnadeln der **Three Sisters** (Meenhi, Wimlah und Gunnedoo) bewundern. Hier sollen die drei Schwestern von einem bösen Zauberer in Stein verwandelt worden sein. Direkt daneben führt der Giant Stairway in die Tiefe, hinab ins **Jamison Valley.** Wer nicht kraxeln mag, weil es ihm zu anstren-

gend ist oder einfach zu lange dauert, dem hilft die Scenic Railway. Sie wurde ursprünglich gebaut, um Bergarbeiter zu transportieren und zählt mit der zu überwindenden Steigung von stellenweise 52 Grad zu den steilsten der Welt. Außerdem bietet noch der Scenic Skyway seine Dienste an, eine Seilbahn, die von einer Felswand zur anderen gondelt und dabei einen phantastischen Blick auf die **Katoomba Falls** und das Jamison Valley eröffnet.

Blackheath liegt elf Kilometer nördlich von Katoomba und hat ebenfalls Sehenswertes zu bieten. So zum Beispiel Govetts Leap mit wunderbarer Sicht auf das Grose Valley und die **Bridal Veil Falls,** die höchsten

15. Tag: Sydney – Flug nach Cairns – Palm Cove (ca. 25 km)

Route/Programm:

Stadtrundgang in Cairns (siehe Stadtplan S. 171), anschließend Weiterfahrt nach Palm Cove.

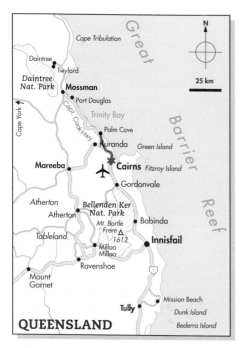

Service & Tips: Far North Queensland Promotion Bureau, 36–38 Aplin St., Cairns, Qld 4870, ℰ (07) 40 51 35 88, geöffnet Mo–Fr 9–17, Sa 9–16 Uhr: Das touristische Informationsbüro gibt nicht nur Auskünfte zu Cairns und seiner engeren Umgebung, sondern auch für Far North Queensland, wie das Atherton Tableland oder die Cape York Peninsula, sowie für Kreuz-/Bootsfahrten zum Great Barrier Reef. Royal Flying Doctor Service, 1 Junction St., Cairns (im Vorort Edge Hill, ca. 10 Autominuten von der City entfernt), tägl. 8.30–16.30 Uhr. Restaurants in Cairns: Red Ocre, 34 Shield St., ℰ (07) 40 51 01 00: spezialisiert auf australische Küche unter Verwendung einheimischer Produkte und Kräuter, $$$. Kunjal, 33 Spence St., ℰ (07) 40 31 27 55, geöffnet Mo–Sa abends: Das »Kunjal« verbindet das Abendessen (18.30 Uhr) mit einer Aborigines-Tanz-Show (20.15 Uhr), $$.

Der palmengesäumte Hafen von Cairns

Nachdem Sie heute vormittag noch einmal Gelegenheit hatten, durch Sydney zu schlendern, geht es jetzt per Flugzeug in den tropischen Norden von Queensland. **Cairns** steuert auf 70 000 Einwohner zu, eine überraschende Karriere für eine Kleinstadt, die in den 70er Jahren nur Seeleute und die Gilde der Marlin-Angler kannten. Wer es jedoch auf den großen und am Angelhaken heftig kämpfenden Fisch abgesehen hat, reiste und reist immer noch zwischen September und Dezember aus Amerika oder Europa an. Cairns wuchs inzwischen zu einem touristischen Zentrum ersten Ranges heran, nicht zuletzt dank seines internationalen Flughafens. Insbesondere unter jungen Rucksackreisenden erfreut sich die Stadt in den Tropen großer Beliebtheit. Entsprechend reichhaltig ist das Angebot an preiswerten Backpacker-Unterkünften. Auch auf der »Prachtstraße«, der Esplanade, am – versumpften und deshalb vogelreichen – Meer

ist die jugendliche Klientel unübersehbar, entsprechend viele Fast-food-Restaurants reihen sich an der Straße auf. Dazwischen gibt es viele Verkaufsstände für Touren, sei es auf die vorgelagerten Inseln und das Great Barrier Reef, sei es ins Atherton Tableland, in den Nationalpark am Daintree River oder an die Spitze der Cape York Peninsula.

Wie sich Cairns zu entwickeln scheint, zeigt das alte Hafenviertel an der **Trinity Wharf**, das sich allmählich zu einem feinen Bummel- und Einkaufsviertel verwandelt. **Rusty's Bazaar**, ein munteres Café- und Einkaufsviertel, jeweils samstags mit Markt, ist ein sehenswerter Restposten des alten Distrikts. Noch deutlicher wird die Zukunft der Stadt am **Pier Market Place**, einst ein großer Parkplatz, heute ein attraktives Einkaufszentrum mit 90 Geschäften und dem besten Hotel der Stadt. In dem Komplex zeigt das Aquarium **Undersea World** das bunte Tierleben im Korallenmeer, besonders attraktiv sind die Fütterungen der Haie. Und dennoch: Cairns ist der Ausgangspunkt für Aktivitäten, sein Angebot an eigenen Sehenswürdigkeiten ist eher bescheiden. Das beweist auch der »Cairns Explorer Bus«, der täglich auf fester Route durch die Stadt tourt, aber nur neun Stopps anbieten kann. Einer ist das Stadtzentrum, die als City Place gestaltete autofreie Kreuzung von Shields und Lake Street, weitere Stopps sind zwei Einkaufszentren respektive zwei Badeteiche. Es bleiben die Freshwater Connection, eine ansprechend restaurierte, tropische Bahnstation mit Eisenbahnmuseum, der Bicentennial Mangrove Boardwalk, zwei auf Stelzen gestellte, 600 und 700 Meter lange Wege durch den Mangroven-Urwald an der Küste, und die Flecker Botanic Gardens mit ihren tropischen Pflanzen. Diese drei Stopps sind sehenswert, das gilt auch für die Basis des **Royal Flying Doctor Service**. Die Station der »fliegenden Ärzte« betreut die Aborigines und die einsamen Farmen im Outback nur Queensland. Der rote Rundfahrtbus verkehrt im Stundentakt, er ist praktisch, aber nicht gerade preiswert. Immerhin verpassen Sie so garantiert keine Sehenswürdigkeit.

Empfehlenswert ist der Stadtrundgang – im Far North Queensland Promotion Bureau ist ein Faltblatt für einen »Cairns Heritage Walk« erhältlich. Es informiert über das Denkmal an der Esplanade für die Piloten der Catalina-Flugboote, die im Zweiten

Weltkrieg in Cairns stationiert waren, und über die »historischen« Bauten der Stadt, die meist zu Beginn des 20. Jahrhunderts entstanden sind. Ein Beispiel ist die Kunstschule von 1907 unmittelbar am City Place, in der heute das städtische Museum untergebracht ist. Es erzählt die Geschichte der 1876 gegründeten Stadt, seinerzeit Hafen für das gut 100 Kilometer westwärts gelegene Goldfeld am Hodginson River. Damals wäre Cairns beinahe hinter die Konkurrenz des ein Jahr jüngeren, 65 Kilometer weiter nördlich gelegenen Port Douglas zurückgefallen. Mit dem – im Museum geschilderten – Bau der Eisenbahn nach Kuranda am Rand des Atherton Tableland und den dortigen Zinngruben konnte sich Cairns behaupten. Port Douglas blieb nach dem Ende des Goldrausches ein verschlafener, kleiner Hafen, der erst seit einigen Jahren als Touristenziel eine elegante Renaissance erlebt.

Palm Cove einige Kilometer nördlich von Cairns, wo Sie die nächsten drei Tage Ihre Unterkunft haben, ist ein kleiner Badeort an der Marlin Coast. In der Nähe gibt es einen herrlichen Sandstrand, **Ellis Beach**, der auch von der Rettungswacht kontrolliert wird und gefahrloses Baden erlaubt. **Wild World** ist eine Touristenattraktion der besonderen Art. Hier kann man nicht nur die Tierwelt des nördlichen Australiens bestaunen, sondern auch die zu bestimmten Stunden stattfindenden Krötenrennen, Schlangenvorführungen und Krokodil-Shows.

---

16. Tag: Palm Cove – Cairns – Palm Cove (ca. 50 km)

Route/Programm:

Vormittags Einkaufsbummel in Cairns (siehe Stadtplan S. 171), nachmittags Besuch des Tierparks Wild World am Cook Highway in Palm Cove.

Service & Tips: Rusty's Bazaar, Grafton St./Ecke Spence St., Cairns, Einkaufszentrum, Sa offener Markt. In Palm Cove: Wild World, Cook Hwy. (Hwy.1): Der Tierpark veranstaltet täglich acht spezielle Vorstellungen mit Schlangen, Krokodilen, Kröten und Kakadus.

17. und 18. Tag: Aufenthalt in Palm Cove/Cairns

Route/Programm:

17. Tag: Fahrt mit der Kuranda Scenic Railway von Cairns nach Kuranda (siehe Karte 15. Tag, S. 168). Alternative: Ein Ausflug in das Atherton Tableland südwestlich von Cairns. Sie fahren auf dem Bruce Highway nach Süden bis Innisfail, hier biegt der Palmerston Highway nach Westen ab, er führt hinauf zum Atherton Tableland (siehe Karte 15. Tag, S. 168).

18. Tag: Genießen Sie den letzten Tag am Strand.

Service & Tips: Kuranda Scenic Railway, Railway Station, McLeod St., Cairns, ✆ (07) 40 36 92 62: Die Abfahrtszeiten nach Kuranda wechseln, die Fahrt dauert ca. 90 Minuten. Ein Unternehmen bietet Auffahrten mit der Bahn und Abfahrten per Fahrrad an. Markttage in Kuranda sind Mi, Fr und So. Skyrail, Arara St., Kuranda: Die weltlängste Drahtseilbahn fährt 7,5 km über und durch den Regenwald, die etwa 45minütige Fahrt wird unterbrochen zu einem Rundgang durch den Regenwald, ein zweiter Stopp gilt dem Besuch eines Regenwald-Informationszentrums.

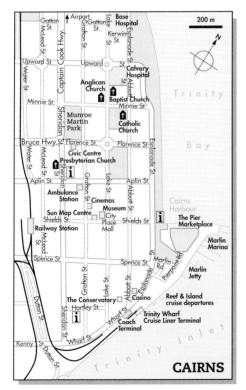

CAIRNS

Wer nicht am Strand liegen oder sich mit einem Bummel durch **Cairns** bescheiden möchte, dem seien die folgenden Alternativen empfohlen.

Die mehr als 100 Jahre alte **Kuranda Scenic Railway** ist heute vor allem eine Touristenroute. Nach einem Stopp beim Eisenbahnmuseum Freshwater Connection rollt die Bahn durch 15 Tunnel entlang der Felskante hinauf zum Hochland und bietet schöne Ausblicke auf das Tal. Neben den normalen Zügen ist ein- oder zweimal am Tag ein etwas teurerer *tourist train* unterwegs – Erklärungen und Fotostopp inklusive. Die viel fotografierte Endstation in **Kuranda** scheint aus einem tropischen Urwald herauszuwuchern: Wo Platz ist, züchten die Bahnleute Blumen und Pflanzen. Die Station läßt ein ähnlich attraktives Städtchen erwarten, aber Kuranda entwickelte sich schnell zu einem kommerziellen Touristenziel mit *fast food* und *bungee jumping*. Auch der einstige Sonntagsmarkt, eine lebendige Attraktion, findet mittlerweile dreimal pro Woche statt; im einst originellen Warenangebot dominieren inzwischen T-Shirts und Billigsouvenirs. Selbst das **Tjapukai Dance**

171

2. Isolation und Faszination
Durch den Südwesten von Western Australia

Western Australia ist zwar fast halb so groß wie der ganze Kontinent, aber dennoch eine der dünnstbesiedelten Regionen dieses riesigen Landes. Rund 1,1 der insgesamt 1,3 Millionen Westaustralier drängen sich in Perth zusammen – kein Wunder, daß sie als isolierteste Millionenstadt der Welt gilt. Das merkt jeder Reisende, der die Hauptstadt verläßt, selbst auf der vergleichsweise noch dichtbesiedelten Route in die Goldgräberstadt Kalgoorlie. Auch die geschichtsreichen Häfen Esperance und Albany bieten nahezu städtisches Ambiente, wenn die Wälder mit den Riesenbäumen durchmessen sind. Schließlich erreicht die große Schleife durch den Südwesten von Western Australia wieder Perth.

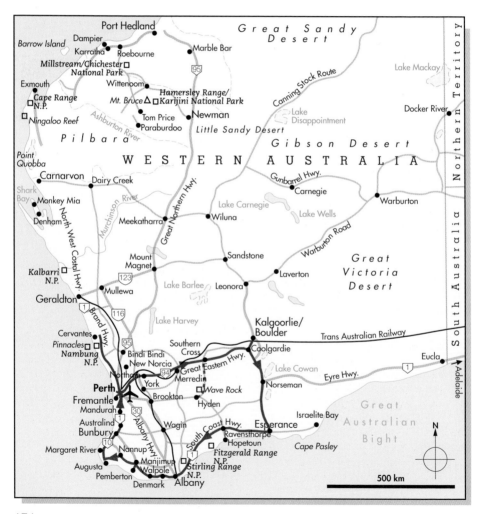

Gesamtlänge der Reiseroute: ca. 2 800 km (ohne Abstecher und Stadttouren)

Reisedauer vor Ort: 10 Tage

Reisezeit: Spätes Frühjahr bis Spätherbst, am besten im Hochsommer (Dezember bis Februar).

Route: Perth (Ankunftstag); Perth – New Norcia – Cervantes – Pinnacles – Perth (Alternative: Tagesausflug zum Wave Rock bei Hyden); Perth – Fremantle – Rottnest Island – Perth; Perth – Coolgardie – Kalgoorlie; Kalgoorlie – Boulder – Coolgardie – Kalgoorlie; Kalgoorlie – Esperance; Esperance – Albany; Albany – Pemberton; Pemberton – Cape Leeuwin – Bunbury; Bunbury – Perth; Weiterflug/Weiterfahrt in andere Teile Australiens oder Rückflug.

Informationen:

Broschüren-Anforderungen:
Internet: www.westernaustralia.net. Übersichtlicher im Detail ist das Australian Tourism Net: www.atn.com.au./wa
(Western Australia hatte bei Redaktionsschluß gerade sein Informationsbüro in Frankfurt/Main geschlossen, im Lauf des Jahres 2000 soll ein neues Büro in München eröffnet werden.)

---

1. Tag: Perth

Programm:

Vormittags Bummel durch Perth mit der Besichtigung eines Museums (Art Gallery of WA oder Western Australia Museum), nachmittags Spazierfahrt durch den Kings Park. Abends Besuch des Burswood Casino.

Service & Tips: Western Australian Tourist Centre, Forrest Place/Ecke Wellington St., Perth, WA 6000, ✆ (08) 94 83 11 11, Mo–Fr 8.30–17.30, Sa 8.30–13, So 9–12 Uhr: Kostenloses Info-Material zu allen Sehenswürdigkeiten. Perth Mint, Hill St./Ecke Hay St., Perth, Mo–Fr 9–16, Sa/So 9–13 Uhr. WA Fire Brigade Museum, Murray St./Ecke Irwin St., Perth, Mo–Fr 10–15 Uhr. Art Gallery of WA, James St., Perth, tägl. 10–17 Uhr (das Perth Institute of Contemporary Art ist Mo geschlossen). Western Australia Museum, Francis St., Perth, So–Fr 10.30–17, Sa 13–17 Uhr. Zum Lunch in eines der kleinen Restaurants in Northbridge oder ins Creations in der Shafto Lane (zwischen Hay St. und Murray St.), etwas Schickimicki, aber man sitzt nett im Freien, $$. Das Burswood Casino liegt außerhalb des Zentrums von Perth, es ist rund um die Uhr geöffnet. Im Zentrum von Perth verkehren zwei kostenlose Buslinien (Red Cat und Blue Cat), Näheres bei Transperth Information in der Plaza Arcade an der Hay St. Unterkunft in der City von Perth: Wentworth Plaza Hotel, 300 Murray St., ✆ (08) 94 81 10 00: gutes Preis-Leistungs-

Verhältnis, $$. <u>Miss Maud Swedish Private Hotel</u>, Murray St., ℭ (08) 93 25 39 00: B&B-Haus mit gepflegt-freundlicher Atmosphäre, $$$. <u>Perth Park Royal</u>, 54 Terrace Rd., ℭ (08) 93 25 38 11: gehobener Standard, mit Swimmingpool, am Ufer des Swan River gelegen, $$$$.

Perth liegt prächtig zwischen einem nicht allzu hohen Gebirgszug und der Küste des Indischen Ozeans mit herrlichen Stränden. Die Ebene bietet genug Raum, so konnte die Hauptstadt von Western Australia zur ausgedehnten Metropole heranwachsen. Das sonnenreiche Wetter und ein nachmittags kühlender Wind von der See her, genannt *Fremantle Doctor*, machen Perth zu einer der klimatisch angenehmsten Städte der Welt. All dies läßt es leichter ertragen, daß Perth die isolierteste Millionenstadt der Welt ist: Vom Rest Australiens wird die Stadt im Osten durch schier endlose Wüsten getrennt, im Westen erstreckt sich einer der größten Ozeane des Globus. Kein Wunder, daß die Astronauten die Stadt aus dem Weltraum erkennen konnten, als Perth beim Überflug die Lichter an- und ausknipste. Seither hat die Stadt ihren stolzen Slogan: *The City of Lights.*

Architekturkontraste in Perth: Wolkenkratzer und ...

In den 70er und 80er Jahren verpaßten Denkmalschützer der Stadt einen anderen Beinamen: *The City of Demolition.* Im Boom westaustralischer Bodenschätze kamen die Dollars millionenweise in die Stadt. Damals schossen die Wolkenkratzer überall in der City empor, und schöne alte Gebäude wurden bedenkenlos niedergerissen. So wirkt Perth heute merkwürdig geschichtslos, auch wenn ein Rundgang an vielen, aber vereinzelten historischen Bauten vorbeiführt. Ein oft fotografiertes Beispiel ist an der Kreuzung von Hay und Barrack Street die **Old Town Hall** (1867), die von Hochhäusern eng umzingelt ist. Ein paar Schritte weiter, in den Parks an der St. George's Terrace, steht das **Government House**; die **Deanery** (1859) schräg gegenüber war der erste Bischofssitz von Perth; das Gebäude dient immer noch kirchlichen Zwecken. Es lohnt sich, der hier leicht ansteigenden St. George's Terrace zu folgen und bei der Hill Street links einzubiegen. Ein Block weiter steht eines der historischen Gebäude, dessen Inneres besichtigt werden kann, die **Perth Mint** von 1899, wo Besucher ihre eigenen Münzen prägen können.

Einen Block weiter auf der ansteigenden Hill Street kreuzt die Goderich Street, die nach links in den Victoria Square mit der größten Kirche von Perth, **St. Mary's Cathedral** (1863), mündet. Die Goderich Street geht über in die Murray Street, eine Ecke weiter, an der Irwin Street, erfreut das **WA Fire Brigade Museum** alle Feuerwehr-Fans. Zwei Blocks weiter beginnt die Murray Street Mall, neben der parallel verlaufenden Hay Street Mall die wichtigste Fußgänger- und Einkaufszone in der Innenstadt. Rechts geht es über den Forrest Place zum Bahnhof, an dem Platz sind die Hauptpost und die Touristikinformation. Jenseits der Gleisüberführung liegen die Museen und der unter Restaurantbummler geschätzte Stadtteil

... eine liebevoll restaurierte Mühle, die den Bauboom der 70er Jahre »überlebte«

Northbridge. Historisch Interessierte können erst durch eine der Einkaufspassagen zurück zur St. George's Terrace schlendern, dort hat in der **Old Perth Boys' School** die Denkmalschutz-Organisation »National Trust« ein Geschäft mit ihren Broschüren, Büchern und Souvenirs eingerichtet.

In Northbridge teilen sich zwei der bedeutendsten westaustralischen Museen ein ausgedehntes Areal von vier Blocks, die **Art Gallery of WA** und das Western Australia Museum. Die Kunstgalerie besitzt eine gute Sammlung alter Meister und australischer Kunst, das benachbarte Perth Institute of Contemporary Art widmet sich stark experimenteller Kunst. Zwei Meeresbewohner sind die Hauptattraktionen des **Western Australia Museum**, das Gerippe eines Wals und »Megamouth«, ein präparierter Walhai. Zum Museumskomplex gehört auch das bis 1888 genutzte Gefängnis. Mit ausgedehnten Museumsvisiten wäre der Stadtbummel bis zu diesem Zeitpunkt fast eine Tagestour. Wer hier aber noch einen halben Tag vor sich hat, findet in **Northbridge** viele kleine Lunch-Lokale. Und die zweite Hälfte des Tages läßt sich vortrefflich im Kings Park verbringen.

Der **Kings Park** ist ein echtes Stück Natur am Cityrand, 400 Hektar groß und teilweise noch altes Buschland. Einen anderen Teil nimmt der Botanische Garten mit den Pflanzen im Westen Australiens ein. Die Hügel des Parks bieten einen vorzüglichen Blick auf die City, einschließlich des mächtigen Straßenknotens zwischen Park, Stadt und See. Am Parkplatz gibt es einen Fahrradverleih und ein Info-Zentrum, das regelmäßig Führungen durch den Park anbietet. Alternativen dazu sind ein Besuch im Aquarium der Underwater World in South Perth oder eine Bootstour zu den Weingütern am Swan River.

Für den Abend empfiehlt sich das etwas außerhalb gelegene **Burswood Casino**, auch wenn man nicht an Roulette oder Geldspielautomaten interessiert ist. Das Casino veranstaltet nämlich an vielen Abenden preiswerte Popmusikkonzerte oder sonstige Programme. Eine gute Informationsquelle für diese und sonstige Veranstaltungen ist die Tageszeitung *West Australian*.

2. Tag: Perth – New Norcia – Cervantes – Pinnacles – Perth (ca. 570 km)

Route/Programm:
Von Perth über den Brand Highway (Hwy. 1) nach New Norcia (ohne den Abstecher zu den Pinnacles ca. 520 km), Weiterfahrt nach Cervantes (Lunch), Tour durch die Pinnacles, danach Rückfahrt nach Perth. Abends Bummel durch das Viertel Subiaco.

Service & Tips: Australian Pinnacles Tours, Hay St./Ecke Pier St., Perth. Nambung National Park (Pinnacle Desert), Tourist Information, Aragon St./Ecke Seville St. (in der Shell-Tankstelle), Cervantes, ✆ (08) 96 52 70 41.

Alternativ-Route/Programm: Ein weiteres beliebtes Ziel für einen ausgedehnten Tagesausflug von Perth aus ist der Wave Rock bei Hyden, ein großer, wie eine steinerne Welle geformter Felsen im Südwesten von Westaustralien. Der Abstecher erfordert einen zusätzlichen Tag (Perth – Wave Rock/Hyden – Perth, ca. 680 km; über den Great Eastern Hwy., Nr. 94, bis Merredin oder Southern Cross, hier rechts abbiegen nach Hyden). Hyden Tourist Information Centre, Wave Rock, Hyden, ✆ (08) 98 80 51 82.

Sinn für Schönheit hatten sie, die spanischen Benediktinermönche, die sich 1846 in den Midlands nördlich von Perth niederließen: Im australischen Frühling erblüht die Region in einem dichten Teppich bunter Wildblumen. Aber auch ohne Blüten ringsum paßt die klassische spanische Architektur der großen Missionsstation **New Norcia** überraschend gut in die australische Landschaft. New Norcia erhielt seinen Namen von der italienischen Ortschaft Nurcia, dem Geburtsort des Ordensgründers. Die Mission ist eine eigenständige kleine Diözese und untersteht direkt dem Papst in Rom. Die Benediktiner laden ein zu geführten Touren durch ihre Klosteranlage und zum Besuch ihres Museums oder ihrer Bildergalerie, die Eintrittsgelder leisten einen wichtigen Beitrag für die Klosterkasse. In den Anfangsjahren hatten es die Benediktiner weitaus schwerer, ihren Lebensunterhalt zu bestreiten: Einer der beiden Gründer, Dom Salvado, marschierte einmal bis nach Perth, um dort ein Klavierkonzert zu geben und dabei Spenden zu sammeln.

Der kleine Ort im Schatten der Klostermauern ist nicht minder stolz auf seine Historie und hat deshalb eine Broschüre für den »Heritage Trail« durch die Gemeinde zusammengestellt. Bei dem kleinen Rundgang lohnt sich ein besonderer Stopp für einen kühlen Drink an der Bar im geschichtsträchtigen New Norcia Hotel. Der Wirt bietet seine Schlafkammern auch meist etwas preiswerter an als die Mönche die Betten in ihrem Gästehaus, dafür sind bei den geistlichen Wirten jedoch die Mahlzeiten im Preis inbegriffen.

Hauptziel des früh am Morgen beginnenden Tagesausflugs sind jedoch die Pinnacles im **Nambung National Park**, eine unmittelbar am Meer gelegene Sandwüste, rund 260 Kilometer nördlich von Perth. Fast alle Autovermieter verbieten ihren Kunden, mit normalen Autos in den Park einzufahren, da unerfahrene Piloten oft in der Sandspur steckenbleiben. Auch die Tourbusse aus Perth stoppen in der kleinen Hafenstadt **Cervantes**, die Passagiere steigen dort um in geländegängige Spezialfahrzeuge. Die

Kalksteinfelsen im gelben Sand der Pinnacle Desert nördlich von Perth ▷

ladenden noch zutreffenden Namen den ersten Weißen, die dort 1696 an Land gingen. Den Niederländern fielen zahlreiche kleine Pelztiere auf, die sie für Ratten hielten. In Wirklichkeit sind es jedoch Beuteltiere, diese Verwandten des Känguruhs heißen *Quokkas*, ein Name aus der Sprache der Aborigines. Die *Quokkas* sind inzwischen recht zutraulich und lassen sich ebenso gut beobachten wie willig füttern. Rottnest Island wurde erst 1838 besiedelt und bis 1903 als Gefängnis für Aborigines genutzt. Heute ist die seenreiche Insel ganz auf Urlauber eingestellt.

---

4. Tag: Perth – Coolgardie – Kalgoorlie (ca. 550 km)

Route/Programm:

Ausgestattet mit einem Picknickkorb geht es von Perth über die Nationalstraße 94, den Great Eastern Highway, nach Northam und weiter via Merredin und Coolgardie nach Kalgoorlie. Abends: Pub-Tour in Kalgoorlie.

> *Service & Tips:* Railway Museum, Merredin, geöffnet Mo–Fr 9–12 und 13–14.30 Uhr, am Wochenende bis 16 Uhr. Southern Cross Museum, Southern Cross, geöffnet Mo–Sa 9–12 und 13.30–16, Sa 13.30–16 Uhr. Kalgoorlie-Boulder Tourist Centre, 250 Hannan St., Kalgoorlie, ✆ (08) 90 21 19 66. Unterkunft in Kalgoorlie: Railway Motel, 51 Forrest St.: die beste und jüngste Unterkunft, $$. Exchange Hotel, Hannan St., ✆ (08) 90 21 28 33: Relikt aus Goldgräbertagen, mit Restaurant und Pub, $$.

Im Hafen von Fremantle steht die Statue eines tragischen Mannes, ohne den der Goldrausch von Kalgoorlie und Umgebung bald verebbt wäre: der große Ingenieur Charles O'Connor. Die Hafenstadt ehrt ihn, weil er ein Felsenriff vor der Flußmündung wegsprengen ließ und erst dadurch die Einfahrt größerer Schiffe ermöglichte. Aber O'Connor war es auch, der eine Wasserleitung von Perth bis zu den knochentrockenen Goldfeldern von Coolgardie und Kalgoorlie erbaute. 550 Kilometer lang ist die Leitung, die ursprünglich aus hölzernen Rohren gebaut werden mußte. 1903 war dieses gewaltige Werk vollendet, aber O'Connor erlebte die Freudenfeste der Goldsucher nicht mehr. Er hatte sich, getrieben von bornierten Kritikern, im Jahr zuvor erschossen.

O'Connors Leitung ist inzwischen modernisiert, die Holzrohre sind durch eine Metall-Pipeline ersetzt. Sie begleitet die Reisenden auf dem **Great Eastern Highway** von Mundaring in den nicht allzu hohen Bergen der Darling Range bei Perth bis Kalgoorlie, immer wieder wird sie neben dem Asphaltband sichtbar. Hinter der Bergkette breitet sich das anmutige und fruchtbare Avon Valley aus. **Northam** ist der erste größere Ort östlich von Perth, die Stadt ist das kommerzielle Zentrum des *wheatbelt*, jener bis zum Horizont reichenden Weizenfelder, deren Erträge ein begehrtes Exportgut des fünften Kontinents sind. Northam ist stolz auf seine weißen Schwäne, denn Westaustraliens Schwäne sind ansonsten schwarz – der elegante schwarze Wasservogel ziert sogar die Flagge des Staates. Eisenbahnfreunde können hier das Bahnmuseum in der alten Station besuchen, aber das ebenfalls an der Strecke liegende Merredin hat ein noch sehenswerteres Eisenbahnmuseum.

Knapp 40 Kilometer weiter östlich passiert der Highway bei **Meckering** ein Denkmal, das mit geborstenen Rohren und anderen Relikten an das größte Erdbeben erinnert, das Australien je erschüttert hat. Am 14. Oktober 1968 riß um 10.59 Uhr plötzlich die Erde auf und zerstörte Meckering weitgehend. Glücklicherweise gab es nur 17 Verletzte, obwohl das Beben auf der Richterskala mit 6.8 gemessen wurde. Man baute die Stadt abseits der Straße völlig neu wieder auf.

Über dem kleinen Ort **Cunderding** hängt der Himmel oft voller Segelflieger, die stillen Gleiter haben hier einen ehemaligen Militärflughafen übernommen. Wenn sie über den Feldern und Hügeln kreisen, finden sie leicht zurück, denn Cunderding hat ein 51 Meter hohes Wahrzeichen: den Schlot einer früheren Pumpstation für die Wasserleitung.

Heute dient das Pumpenhaus als Museum. Auch das ähnlich große, besser: kleine **Kellerberrin** kann stolz auf ein Heimatmuseum in einem mehr als 100 Jahre alten Bauwerk verweisen. Der Ort verdankt seinen Namen einer dort heimischen relativ großen Ameisenart, die von den Aborigines *Keela* genannt werden.

Die nächste größere Stadt auf der Fahrt nach Osten ist das schon erwähnte **Merredin**, das sich stolz als *Heart of the Wheatbelt* bezeichnet. Im November sind die Straßen dank der blühenden Jacaranda-Bäume in lichtes Blau gehüllt. Der alte Teil des Bahnhofs ist in ein freundliches **Eisenbahnmuseum** umgewandelt worden, deren Prachtstück eine Lokomotive von 1897 ist. Zum einstigen Stellwerk mit seinen 95 Schalthebeln können die Museumsbesucher hinaufsteigen und sich an einem schönen Blick

Riesige Weizenfelder säumen den Great Eastern Highway bei Northam

auf die Bahnanlagen erfreuen, insbesondere, wenn der *prospector* auf der Route nach Kalgoorlie oder der »Indian Pacific« auf seiner 65-Stunden-Fahrt quer durch den Kontinent an Merredin vorbeirollt. Hier ist etwas mehr als die Hälfte der Strecke gemeistert, ein guter Platz für die Lunchpause, auch wenn kein Pub oder Restaurant speziell empfohlen werden kann. Ein in Perth gepackter Picknickkorb kann eine Alternative sein.

Southern Cross, rund 100 Kilometer weiter östlich, markiert den Übergang vom Weizengürtel in die Wüste. Der nach dem Wappenstern Australiens – dem Kreuz des Südens – benannte Ort gibt aber auch schon einen Vorgeschmack von den Goldfeldern, dem Ziel dieser langen Tagesetappe. Hier begann 1887 der erste, wenn auch kurzlebige Goldrausch im Westen. Allerdings gibt es heute noch eine Mine, die im Tagebau Gold fördert. Die einst bewegte Geschichte der kleinen Stadt, in der alle Straßen nach Sternen benannt sind, läßt sich gut im einstigen Gerichtsgebäude und heutigen **Southern Cross Museum** verfolgen. Dort ließ sich Paddy Hannan seine Schürflizenz ausstellen – von ihm wird noch die Rede sein. Von Baron Swanston, einem Minenarbeiter in Southern Cross, war einst in der ganzen Welt die Rede. Er hieß näm-

lich Frederick Bailey Deeming und als solcher fand sein wächsernes Ebenbild auch seinen Platz in der Horrorabteilung bei Madame Tussaud's in London. In der britischen Hauptstadt hatte er seine Frau und seine vier Kinder ermordet, nach seiner Flucht nach Australien heiratete er in Melbourne, auch diese Frau brachte er um. Deeming endete am Strang.

Östlich von Southern Cross beginnt die lange Strecke durch das trockene Land, in dem hin und wieder eine Salzpfanne blendend weiß in der Sonne glitzert. Ein Teil der Strecke ist beidseits der Straße im **Boorabbin National Park** unter Schutz gestellt. Schließlich ist die erste Stadt in den *goldfields* erreicht: **Coolgardie**. Bis zum Tagesziel **Kalgoorlie** sind es nun noch 40 Kilometer. Die Stadt lebt gleichermaßen von ihren Bodenschätzen wie vom Tourismus, folglich mangelt es nicht an Motels und anderen Unterkünften. Die beste Unterkunft ist auch die jüngste, das Railway Motel. Und wer abends noch munter ist, kann einen Bummel durch die prächtigen Pubs an der Hannan Street machen, vorneweg das Palace oder das Exchange Hotel, die zu den großen Zeiten des Goldrauschs entstanden. Und wie einst vermutlich allabendlich kann es auch heute bisweilen etwas rauh zugehen am Tresen.

5. Tag: Kalgoorlie – Boulder – Coolgardie – Kalgoorlie (ca. 90 km)

Programm:
Rundfahrt über die Goldfields.

Service & Tips: Museum of the Goldfields, Hannan St., Kalgoorlie, tägl. 10–16.30 Uhr. Golden Mile Loopline Railway, Boulder Bahnhof, wechselnde Abfahrtszeiten, Auskunft unter ✆ (08) 90 21 70 77. Eastern Goldfields Historical Society, das Museum ist im Bahnhof Boulder, tägl. 9–12 Uhr. Hannan's North Tourist Mine, Meekatharra Hwy., Touren zu verschiedenen Zeiten, Auskunft unter ✆ (08) 90 91 40 74. Two-up School, Menzies Rd., etwa 6 km Richtung Norden, tägl. 16 Uhr bis zur Dunkelheit. De Bernales, 193 Hannan St., Kalgoorlie: Pub und Restaurant, $$. Coolgardie Tourist Bureau, Bayley St., Coolgardie.

Kalgoorlie ehrt seinen größten Sohn mit dem Wertvollsten, was es zu seiner Zeit in *Kal* gab: Wasser. Das Denkmal für Paddy Hannan auf der Hannan Street ist ein bronzener Goldgräber, der aus seiner Feldflasche Wasser spendiert. Der Ire hatte 1893 gemeinsam mit zwei Landsleuten das erste Gold gefunden auf dem dürren Land, auf dem wenig später binnen weniger Monate eine große Stadt entstehen sollte. Hannan hatte nämlich eines der reichsten Goldfelder der Welt entdeckt. Vor allem die Golden Mile, eine massive Goldader, die sich unterirdisch bis zur fünf Kilometer entfernten Nachbarstadt Boulder erstreckt, sorgte für Reichtum – die Doppelstadt **Kalgoorlie-Boulder** ist heute noch der größte Goldproduzent Australiens. Auch in der Nickelförderung liegt die Stadt im Spitzenfeld.

Goldnuggets verdankt die Doppelstadt Kalgoorlie-Boulder ihre Entstehung

Für Touristen ist Nickel kein Thema. Sie sind jedoch fasziniert von dem gelbgleißenden Edelmetall und davon bietet Kalgoorlie reichlich. Das beginnt im sehenswerten **Museum of the Goldfields**, zu dem auch das British Arms Hotel von 1899 gehört, einst die schmalste Kneipe in Australien. Für eine Tour über die Golden Mile bietet der »Rattler« ein adäquates Ambiente, eine betagte Bahn, die einst Minenarbeiter transportierte und vor einigen Jahren zum Touristentransport wiederbelebt wurde. Der Rattler, offiziell **Golden Mile Loopline Railway**, startet und endet am Bahnhof von Boulder, an Bord gibt es Getränke und Snacks. Die Fahrt ist nicht nur für Eisenbahnfreaks ein Vergnügen. Im Bahnhof von Boulder gibt es ein weiteres kleines Goldmuseum.

Der Höhepunkt des »goldenen« Programms für diesen Tag ist eine Fahrt in die Tiefe: **Hannan's North Tourist Mine** ist ein stillgelegtes Goldbergwerk, in das man gruppenweise wie einst die Goldhauer einfährt. Die Tour durch die Schächte im Untergrund wird geführt von einem früheren Bergwerksarbeiter, der auch zeigt, wie ein Felsmeisel arbeitet und wo man Goldspuren im Gestein findet. Zum Programm gehört ferner eine Fahrt durch die oberirdischen Anlagen der Mine und das Gießen eines

Goldbarrens. Und wer erleben will, wie die Goldsucher einst ihr Geld verspielten, sollte zur **Two-up School** hinausfahren, einem einst geheimen Wellblech-Treff, in dem inzwischen mit staatlicher Genehmigung die zwei Münzen geworfen werden und die Zocker auf Kopf oder Zahl setzen.

Aber auch ein Gang durch die Stadt lohnt sich, bei der Touristeninfo gibt es Broschüren für »historische Rundgänge«. Wer wenig Zeit hat, kann sich mit einem Bummel über die Hannan Street begnügen, dort stehen die bereits erwähnten stattlichen Pubs und die mehr als ebenbürtigen Repräsentationsbauten der Verwaltung, vor allem das Rathaus und das Postamt. Und wenn es nun Zeit ist für ein – wie in Australien üblich – frostkaltes Bier, ist auf der Terrasse von De Bernales an der Hannan Street der rechte Platz. Das Restaurant ist auch eine Empfehlung für das Dinner wert.

Bis **Coolgardie** ist es zwar nur eine kurze Wegesstrecke, aber dennoch scheint man in eine andere Welt zu geraten: Coolgardie preist sich als »Australiens bekannteste Geisterstadt«, auch wenn sie nicht ganz verlassen ist von ihren Einwohnern. Aber die Stadt, die etwas älter ist als das trubelige Kalgoorlie, wirkt fast geisterhaft, sofern nicht allzu viele Sightseeing-Busse unterwegs sind. Coolgardie war in den Goldrauschtagen die drittgrößte Stadt im Westen – mit zwei Aktienbörsen, drei Brauereien und sieben Zeitungen. Davon ist nichts geblieben außer ein paar hundert Bewohnern. Die meisten Coolgardians leben heute vom Tourismus. Auch die erhaltenen Prunkbauten dienen diesem Geschäft: Der stattliche Bahnhof von 1896 liegt längst fernab der Strecke und birgt ein Eisenbahnmuseum. Das noch eindrucksvollere dreistöckige Regierungsgebäude von 1898 beherbergt inzwischen ein attraktives Museum, das die »Tage des schnellen Goldes« in Erinnerung ruft.

Sie begannen 1892, als Arthur Bailey und William Ford in der Steppe ihre Pferde rasten lassen wollten und dabei feststellten, daß auf dem Boden zahlreiche Goldnuggets herumlagen. Ein Obelisk markiert heute diese Stelle, die Coolgardie wirklich aus dem Nichts entstehen ließ. Das Oberflächengold war aber binnen weniger Jahre abgetragen, die Goldsucher marschierten weiter ins nahe Kalgoorlie. Bis zu diesem Zeitpunkt präsentierte sich Coolgardie aber als blühende Stadt, zu deren bekanntesten Bürgern Ernest Giles gehörte. Er erkundete zwischen 1861 und 1876 große Teile des zumindest den Europäern noch unbekannten Kontinents. Giles war der erste, der von South Australia auf dem Landweg nach Western Australia vorstieß und der erste Weiße, der die Gibson Desert durchquerte. Seine letzte Ruhestätte fand er auf dem Friedhof von Coolgardie.

Im Tagebau werden die wertvollen Erze nördlich von Kalgoorlie abgebaut

6. Tag: Kalgoorlie – Esperance (ca. 370 km)

Route/Programm:

Von Kalgoorlie südwärts über die Celebration Road nach Kambalda, von dort auf der Emu Rocks Road westwärts zum Coolgardie-Esperance Highway (National-straße 94), auf diesem nach Norseman. Dort weiter südwärts, der Highway trägt nun die Nummer 1, nach Esperance. Abends: Dinner im Gray Starling in Esperance.

Service & Tips: Norseman Tourist Bureau, Robert's St., Norseman, geöffnet tägl. 9–17 Uhr. Historical and Geological Collection, Norseman, Mo–Fr 10–16 Uhr. Tourist Info im Museumsdorf an der Esplanade, Esperance. Municipal Museum, im Museumsdorf, The Esplanade, Esperance, tägl. 13.30–16.30 Uhr. Gray Starling, 126 Dempster St., Esperance: BYO-Restaurant, $$. Unterkunft in Esperance: All Seasons Holiday, 73 The Esplanade, ✆ (08) 90 71 22 57: mit Blick auf den Southern Ocean, $$$. Pink Lake Lodge, 85 Pink Lake Rd. (etwa 3 km außerhalb von Esperance), ✆ (08) 90 71 20 75: etwas einfacher, $$.

Die Hauptstraße von den Goldfeldern hinunter an die Südküste beginnt zwar in Coolgardie, aber es lohnt sich auch, die Nebenstraße von Kalgoorlie via Boulder nach **Kambalda** zu nehmen. Dies ist eine »Stadt mit dem zweiten Leben«, denn die Goldsucher rückten dort nach einigen vielversprechenden Anfangsfunden bereits 1906 wieder ab. Aber dann entdeckten Prospektoren bei Kambalda umfangreiche Nickellager, deshalb entstand in der Nähe das erste Nickel-Bergwerk Australiens. Die Stadt liegt unmittelbar am ausgedehnten **Lake Lefroy**, der wie alle Seen in diesem Teil Australiens nur in Ausnahmefällen Wasser hat. Meist liegt der See als riesige flache Salzpfanne in der Landschaft, ein Teil des Salzes wird kommerziell abgebaut. Der größte Teil des Lake Lefroy wird jedoch von den Salzseglern genutzt. Sie preschen auf ihren leichten Wagen, an deren Masten Segel aufgezogen werden, mit enormer Geschwindigkeit über die Salzkruste – die schnellsten erreichen mehr als 100 Stundenkilometer.

Von Kambalda aus führt zwar auch eine Route über den See, aber als Ortsunkundiger ohne allradangetriebenes Auto hält man

sich besser an die asphaltierte Route. Sie verläuft in westlicher Richtung zum Coolgardie-Esperance Highway. Die Hauptstraße in den Süden führt durch eine weitgehend unbewohnte Steppenlandschaft, die hin und wieder unterbrochen wird durch Salzseen, die in der Sonne glitzern, oder durch Nadelwälder. Nach etwa anderthalb Stunden geruhsamer Fahrt ist Norseman erreicht, die einzige Stadt zwischen Kalgoorlie und der Hafenstadt Esperance im Süden.

Norseman ist quasi der südliche und östliche Außenposten der Goldfelder. Hier wird im Tagebau immer noch Gold abgebaut, diese Mine kann man unter Führung besichtigen. Die Zeiten sind in der örtlichen Touristeninformation zu erfahren. Welche Bedeutung das Gold für die Stadt einst hatte, wird erkennbar an den riesigen Abraumhalden, die zu einer Art Wahrzeichen von Norseman wurden und an denen man mit einer entsprechenden Lizenz (erhältlich im Touristenbüro) nach übersehenen Goldkörnern suchen darf. Wie es zu diesen Bergen von Menschenhand kam, ist in der einstigen School of Mines zu erfahren, denn dort wurde ein Museum für die **Historical and Geo-**

logical **Collection** eingerichtet. An der Hauptstraße zeigt ein Pferdedenkmal in Lebensgröße, wieviel die Stadt einem Roß namens »Norseman« zu verdanken hat. Es scharrte hier, lange vor Gründung der Stadt, im staubigen Untergrund und legte zur Freude seines Besitzers funkelnde Goldnuggets frei.

Norseman ist aber weniger bekannt durch seine Goldminen als durch seine Straßenkreuzung: Im Zentrum der Stadt beginnt der Eyre Highway, der entlang der Südküste durch die Nullarbor Desert und quer durch den Kontinent führt – nach gut 1 100 Kilometern in der Einsamkeit ist Ceduna in South Australia erreicht. Der Eyre Highway folgt in etwa der Route, die Edward John Eyre und der Aborigine Wylie 1841 unter Einsatz ihres Lebens erkundet hatten. Heute läßt sich die durchgehend asphaltierte Straße recht mühelos bewältigen, denn spätestens nach 200 Kilometern wartet wieder ein Rasthaus.

Unsere Route führt in Norseman aber nicht auf den Eyre Highway, sondern rund 200 Kilometer weiter nach Süden, nach **Esperance**. Die Stadt verdankt ihren Namen einem von zwei französischen Forschungsschiffen, die 1792 in der Bucht Schutz vor einem Sturm suchten. Esperance hat prachtvolle weißsandige Strände, die im Hochsommer beliebte Urlaubsziele sind. In den übrigen Jahreszeiten erwartet Schwimmer jedoch der recht kühle Southern Ocean. Der bekannteste der Strände von Esperance ist **Twilight Bay**, er liegt am knapp 40 Kilometer langen Rundkurs »Great Ocean Drive«. Dieser passiert im Hinterland auch das Wahrzeichen von Esperance, den **Pink Lake**. Der in der Tat rosa-

Esperance: Höhle mit Meeresblick

rote See verdankt seine Färbung einer speziellen Algenart und einer starken Salzkonzentration.

Esperance hat in seinem von hohen *Norfolk Pines* gesäumten Küstenpark ein kleines **Museumsdorf** für Touristen aufgebaut. In den Holzhäusern fanden unter anderem ein Schmied und ein Töpfer Platz, es gibt eine Boutique und ein kleines Café. Auch die Touristeninformation ist hier an der Esplanade angesiedelt. Ein paar Schritte weiter liegt am Rand des Museumsdorfs das **Municipal Museum** mit seiner interessanten kunterbunten Sammlung. Deren Prachtstücke sind Teile des amerikanischen Skylab. Das Weltraum-Laboratorium war 1979 – nicht ganz planmäßig – über Western Australia abgestürzt und in unbewohntem Gebiet östlich von Esperance aufgeschlagen. Vor der Stadt liegen die mehr als hundert

Inseln und Landflecken des **Archipelago of the Recherche**, das ebenfalls nach einem französischen Schiff benannt wurde. Die einzige allgemein zugängliche Insel ist **Woody Island**, die Boote fahren aber nur in der Hauptsaison regelmäßig. Auf der Insel lassen sich neben vielen Seevögeln auch Seelöwen und Neuseeland-Seehunde beobachten; letztere sind etwas kleiner als ihre australischen Vettern. Die Inseln des Archipels sind auch unter Tauchern sehr beliebt. Fahrten zu den beliebtesten Tauchgründen werden in Esperance angeboten. Zu Lande lohnt sich eine Tour in die weiter östlich gelegenen Nationalparks, der nächste ist der **Cape Le Grand National Park**.

Für den Abend bietet Esperance als Urlaubsort viele Restaurants und Pubs, in Preis und Leistung gehoben ist das **Gray Starling**, ein BYO-Restaurant.

7. Tag: Esperance – Albany (ca. 480 km)

Route/Programm:

Von Esperance führt der South Coast Highway (Nr. 1) in westlicher Richtung über Ravensthorpe nach Albany.

Service & Tips: Tourist Bureau, Proudlove Parade, Albany. Old Goal Museum, Stirling Terrace, Albany, tägl. 10–16.15 Uhr. Residency Museum, Residency Rd., Albany, tägl. 10–17 Uhr. Old Post Office Museum, Lower Sterling Terrace, Albany, tägl. 10–16 Uhr: eingerichtet ist ein kleines Kommunikationsmuseum. Princess Royal Fortress, Mt. Adelaide, Albany, tägl 7.30–17.30 Uhr: Restaurierte Festung von 1893. Whale World, Frenchman Bay Rd., Albany, tägl. 9–17 Uhr. Unterkunft in Albany: Albany Hotel, 244 York St., ℆ (08) 98 41 10 31: einfaches Hotel an der Hauptstraße von Albany, $$.

Das Land rings um Albany war lange Zeit unfruchtbare Steppe. Alle Versuche, diese zu kultivieren, schlugen fehl, bis Wissenschaftler nach dem Krieg feststellten, daß dem Boden nur einige Spurenelemente fehlen. Nachdem diese zugesetzt worden waren, erwies sich die Heidelandschaft als äußerst fruchtbar. Das sehen auch die Touristen, die auf dem – um ganz Australien

herumführenden – Highway 1 nach Westen rollen: Auf den ersten 100 Kilometern sieht man immer wieder die Hinweisschilder der Farmen beidseits der Straße, aber auf der zweiten Hälfte der Strecke bis Ravensthorpe wird die Landschaft wieder wilder und einsamer.

Ravensthorpe entstand, als 1899 in der Nähe des Ortes Gold entdeckt wurde, allerdings nicht genug, um der Stadt eine dauerhafte Zukunft zu erschließen. Immerhin wurden bald darauf große Kupferlager entdeckt, jedoch auch diese sind inzwischen ausgebeutet – das einstige Erzstampfwerk dient heute als bescheidene Touristenattraktion.

Fast 120 Kilometer weiter westlich, bei dem kleinen Nest **Jarramungup**, wendet sich die Hauptstraße nach Süden. Die Zahl der Querstraßen nimmt allmählich wieder zu, der – für westaustralische Verhältnisse – dicht besiedelte Südwesten ist erreicht. **Albany** ist seine Metropole, eine Stadt mit reicher Geschichte: Am Weihnachtstag 1826 lief Major Edmund Lockyer mit seiner Brig »Amity« in den riesigen King George Sound ein. Eine Nebenbucht, der Princess Royal Harbour, war der geeignete Ort zur Landung und zur Gründung von Albany, das somit älter ist als Perth. Lockyer war von der Kolonialverwaltung in New South Wales mit einigen Siedlern, Soldaten und Häftlingen ausgesandt worden, um einer befürchteten Landnahme der französischen Krone zuvorzukommen.

Entsprechend viele historische Sehenswürdigkeiten bietet die Stadt. Die bekanntesten sind **St. John the Evangelist**, die älteste Kirche, und das **Strawberry Hill Farmhouse** – das älteste Bauwerk im Westen Australiens. Die 1836 errichtete, etwas außerhalb der Stadt gelegene Regierungsfarm ist heute ein Museum; die Trauerweide an der Einfahrt stammt von einem Schößling des Baumes, der am Grab von Napoleon auf St. Helena wächst. Zwei Museen liegen nahe beieinander im Stadtzentrum, das **Old Goal** und die **Residency**. Im Alten Gefängnis fand eine folkloristische Sammlung ihre Heimat, in der um 1850 entstandenen Residenz des Vertreters der britischen Krone entstand ein heimatgeschichtliches Museum. Neben dem Museum liegt die »Amity« dauerhaft vor Anker, ein Nachbau des Schiffes, mit dem Major Lockyer und seine Mannschaft einst nach Albany gelangten. Das **Postamt** von 1868, das älteste in Western Australia, beherbergt ein kleines

Kommunikationsmuseum. Sein mit Holzschindeln gedeckter Turm ist ein beliebtes Fotomotiv. Auch die Touristeninformation arbeitet in historischem Ambiente, sie ist in der alten Eisenbahnstation untergebracht.

Es gibt um die Stadt herum mehrere Hügel, die einen weiten Blick auf die Bucht bieten. Auf dem **Mount Clarence** – zu erreichen über den Apex Drive – thront überdies ein gewaltiges Kavallerie-Denkmal. Es ist dem Gedenken an die Toten der Reitercorps gewidmet, das im Ersten Weltkrieg in den Ländern am Mittelmeer im Einsatz war und bei der Schlacht von Gallipolli schwere Verluste erleiden mußte. Das Monument stand ursprünglich im ägyptischen Port Said, wurde dort aber stark beschädigt und deshalb nach Albany geholt. Von diesem Hafen waren die jungen Soldaten zum Einsatz gefahren. Auf einem anderen Berg, dem **Mount Adelaide**, wurde die **Princess Royal Fortress** restauriert. Die Festung war 1893 erbaut worden, um den strategisch wichtigen Hafen vor Angriffen zu schützen. Auch von den Festungsmauern herab bieten sich prachtvolle Aussichten.

Albany war einst für die Walfänger ein wichtiger Standort. Die Walfangstation etwa 20 Kilometer außerhalb der Stadt wurde erst 1978 geschlossen und ist seither ein Museum. Dazu wurde ein komplettes Walfangboot an Land gezogen und steht nun den Touristen offen. Bisweilen führen ehemalige Walfänger durch die **Whale World**. Einige Firmen bieten in Albany zwischen Juli und September auch Walbeobachtungen per Schiff an – im winterlichen Wetter kann es dabei allerdings etwas rauh werden. Bisweilen sind die *Southern Right Whales* auch im King George Sound von Land aus zu sehen.

In der Nähe der Whale World haben die Wogen des Meeres und die Kräfte der Erosion zwei ungewöhnliche Felsformationen entstehen lassen: die **Natural Bridge**, eine von den Wogen und der Erosion gebildete Brücke, und zahlreiche *blowholes*, Löcher im Küstengestein, durch die das Meer das Wasser zu hohen Fontänen preßt.

8. Tag: Albany – Pemberton (ca. 250 km)

Route/Programm:
Auf dem South Coast Highway (Hwy. 1) von Albany westwärts, an der buchtenreichen Südküste entlang Richtung Denmark und Walpole. Etwa 16 km vor Manjimup biegt die Route vom Highway 1 nach links ab, auf dem Vassell Highway geht es ins 19 km entfernte Pemberton. Abends: Forellenessen in Pemberton.

Service & Tips: Karri Visitor Centre, Brockman St., Pemberton. Pemberton Tramway, Swimming Pool Rd., Pemberton: touristische Bahnfahrt von Pemberton nach Northcliff. Pemberton Sawmill, Vassell Hwy.: Führungen unterrichten über die Holzverarbeitung in der Region. Das Big Brook Arboretum in Pemberton ist Teil des Staatswaldes und rund um die Uhr zugänglich. Unterkunft in Pemberton: Karri Valley Resort, ✆ (08) 97 76 20 20: nicht billig, dafür aber sehr schön gelegen, Reservierung notwendig, $$$$.

Zusatztag-Route/Programm: Für Freunde der großen Wälder bietet sich hier ein Zusatztag an, zumal sich von Pemberton aus die anderen Zentren in den großen Wäldern, Manjimup, Bridgetown und Nannup, gut erreichen lassen.

Auf dem ersten Abschnitt dieser Tagesetappe lassen nur Wegweiser wie Torbay Inlet, West Cape Howe oder Knapp Head erahnen, daß sich links der Straße irgendwo das Meer befinden muß. Der Highway verläuft während der ersten 50 Kilometer im Landesinneren. Ein anderer Wegweiser zeigt nach Bornholm; da wundert es kaum noch, daß der erste größere Ort **Denmark** heißt. Überraschenderweise waren es aber nicht dänische Siedler, die sich hier nominell eine neue Heimat schufen. Das kleine Städtchen und sein gleichnamiger Fluß sind nach einem Mann dieses Namens benannt. Die Siedlungsgeschichte der Region reicht aber viel weiter zurück: Am Wilson Inlet lag ein wichtiges Siedlungsgebiet der Aborigines, wie archäologische Zeugnisse belegen. Heute bildet Denmark das Zentrum für die Farmen ringsum. Eine Besonderheit des kleinen Ortes ist der Musikpavillon am Flußufer: Die Zuhörer nehmen am anderen Flußufer Platz, dank der guten Akustik können sie die Musik perfekt genießen.
Auf dem weiteren Weg nach Westen passiert die Straße den **William Bay National Park** am Meeressaum, eine gute Möglichkeit für einen kleinen Badestopp, beispielsweise am **Elephants Rock.** Kurz vor Walpole durchquert der Highway den rund 180 Quadratkilometer großen **Walpole-Nornalup-Nationalpark,** der sich rings um das Nornalup Inlet erstreckt. Die besondere Attraktion des Nationalparks ist das **Valley of the Giants,** in dem die bis zu 40 Meter hohen *Tingle Trees* wachsen, eine Eukalyptusart, die nicht nur durch ihre Höhe, sondern auch durch den Umfang ihrer Stämme auffällt. Ein rund 600 Meter langer Tree Top Walk erlaubt es, auf bequemen und gut gesicherten Stegen bis in die Kronen der Bäume hinaufzusteigen. Ein anderer Steg führt im Ancient Empire in Bodenhöhe an den mächtigen Stämmen mit bis zu 15 Meter Durchmesser vorbei und hinweg über die pittoresken Verschlingungen der Wurzeln. Biologen schätzen den Nationalpark überdies, weil dort auf engstem Raum vier Eukalyptusarten wachsen, die es sonst nirgendwo auf der Welt gibt. Der Südwesten Australiens ist für die Wissenschaftler ohnehin ein wichtiges Revier, denn dort blühen dank ausreichender Niederschläge unzählige endemische, das heißt nur dort heimi-

sche Pflanzen. Das gilt gleichermaßen für Bäume wie für wildwachsende Blumen, deren Vielfalt die Region zweitweise wie mit einem bunten Tuch überzieht.

Hinter dem Hafen- und Ferienort Walpole trägt die Nationalstraße 1 einen neuen Namen: **South-Western Highway**. Die Straße durchquert den nördlichen Teil des ausgedehnten **Shannon National Park**. Dort haben die Ranger einen knapp 50 Kilometer langen Rundfahrtkurs entwickelt, den Great Forrest Trees Drive. Wer auf dieser Strecke eine bestimmte Frequenz auf dem Autoradio einstellt, erhält Informationen über die Baumriesen im Südwesten.

Nach weiteren 100 Kilometern biegt man nach links ab auf den Vassell Highway, der Wegweiser zeigt in Richtung **Pemberton**. Der kleine Ort liegt mitten in ausgedehnten Karri-Wäldern – *Karris* sind die höchsten Eukalyptusbäume der Welt, sie werden 70 bis 80 Meter hoch und in Einzelfällen sogar noch höher. Im Südwesten bezeichnet man die Region auch als *Karri Kingdom*. Das **Karri Visitor Centre** in Pemberton ist eine gelungene Mischung aus einer Touristeninformation, einem Heimatmuseum sowie einem Informationszentrum über die *Karris* und andere *tall trees*. Auch die Forstwirtschaft, der wichtigste ökonomische Sektor der Region, stellt sich in dem Zentrum dar. Eine besondere Art, einen Teil der ausgedehnten Wälder zu erkunden, bietet die **Pemberton Tramway**, die auf einer stillgelegten Bahnstrecke nach Northcliff rumpelt. Als die Strecke 1924 gebaut wurde, war sie wegen des schwierigen Terrains eine der teuersten ihrer Zeit, sie kostete die damals enorme Summe von 20 000 Pfund pro Meile. Unterwegs gibt es Fotostopps, und man erhält touristische Erläuterungen. Der je nach Saison wechselnde Fahrplan liegt in der Touristeninformation aus.

In der **Pemberton Sawmill** kann man bei Führungen erleben, wie die *tall trees* der Umgebung zu Bauholz verarbeitet werden; die Termine der Führungen sind bei der Touristeninformation zu erfahren. Im **Big Brook Arboretum** wachsen Musterexempla-

re der größten Bäume der Welt. Eine in der Nähe aufragende Sehenswürdigkeit, die kaum ein Besucher ausläßt, ist der **Gloucester Tree**. Sein Namenspatron ist der Herzog von Gloucester. Der seinerzeitige Generalgouverneur von Australien hatte Pemberton 1946 besucht. Der 64 Meter hohe *Karri Tree* trägt in der Krone eine Kabine und dient als höchster Feuerwehr-Ausguck der Welt. Diese Plattform, für die 15 weitere Meter gekappt worden waren, ist auch für Besucher offen, wenngleich es einigen Mut erfordert, auf den in den Stamm geschlagenen Sprossen hinaufzusteigen. Viele Touristen geben den Versuch, nach oben zu gelangen, nach ein paar Metern mit weichen Knien wieder auf. Der Gloucester Tree ist übrigens nicht der größte *Karri*, der höchste – leider gefällte – Baum wurde einst mit 104 Metern vermessen.

Bei Pemberton liegen die drei kleineren Nationalparks Warren, Beedelup und das Brockman-Reservat, sie wurden vor einigen Jahren zusammengefaßt im **Pemberton National Park**. Der 1 350 Hektar große **Warren-Nationalpark** besteht zu einem großen Teil aus noch jungfräulichem Karri-Wald, er ist durch Wanderwege recht gut erschlossen. Besonders beeindruckende Bäume entlang der Pfade sind ausgeschildert. Der 68 Meter hohe Dave Evans Bicentennial Tree ist der höchste unter den *Karris*, die im Südwesten erklettert werden dürfen. Eine geschichtliche Reminiszenz ist das **Warren House**, in dem 1872 der erste Siedler der Region, Edward Brockman, lebte. Er züchtete Pferde für die britische Armee in Indien. Der Beedelup National Park liegt auf der Route des folgenden Tages.

Nicht ganz billig, aber schön gelegen ist in Pemberton das **Karri Valley Resort**, für das aber in der Ferienzeit und an vielen Wochenenden Reservierungen empfehlenswert sind, da das Hotel in Perth als Ausflugsziel geschätzt wird. Für das Abendessen empfiehlt es sich, in einem der zahlreichen Restaurants Forelle zu speisen – in Pemberton werden Forellen für den ganzen Westen Australiens gezüchtet.

---

9. Tag: Pemberton – Cape Leeuwin – Bunbury (ca. 260 km)

Route/Programm:

Von Pemberton aus führt die Tagesroute über den Vassell Highway durch den Beedelup National Park. Nach ca. 40 km biegt links die Steward Rd. ab, die nach weiteren 30 km auf den Brockman Highway trifft. Nach links geht es in Richtung Westen weiter, nach etwa 40 km ist in Karridale der Bussell Highway erreicht. Ein Wegweiser zeigt links Richtung Augusta und zum Cape Leeuwin. Nach dem Besuch am Kap geht es entweder über den Bussell Highway via Margaret River direkt nach Busselton und Bunbury, oder Sie nehmen die längere Strecke näher an der Küste entlang durch den Leeuwin Naturaliste National Park (Stichstraßen führen von beiden Straßen ans Meer). Abends: Drink im Reef Hotel in Bunbury.

Service & Tips: Margaret River Tourist Information, Bussell Hwy./Tunbridge Rd., Margaret River. Eagle's Heritage, Boodjidup Rd., Margaret River, tägl. 10–17 Uhr. Caves House Hotel, Caves Rd., Yallingup: preisgekrönte Küche in historischem Ambiente, $$$. Ngilgi Cave, 2 km östlich von Yallingup, tägl. 9.30–15.30 Uhr: Höhlenführungen oder Touren auf eigene Faust. Busselton Tourist Information, Civic Centre, Southern Dr., Busselton. Wonnerup House, 10 km außerhalb von Busselton an der Layman Rd. Bunbury Tourist Information, Carmody Place, Bunbury. Reef Hotel, 8 Victoria St., Bunbury. Unterkunft in Bunbury: The Rose Hotel, Victoria St., ℂ (08) 97 21 45 33: B&B-Haus mit Restaurant, in der Einkaufszone von Bunbury, $$$.

Uralt scheint der hochaufragende Wald im **Beedelup-Nationalpark** zu sein, doch selbst die ältesten Bäume bringen es auf nicht mehr als etwa 100 Jahre. Damals wurde nämlich der originale Urwald an dieser Stelle gefällt und wieder neu angepflanzt. Jenseits des Parks wendet sich der Vassell Highway auf einen nördlichen Kurs. Die Tagesroute biegt jedoch nach Westen ab. Das erste Etappenziel ist der Ferienort **Augusta**, eine der ältesten Gemeinden im Westen Australiens. Die Siedler, die hier 1830 an Land gingen, blieben jedoch nicht lange, sondern zogen bald weiter in nördlicher Richtung, auf der Suche nach fruchtbarerem Land. Mehrere Gräber auf dem Pionier-Friedhof stammen noch aus jenen Tagen. Auch das kleine **Augusta Historical Museum** besitzt einige Zeugnisse aus dieser Zeit, besonders interessant sind aber die Erinnerungen an die vielen Schiffe, die an dieser Küste auf Grund liefen und untergingen. Das Kap im Südwesten des Kontinents war einst wegen seiner vielen Unterwasserriffs ein gefährliches Fahrwasser.

Augusta ist nur fünf Kilometer entfernt vom **Cape Leeuwin**, einer felsigen Landzunge, vor der die Wogen des Indischen Ozeans mit denen des Südmeers zusammenprallen. An der Spitze des Kaps steht ein 41 Meter hoher Leuchtturm, dessen 186 Stufen tagsüber erklommen werden können. Das Seezeichen trotzt seit 1896 den kräftigen, oft stürmischen Winden am Kap. Einst hatte der Leuchtturmwärter seine eigene Wasserversorgung, als er aber 1928 eine Wasserleitung gelegt bekam, wurde das hölzerne Wasserrad stillgelegt. Seither haben Kalk- und Magnesiumablagerungen das Rad mit einem vielfarbigen Überzug versehen. Die Landspitze wurde 1622 erstmals von der Besatzung des niederländischen Schiffs »Leeuwin« (Löwen) gesichtet. Am Kap erinnert an der Leeuwin Road ein Denkmal an Matthew Flinders, der hier 1801 die erste Umrundung Australiens begann.

Eine der schönsten Höhlen an der Südwestküste Australiens: die Tropfsteinhöhle bei Margaret River

Auf der Weiterfahrt in Richtung Norden ist **Margaret River** der nächste größere Ort. Den Kennern der australischen Weinlandschaft ist dieser Name gut vertraut, denn rings um die Stadt liegen 35 Weingüter, deren Kreszenzen inzwischen zahlreiche Preise gewonnen haben. Die meisten dieser Güter können für Weinproben besucht werden, entsprechende Unterlagen sind im Tourist Office erhältlich. Etwas außerhalb der Stadt liegt **Eagle's Heritage**, ein Raubvogel-Park mit Vorführungen der Flugkünste von Adlern und anderen Greifvögeln. Auf seine westlich der Stadt gelegenen Strände ist Margaret River zu Recht stolz. Zum Baden eignen sich geschützte Buchten wie beispielsweise Gracetown und Prevelly, andere werden wegen ihrer hohen Wellen unter Surfern sehr gelobt.

Die **Old Coast Road** führt parallel zur Hauptstraße nach Norden und nach **Yallingup**, einem speziell von Surfern viel be-

suchten kleinen Ort am Meer. Das **Caves House Hotel** von 1903, nach einem Feuer 1938 wiedererbaut, ist dank seiner Lage und seiner preisgekrönten Küche ein guter Platz für die Lunchpause. Zum nahen **Cape Naturaliste** führt eine Stichstraße, das Kap erlaubt einen schönen Blick über die See. Eine der vielen Höhlen an der Kalksteinküste zwischen Cape Leeuwin im Süden und Cape Naturaliste im Norden des beilförmigen Küstenstreifens ist die **Ngilgi Cave**, die auch unter ihrem früheren Namen Yallingup Cave bekannt ist. Die schöne Kalksteinhöhle, die 1899 eher zufällig entdeckt wurde, beeindruckt mit prachtvollen Formationen wie »Arab's Tent« und »Mother of Pearl Shawl«. Besucher können einen Teil des unterirdischen Labyrinths auf eigene Faust erkunden, die geführten Touren dringen noch etwas tiefer vor in den Untergrund.

Die nächsten Orte auf der Tagesroute sind Dunsborough und Busselton, zwei besonders von Familien geschätzte Seebäder. Bei **Dunsborough** nisten am Sugarloaf Rock einige der rotschwänzigen *Tropicbirds*, die, wie ihr Name schon sagt, sonst fast nur in den Tropen vorkommen. Man braucht ein Fernglas, um die Vögel beobachten zu können. **Busselton** ist mittlerweile zu einer Stadt mit mehr als 10 000 Einwohnern gewachsen, dennoch verdreifacht sich die Zahl der Bewohner in der Ferienzeit. Sein historisches Gerichtsgebäude hat Busselton in ein Zentrum für die bildenden Künste umgewandelt. Für historisch oder architektonisch interessierte Besucher lohnt sich die Fahrt zum **Wonnerup House**, das der

»National Trust« detailgetreu restauriert hat – ein gutes Beispiel der ländlich-australischen Bauweise mit ihrem charakteristischen umlaufenden Vordach, ein unersetzlicher Schattenspender auf dem Sonnenkontinent Australien.

Von Busselton sind es rund 50 Kilometer bis **Bunbury**, das gleichermaßen Handelshafen wie Seebad ist. Die Touristeninformation von Bunbury wurde im 1904 erbauten einstigen Bahnhof eingerichtet. Mit mehr als 25 000 Einwohnern offeriert die Stadt eine große Auswahl an Hotels und Restaurants. Ein beliebter Treff ist abends die Bar des Reef Hotel.

---

10. Tag: Bunbury – Perth (ca. 180 km)

Route/Programm:

Nach einem Bummel durch Bunbury geht es über den Highway 1 entlang der Küste über Australind, Mandurah und Kwinana nach Perth. Die Nationalstraße 1 erreicht die Hauptstadt bei Fremantle, eine schnelle Alternative ist der landeinwärts gelegene Kwinana Freeway, dessen Zubringer kurz hinter dem gleichnamigen Küstenort beginnt.

> *Service & Tips:* Big Swamp Wildlife Park, Prince Philip Dr., Bunbury, tägl. 10–17 Uhr. Dolphin Discovery Centre, Koombana Beach, Bunbury, unter ✆ (08) 97 91 30 88 erfährt man, wann die Delphine in der Regel am Strand auftauchen. Rockingham Tourist Office, 43 Kent St., Rockingham.

Von Bunbury bis Perth sind es zwar nur 180 Kilometer, aber dafür benötigt man mehr Zeit als für ähnlich lange Strecken während der Vortage – der Verkehr im Umland der Millionenstadt Perth nimmt mit jedem Kilometer spürbar zu, und Staus sind keine Seltenheit mehr. Im Seebad **Bunbury** selbst hält aber zwischen den vielen geschichtsträchtigen Bauten noch die Ferienstimmung vor. Die Hauptattraktionen der Stadt werden von der Natur gestellt: der Big Swamp und das Dolphin Discovery Centre.

In Bunbury gehören Begegnungen mit Delphinen zum Programm   ▷

Das Sumpfgebiet des **Big Swamp Wildlife Park** liegt mitten im Stadtgebiet südlich der City und bietet vielen australischen Tierarten ein Refugium. Ein hölzerner Steg erlaubt einen sicheren Spaziergang durch das amphibische Revier der Mangroven.

Das **Dolphin Discovery Centre** informiert mit einem kleinen Museum und mit Videobändern über die Delphine, die seit mehr als zehn Jahren neugierig vor dem Strand von Koombana kreuzen und sich gerne mit Fischhappen füttern lassen. Freiwillige des Delphinzentrums sorgen dafür, daß die Meeressäuger nicht belästigt und überfüttert werden. Eine Flagge zeigt an, wenn die *Bottlenose Dolphins* im seichten Wasser vor dem Strand erscheinen. Diese relativ nah bei Perth gelegene Möglichkeit, wilde Delphine aus nächster Nähe zu erleben, ist in Western Australia erstaunlicherweise weit weniger bekannt als die täglichen Besuche der Delphine in Monkey Mia an der abgelegenen Shark Bay, rund 850 Kilometer nördlich von Perth.

Angesichts des kräftig wachsenden Bunbury wird das benachbarte **Australind** allmählich zu dessen Vorort. Dabei sollte der heute unbedeutende kleine Küstenort bei seiner Gründung 1839 ein wichtiger Hafen für den Handel mit Indien werden, daher auch der Name. Doch die 500 Briten, die bei Australind angesiedelt wurden, suchten bald das Weite, da der karge Boden keine guten Ernten liefern konnte. Eingedenk der großen Pläne von einst ist es kurios, daß Australind nun ausgerechnet wegen der kleinsten Kirche Australiens bekannt ist: Die **St. Nicholas' Church**, in der sonntags immer noch Gottesdienste gefeiert werden, mißt nur 8,2 mal 3,6 Meter; sie wurde ursprünglich als Wohnhaus eines Arbeiters gebaut und 1848 zur Kirche umgebaut und geweiht.

Weiter nördlich führt die Straße vorbei am **Yalgorup National Park**, der sich auf fast 9 000 Hektar unmittelbar an der Küste entlangzieht. Der Park ist geprägt von Dünen- und Heidelandschaften, die unterbrochen werden durch Wald- und Buschwerk-

gruppen. Die Wanderwege des Nationalparks sind besonders bei Wochenendausflüglern aus Perth beliebt. Der nächste größere Ort, **Mandurah**, ist wieder ein Seebad, das vor allem von den Bewohnern von Perth besucht wird. Der Ozean und drei Flüsse bilden hier ein großes Inlet, das nicht nur viele Badeplätze formte, sondern wegen seines Fischreichtums auch von Anglern

sehr geschätzt wird. Der nördliche Nachbar **Rockingham** lebt ebenfalls vom Tourismus, die gesamte Region gilt als die »Urlaubsküste der Hauptstädter«. Vor der Küste liegen einige Inseln, die per Boot besucht werden können, im Hinterland von Rockingham haben sich in den letzten Jahren mehrere Weingüter angesiedelt, die ihre Weine gerne zur Probe ausschenken. Die Touristeninfor-

mation hat die Adressen und die Öffnungszeiten.

Bei der Industriestadt **Kwinana** biegt die Zubringerstraße zur Autobahn, der Kwinana Freeway, nach Perth ab. Die Rundfahrt durch den Südwesten des riesigen australischen Bundesstaates Western Australia ist wieder an ihrem Ausgangspunkt, Perth, angelangt. ✵

Sonnenuntergänge zählen zu den meistfotografierten Motiven in »Down under«

3. Jenseits der »Roaring Forties«
Über die Bass Strait nach Tasmanien

Abel Tasman, der 1642 auf die heute nach ihm benannte Insel stieß – er nannte seine
Entdeckung Van Diemen's Land –, erkannte nicht, daß es sich um eine Insel handelte.
Dieses Verdienst gebührt George Bass, der bei seinen Erkundungsfahrten mit einem
offenen Boot 1798 in der Bass Strait vermutete, daß zwischen dem australischen Fest-
land und Van Diemen's Land eine offene Seeverbindung sein mußte. Bass konnte sei-
ne Theorie später beweisen, als er mit Matthew Flinders Australien umsegelte. Mit die-
ser Entdeckung konnte die Reisezeit nach Europa erheblich verkürzt werden, ein
Fortschritt, der sich heute allerdings nur noch auf den Frachtschiffrouten auswirkt.

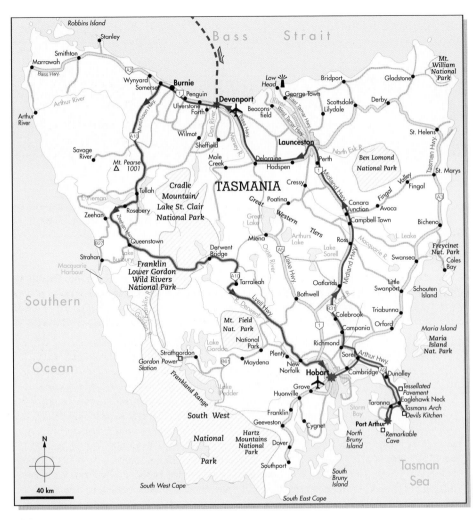

Die Bass Strait gilt als häufig stürmisches Gewässer, denn genau durch diese Meeresstraße verläuft der 40. Grad südlicher Breite. Seit den Tagen der ersten Weltumsegler trägt diese Breite den Namen »Roaring Forties«, da sich auf dieser Höhe rings um die südliche Erdhalbkugel ein breiter Sturmgürtel zieht.

Für Tasmanien – oder »Tassie«, wie die Aussies ihr größtes Eiland nennen, – hat die Bass Strait auch als Passagierroute nicht an Bedeutung verloren. Die Insel, mit 68 331 Quadratkilometern der kleinste australische Bundesstaat (0,88 Prozent der Fläche des Kontinents), baut zwar stattliche Bodenschatzlager ab und ist ein bedeutender Obst- und Gemüseproduzent, aber dennoch ist der Tourismus eine der wichtigsten Einnahmequellen. Die überwiegende Zahl der Besucher sind Australier, die meist mit dem eigenen Auto anreisen.

Gesamtlänge der Reiseroute: ca. 920 km (ohne Fährfahrt, ohne Abstecher und Stadttouren)

Reisedauer vor Ort: 3 Tage

Reisezeit: Auf Tasmanien herrscht zwar das ganze Jahr über ein gemäßigtes Klima, doch die beste Reisezeit sind die Sommermonate Dezember bis Februar.

Route: Fähre von Melbourne nach Devonport – Hobart; Hobart – Port Arthur; Port Arthur – Launceston – Devonport.

1. Tag: Fähre von Melbourne nach Devonport – Hobart (ca. 480 km)

Route/Programm:

Nach der Ankunft in Devonport auf Tasmanien geht es über den Bass Highway (Hwy. 1) nach Burnie. In Somerset biegen Sie auf den Murchison Highway (A 10) nach Süden ab und fahren über Rosebery nach Queenstown. Nach dem Lunch auf dem Lyell Highway (A 10) über Derwent Bridge und New Norfolk nach Hobart.

Service & Tips: Trans Tasman Line (TT Line), Station Pier Terminal (von der City über City Rd. und Beach St.), Port Melbourne, Vic 3207, Auskunft ✆ 1-800-33 53 63, Reservierungsnummer ✆ 1-800-81 04 55 (von Victoria aus), ✆ 1-800-03 03 44 (von den anderen Bundesstaaten aus): Die Fähre »Spirit of Tasmania« geht jeweils Mo, Mi, Fr um 18 Uhr ab Melbourne, sie trifft am nächsten Morgen um 8.30 Uhr in Devonport auf Tasmanien ein. Jeweils Di, Do, So geht die Fähre um 18 Uhr ab Devonport nach Melbourne. Die Preise für Kabinen und Automitnahme variieren je nach Saison stark. Devonport Tasmania Travel Centre, 18 Roorke St., Devonport, geöffnet Mo–Fr 8.45–17, Sa 9–12, Feiertage 9–11 Uhr. Pioneer Village Museum, High St., Burnie, Mo–Fr 9–17, Sa/So 13.30–16.30 Uhr. Tasmanian Travel Centre, 39 Orr St., Queenstown, Mo–Fr 9–17, Sa/So 10–15 Uhr: Im Infozentrum kann man auch die während des Jahres wechselnden

Zeiten für Touren durch die Mount Lyell Mine und das angeschlossene Mining Museum erfahren. Tasmanian Travel Centre, 80 Elizabeth St., Hobart, Tas. 7000, ℰ (03) 62 30 82 33, Mo–Fr 8.45–17.30, Sa/So 8.45–12 Uhr. Theatre Royal, 29 Campbell St., Hobart. Zum Dinner empfiehlt sich Alexander's, 20 Runnymede St., Battery Point, Hobart, ℰ (03) 62 32 39 00, tägl. geöffnet: Das ausgezeichnete Restaurant gehört zum »Lenna of Hobart«, einem Hotel in einem stattlichen Herrenhaus in der historischen Altstadt, $$$. Oder das Ball and Chain, 87 Salamanca Place, Battery Point, Hobart, ℰ (03) 62 23 29 25, Mo–Sa für Lunch und Dinner: Angenehmes Restaurant in historischer Umgebung; Steaks und *seafood*, $$. Danach eventuell ins Wrest Point Casino, 410 Sandy Bay Rd., Hobart, Sa–Do 13–3, Fr/Sa 13–4 Uhr: Das erste Spielkasino des Kontinents. Unterkunft in Hobart: Sheraton Hobart Hotel, 1 Davey St., ℰ (03) 62 35 45 35: Das führende Hotel der Stadt liegt unmittelbar am Hafen und nur wenige Schritte von der City entfernt, $$$. Tantallon Lodge, 8 Mona St., Battery Point, ℰ (03) 62 24 17 24: Kleines Hotel mit Pensionscharakter im historischen Stadtviertel Battery Point, $$.

In den frühen Morgenstunden schält sich ein schmaler dunkler Landstreifen aus dem Dunst des südlichen Horizonts. Allmählich werden die Umrisse des Leuchtturms auf dem steilaufragenden Bergrücken des Mersey Bluff sichtbar. Die Fähre »**Spirit of Tasmania**« nähert sich ihrem Ziel, der Insel **Tasmanien**.

Ihren Heimathafen in der Mündung des Mersey River, **Devonport**, erreicht die Fähre jeweils am frühen Morgen. Angesichts einer langen Tagesetappe auf kurvenreichen Bergstraßen empfiehlt es sich, die Sehenswürdigkeiten von Devonport für die Rückreise aufzusparen und – nach einem Stopp bei der Touristeninformation – gleich über die Victoria-Brücke in Richtung Westen aufzubrechen. Die Küste ist relativ dicht besiedelt, zum einen, weil sie von See her immer gut zu erreichen war, zum anderen, weil die vulkanische Erde in der Küstenebene recht fruchtbar ist. Entlang der Küste liegen eine

Die Fähre »Spirit of Tasmania« kurz vor ihrer Ankunft in Devonport auf Tasmanien

Reihe größerer und kleinerer Städte, die dank ihrer geschützten Strände zunehmend vom Familientourismus profitieren – zumindest im Sommer. Im Winter ist es zu kühl zum Schwimmen.

Eine der Städte, die von den Urlaubern vom Festland Nutzen ziehen, ist das kleine **Ulverstone**, gut 20 Kilometer westlich von Devonport gelegen. Der populärste Strand in der Region ist **Turners Beach**, der sich zu einem eigenständigen kleinen Ferienort entwickelt hat. Das Wahrzeichen der Stadt ist ihr Kriegerdenkmal, das aus drei jeweils 17 Meter hohen Säulen besteht – je eine Säule für Armee, Marine und Luftwaffe. Auch **Penguin**, zehn Kilometer weiter westlich, liegt etwas abseits der Hauptstraße, aber die alte Küstenstraße wird von vielen Touristen vorgezogen. Die Kleinstadt erhielt ihren Namen von den *Fairy Penguins*, die hier an der Küste zwischen März und November eine kleine Brutkolonie bewohnen. Die Attraktion ist in Penguin jedoch nicht die Küste, sondern das Inland: In drei Kilometer Entfernung ragen die ersten Berge der Dial Range auf, deren höchster Gipfel, der 471 Meter hohe Mount Montgomery, einen eindrucksvollen Blick über die Bass Strait bietet.

Burnie an der Emu-Bucht hat zwar nur gut 20 000 Bewohner, ist aber einer der umschlagstärksten Containerhafen Australiens. Die Hauptsehenswürdigkeit der wirtschaftlich geprägten Stadt ist ihr **Pioneer Village Museum**, in dem die Zeit um die Jahrhundertwende mit mehr als 20 000 Exponaten in alten Werkstätten und Ställen nachgestellt ist. Sehenswert ist auch der **Burnie Park**, in dem unter anderem einige Wallabies herumhüpfen. Das älteste Gebäude der Stadt, das um 1840 erbaute Burnie Inn, wurde 1973 in der Stadt abgerissen und im Park wieder originalgetreu aufgebaut. Ein sehenswertes altes Gebäude ist auch das Polizei-Hauptquartier von 1901, damals als Haus eines wohlhabenden Zahnarztes erbaut.

In der Umgebung von Burnie gibt es eine Reihe von Parks und Naturschutzgebieten. Vor allen locken aber die großen Nationalparks im Landesinneren. Deshalb lohnt es

sich, an der Kreuzung des Burnie-Vororts **Somerset** nicht dem Bass Highway weiter entlang der Küste zu folgen, sondern auf den Murchison Highway abzubiegen. Rund 80 Kilometer geht es nun hinauf ins Bergland, ehe die Straße unweit des 1 001 Meter hohen Mount Pearse die Seenregion an der Westküste erreicht. Diesen Bergseen und -strömen ist es ebenso wie den Erzlagern in den Bergen zu verdanken, daß dieses abgelegene Gebiet für Touristen überhaupt erreichbar ist. Die Bergwerke brauchten Zufahrtsstraßen, dasselbe gilt für die Wasserkraftwerke, deren Turbinen an zahlreichen Stauseen für preiswerte Energie sorgen. **Rosebery** ist eine der wenigen Siedlungen im Bergland. Die Kleinstadt entstand 1893, als im Rosebery Creek Gold gefunden wurde. Sie ist auch heute noch das Zentrum der Bergwerke ringsum, wenngleich inzwischen vornehmlich Kupfer, Zink, Blei und Silber gefördert werden.

Während Rosebery noch von Bergwäldern umgeben ist, bietet **Queenstown**, Tasmaniens berühmteste Bergwerksstadt, einen gänzlich anderen Anblick. Die größte Stadt an der Westküste (rund 3 400 Einwohner) liegt zwar idyllisch in einem tiefen Bergtal, ist aber umgeben von nahezu völlig »nackten« Bergen. 1856 wurde in dem Tal Gold gefunden, als wichtiger erwiesen sich aber schon bald die reichen Kupferlager. Um die Stadt zu bauen, aber auch um das Kupfererz zu schmelzen, wurden im 19. Jahrhundert die Berge rings um die Stadt gnadenlos abgeholzt. Was an Pflanzen übrigblieb, starb in den Schwefeldämpfen der Kupferschmelze ab. Die an der Westküste heftigen Regenfälle schwemmten danach die Muttererde von den Felsen – so bietet die Stadt bereits seit der Jahrhundertwende ein einzigartiges bizarres Bild, zumal die Berge in vielfältigen Farben schimmern.

Es ziehen zwar keine Kupferdämpfe mehr über Queenstown, aber die Mount Lyell Mine baut immer noch Kupfererz ab. Zugleich setzt Queenstown zunehmend auf den Fremdenverkehr. Touren durch das **Mount-Lyell-Bergwerk** und sein **Mining Museum** sind die beliebteste Attraktion der Stadt. Ebenso sehenswert ist das **Photographic Museum** im »Imperial Hotel«, dem ersten Ziegelbauwerk in Queenstown. Aber auch das Stadtbild selbst läßt noch die Eigenart der einstigen Bergwerksstadt erspüren. Im **Miners Siding** genannten Park an der Driffield Street erinnert eine alte Dampflok an die Jahre, da eine Eisenbahn mit teilweise dramatischer Streckenführung die Minen mit den Häfen verband.

Hinter Queenstown steigt der Lyell Highway steil an. Es lohnt sich, anzuhalten und einen Blick zurückzuwerfen auf diese einzigartige und auch etwas beklemmende Szenerie. Östlich der Bergwerksnester **Gormanston** und des weitgehend verlassenen **Linda** überquert die Straße den Lake Burbury, einen erst wenige Jahre alten Stausee in einem tiefen Tal. Die Bradshaw-Brücke über den Stausee ist nicht nur 350 Meter lang, sondern ruht auch auf Pfeilern, die bis zu 48 Meter hoch sind. Da sie größtenteils unter Wasser verborgen bleiben, fällt den meisten Reisenden diese Ingenieurleistung nicht auf. Erst wenn man in Hobart die berühmte Hochbrücke über den River Derwent gesehen hat und weiß, daß die Pfeiler der Bradshaw Bridge noch höher sind, gewinnt man eine Vorstellung von der Bedeutung der Konstruktion bei Queenstown.

Nach rund 30 Kilometern erreicht der Lyell Highway den **Franklin Lower Gordon Wild Rivers National Park**, der mit dem **Cradle Mountain/Lake St. Clair National Park** eine Einheit bildet und einen Großteil des Landesinneren umfaßt. Die Region war Anfang der 80er Jahre der Schauplatz des ersten großen Naturschutzstreits in Australien. Damals wollte die tasmanische Regierung den Gordon River für ein Kraftwerk aufstauen, die Naturschutzorganisationen stemmten sich dagegen und wollten das Wildnistal erhalten. Sie fanden die Unterstützung der Bundesregierung in Canberra, die ebenfalls einen Schutz der Landschaft forderte, zumal diese von der UNESCO als »Welterbe« klassifiziert worden war. Die Regierung in Hobart mußte schließlich dem

gesamtaustralischen Druck nachgeben. Die Nationalparks sind berühmt für ihre spektakuläre Bergszenerie, die größtenteils aber nur Wanderern zugänglich ist. Der Lyell Highway ist die einzige Straße, die durch die Nationalparks führt, **Derwent Bridge** ist der einzige Ort unmittelbar am Parkrand. Hier, hoch im Gebirge, ist der River Derwent noch ein relativ schmales Gewässer, wenn er bei Hobart im Meer mündet, wird er sich zu einem breiten Strom entwickelt haben.

Der Lyell Highway folgt dem River Derwent aber vorerst nicht, er zieht einen weiten Bogen durch das seenreiche Inselinnere. Gut 50 Kilometer sind es bis zur nächsten größeren Ortschaft: **Tarraleah** ist eine Gründung der Regierung für die Bediensteten der Wasserkraftwerke in der Umgebung. Parallel zum River Derwent, wenngleich in einiger Entfernung, folgt die Straße dem Fluß nach Südosten. Nach etwa 40 Kilometern biegt eine schmale Straße nach rechts ab zum **Mount Field National Park**. Über diese Nebenstraße, die Gordon River Road, erreicht man auch – nach 120 Kilometern – die Seen des weiter nördlich bereits einmal durchquerten Gordon-Nationalparks. Es ist die einzige Zufahrt zu der Wildnis im Südwesten.

Der Lyell Highway erreicht bei **Plenty** endgültig wieder das Ufer des River Derwent. In den Salmon Ponds von Plenty wurden entgegen ihrem Namen nicht Lachse, sondern Forellen gezüchtet, dafür aber die ersten in ganz Australien. Es heißt, die Forellen von 1864 seien die Vorfahren aller heutigen Forellen des Kontinents und Neuseelands gewesen.

Knapp zehn Kilometer stromabwärts liegt **New Norfolk**, eine der sehenswerten historischen Städte der Insel. Sie wurde 1808 gegründet, weil die Strafkolonie auf der Insel Norfolk im Pazifik 1813 geschlossen werden sollte. Die freien Farmer von Norfolk Island wurden deshalb ins Derwent-Tal umgesiedelt. Dort spezialisierten sie sich bald auf den Hopfenanbau, der New Norfolk recht wohlhabend machte. Das sieht man vor allem der Altstadt am Südufer an. Die Stadt, die 1825 beinahe die Hauptstadt von Tas-

Üppig grünes Farmland prägt die Landschaft zwischen Queenstown und Hobart

manien geworden wäre, ist stolz auf das »Bush Inn Hotel« von 1815, die Kneipe mit der ältesten ununterbrochen genutzten Alkohollizenz in Australien. Das **Old Colony Inn** in der Montague Street ist zwar »nur« von 1835 und inzwischen ein Museum, steht aber als Motiv bei den Fotografen hoch im Kurs. Eine weitere Kneipe, das »King of Prussia Inn«, hat sich zur Glen-Derwent-Herberge gewandelt und das »King's Head Inn« von 1822 ist nun ein historisches Ensemble mit dem Namen Valleyfield. Die anglikanische **St. Matthew's Church** von 1823 ist die älteste Kirche Tasmaniens. Eine Sehenswürdigkeit ist das alte **Oast House**, einst ein Hopfentrockenlager, das heute ein Hopfenmuseum beherbergt. Der Hopfenanbau selbst ist nahezu völlig zurückgegangen, viele Farmer haben sich umgestellt auf die Blumenzucht, vor allem auf Tulpen.

Die rund 6 000 Bewohner leben aber mittlerweile ebenso vom Tourismus, zumal die Stadt auch ein beliebtes Ausflugsziel für die Einwohner der nahen Hauptstadt **Hobart** ist. Sie kündigt sich von weither an: Erstes Zeichen der rund 180 000 Einwohner großen Stadt ist die bereits erwähnte **Tasman Bridge** über den River Derwent.

Hobart verdankt seine Entstehung dem französischen Navigator Nicolas Baudin. Weil er in der Region unterwegs war, wollten die Briten einer befürchteten französischen Siedlung zuvorkommen und entsandten 1803 Leutnant John Bowen zur Gründung einer britischen Ortschaft nahe der heutigen Stadt. Hobart sollte (wie auch Launceston) weitgehend durch die Arbeit von Häftlingen erbaut werden. 1825 wurde Van Diemen's Land eigenständige Kolonie, 1855 der Name in Tasmania verändert. In jenen Jahren kam Tasmanien dank der Agrar- und Wollexporte allmählich zu Wohlstand, Hobart profitierte überdies von seiner Rolle als größter Walfanghafen des Empire.

Hobart nutzte seinen Wohlstand, wie nicht nur die vielen stattlichen Geschäftshäuser beweisen. Die Stadt gönnte sich 1837 auch das erste Theater Australiens. Das aufwendig restaurierte **Theatre Royal** wird immer noch bespielt, es ist unabhängig vom jeweiligen Programm einen Besuch wert. Eine Alternative für den Abend ist das **Wrest Point Casino**; 1973 war es das erste Spielkasino des Kontinents und damals wirtschaftlich ein großer Erfolg. Mittlerweile rollt fast überall in Australien die Roulettekugel.

2. Tag: Hobart – Port Arthur (ca. 70 km)

Route/Programm:

Nach einem ausgiebigen Stadtbummel durch Hobart fahren Sie auf dem Tasman Highway (A 3) über die Tasman Bridge nach Cambridge und Sorell, auf dem Arthur Highway (A 9) geht es weiter nach Taranna und Port Arthur. Hier Besichtigung der Häftlingskolonie.

Service & Tips: Van Diemen's Land Folk Museum, Narryna, 103 Hampden Rd., Battery Point, Hobart, Mo–Fr 10–17, Sa/So 14–17 Uhr: Ausstellung kolonialer Relikte und Interieurs im historischen Narryna House. Tasmanian Maritime Museum, Secheron Rd., Battery Point, Hobart, So–Fr 13–16.30, Sa 10–16.30 Uhr: Sammlung zur Seefahrtsgeschichte. Tasmanian Museum & Art Gallery, Argyle St., Hobart, tägl. 10–17 Uhr: Ausstellung zur Geschichte der tasmanischen Aborigines. Tasmanian Devil Park, Arthur Hwy. (A 9), Taranna, tägl. 9–17 Uhr, jeweils 11 Uhr Fütterung der *Tasmanian Devils*. Port Arthur Historic Site, Port Arthur, tägl. 9–17 Uhr: Das seit 1830 angelegte Sträflingslager zählt zu den Highlights eines Australien-Aufenthaltes. Unterkunft in Port Arthur: Port Arthur Motor Inn, Port Arthur Historic Site, ✆ (03) 62 50 21 01, $$. Fox & Hound Hotel, Arthur Hwy. (A 9), ✆ (03) 62 50 22 17: Das im altenglischen Stil erbaute moderne Motel ($$) hat ein Restaurant ($–$$).

»Gebettet zwischen sanften grünen Hügeln, eingefügt zwischen schattige Gärten, liebkost von den kleinen blauen Wellen des Derwent, liegt die Metropole der Mörder und die Universität für Einbruch und unmenschliche Greuel – Hobart Town.« So beschrieb der protestantisch-irische Patriot John Mitchel die Stadt, in die er 1850 wegen politischer Anklagen verbannt worden war. In der Tat, Tasmaniens Hauptstadt hatte anfangs eine miserable Reputation. Mitte des 19. Jahrhunderts waren allerdings die meisten Häftlinge aus **Hobart** verschwunden: Seit 1830 hatte die Strafkolonie im 100 Kilometer entfernten Port Arthur die meisten Gefangenen übernommen, viele arbeiteten aber noch an den öffentlichen Bauten der Stadt, beispielsweise am **Parliament House** (1835–41).

Das würdige Gebäude in der Murray Street beim **St. David's Park**, einem kolonialen Friedhof, ist ein guter Ausgangspunkt für einen Bummel durch die Stadt, in der fast 100 Gebäude vom »National Trust« als schützenswert klassifiziert wurden. Die Murray Street mündet am Hafen, wo in einem

kleinen Park ein Brunnen an Abel Tasman erinnert. Als im 19. Jahrhundert immer mehr Walfänger in Hobart festmachten, mußten neue Kais angelegt werden – ein guter Platz für Warenlager. Um 1830 wurden die Lagerhäuser am **Salamanca Place** mit den georgianischen Sandsteinfronten erbaut, auf die Hobart heute stolz ist. Die einstigen Waren, Walöl und Wolle, haben inzwischen jedoch Gemälden und Töpferarbeiten, Souvenirs und Schnickschnack Platz gemacht, in einigen Häusern entstanden auch Restaurants. In der Gallery Arcade unterhält der »National Trust of Tasmania« einen Laden, in dem man einen Architekturführer und andere gute Unterlagen zur Baugeschichte der Stadt erhält. Auf dem Salamanca Place findet im Sommer samstags ein beliebter Markt für Waren aller Art statt.

Salamanca Place ist der Zugang zum **Battery Point**, der wohlerhaltenen Altstadt von Hobart. Schmale Gassen winden sich über den Hügel, an dessen Landspitze einst eine Kanonenbatterie *(battery)* für den Schutz der Stadt und des Hafens sorgte. Die Kano-

nen blieben, bis auf wenige zeremonielle An-
lässe, stumm; Hobart erlebte nie Feindselig-
keiten. An handfesten Auseinandersetzun-
gen zwischen Seeleuten indes mangelte es
nicht, auch nicht, nachdem die rauhe Häft-
lingsepoche 1878 beendet war. Die berüch-
tigsten Kaschemmen lagen zwar in der Stadt
rings um das Constitution Dock, aber auch
in den Pubs am Battery Point flogen bisweilen die Fäuste. Heute sind diese Kneipen
historisch geadelt, ebenso wie die schönen
alten Häuser des Viertels, etwa die Cottages
rings um den einstigen Dorfanger, den
Arthur Circus, oder das schmucke Haus
Narryna. In dem georgianischen Gebäude
von 1836 fand das **Van Diemen's Land Folk
Museum** seine adäquate Bleibe. Auch das
Tasmanian Maritime Museum erhielt im
Secheron House von 1831 eine schmucke
Adresse am Battery Point. In der Cromwell
Street, die weiter südlich die Colville Street
kreuzt, steht eine der architektonisch inter-
essantesten Kirchen aus kolonialer Zeit, die
St. George's Anglican Church. Sie wurde

1836–47 nach Entwürfen von James Black-
burn und John Lee Archer errichtet.

Angrenzend an den Stadtteil Battery Point
liegen an der Davey Street die **Anglesea
Barracks**, die älteste Kaserne des Landes,
die noch immer von der Armee benutzt wird.
Der militärische Komplex wurde 1811 erbaut, an Werktagen kann man ihn durch-
wandern. Einige restaurierte Häuser sind
teilweise zugänglich, ansonsten ist in den
Gebäuden der Zutritt verboten.

Die parallel zur Davey Street verlaufende
Macquarie Street führt in die City zurück; an
beiden Straßen stehen viele der Bauten, die
im Architekturführer des »National Trust«
aufgelistet sind. Das Zentrum der Stadt ist
am **Franklin Square**, an der Kreuzung der
Macquarie mit der Elizabeth Street, erreicht.
An der Elizabeth Street, die zum Teil für
Autos gesperrt ist, liegt auch die **Cats &
Fiddle Arcade**, ein Einkaufszentrum, an dessen Wand stündlich ein in angelsächsischen
Ländern bekanntes Wiegenlied von beweg-
ten Figuren nachgespielt wird.

Hobart ist nach Darwin die kleinste Bundesstaatshauptstadt in Australien

Der »Tasmanian Devil« ist das inoffizielle Wappentier der Insel

Ein Block weiter liegt an der Argyle Street das **Tasmanian Museum** mit seiner Kunstgalerie. Der moderne Bau ist geschickt verbunden mit Hobarts ältestem Gebäude, dem Commissariat Store von 1808. Besonders sehenswert sind die kolonialen Gemälde in der Galerie, die Ausstellung über den ausgestorbenen (aber angeblich immer wieder gesichteten) hundeartigen *Tasmanian Tiger* und die Dokumentation zur Geschichte der tasmanischen Aborigines. Es ist eine traurige Geschichte und einer der Schandflecken in Australiens Historie: Schon bald nach Ankunft der ersten Weißen wurden die Ureinwohner vertrieben und ermordet; auf Tasmanien wurden regelrechte Treibjagden auf Aborigines veranstaltet. Schließlich beschloß die Regierung, alle überlebenden tasmanischen Aborigines auf die einsame Flinders-Insel in der Bass Strait zu deportieren. Dort kamen die meisten um, einige wenige Überlebende wurden später auf die Hauptinsel zurückgebracht. 1869 starb der letzte männliche, 1888 der letzte weibliche Aborigine. Die Frau wurde damals wie eine Jagdtrophäe präpariert und im Museum ausgestellt.

Vom Museum aus sind es nur ein paar Schritte bis zum **Constitution Dock** an der Franklin Wharf. Dieses und das benachbarte Hafenbecken, das **Victoria Dock**, werden heute hauptsächlich für Sportboote genutzt. Auf der Franklin Wharf steht ein Haus mit mehreren Fischrestaurants, die demselben Wirt gehören und ein angenehmer Platz für

fish 'n' chips zur Mittagszeit sind. Bei schönem Wetter kann man draußen sitzen und dem Hafentreiben zusehen.

Bis Port Arthur sind es von Hobart aus rund 70 Kilometer. **Cambridge**, der erste Ort jenseits der River-Derwent-Mündung, beherbergte einst den Flughafen der Hauptstadt. Heute dient die Piste des *aerodrome* nur noch zu Sightseeing-Flügen oder für kurze Verbindungsflüge in die Umgebung. Das kleine Agrarzentrum **Sorell**, einst die Kornkammer für die jungen Kolonien Van Diemen's Land und New South Wales, ist heute ein Zentrum der Lämmerzucht. Der Arthur Highway erreicht bei Dunalley die erste von zwei Meerengen, die die Halbinseln Forestier und Tasman bilden. Kurz hinter dem Übergang zur Tasman-Halbinsel bietet der **Tasmanian Devil Park** in **Taranna** die Möglichkeit, sich das inoffizielle Wappentier der Insel anzuschauen. Der »Tasmanische Teufel« ist das größte fleischfressende Beuteltier in Australien, er wird mehr als elf Kilogramm schwer. Der Nachtjäger frißt kleinere Tiere und Aas. Seinen Namen erhielt der »Teufel« wegen seines bei Bedrohung gefletschten Gebisses und Fauchens.

Auf der **Tasman Peninsula** wurde seit 1830 an einer natürlichen Hafenbucht das **Straflager Port Arthur** angelegt. Durch die beiden Meerengen konnte das Lager nahezu perfekt gesichert werden, und wegen der Haifische gab es kaum ein Entkommen, wenn man nicht gar ein Boot hatte. Überdies gab es ein Semaphor-System zwischen Port Arthur, Hobart und verschiedenen anderen Straflagern der Region, mit dem Nachrichten binnen weniger Minuten weitergegeben werden konnten, beispielsweise um zusätzliche Truppen anzufordern. Dieses System bestand aus Signalmasten, die jeweils in Sichtweite standen und deren sechs Arme verschiedene Zahlen signalisierten. Jede Zahl korrespondierte mit einem Wort im Codebuch. Eine derartige Anlage ist in Port Arthur restauriert worden.

Port Arthur gilt auch aus heutiger Sicht noch vielfach als besonders grausames Gefängnis, vor allem, weil dort fast nur Wiederholungstäter festgesetzt wurden. Aber das Lager erlebte auch Reformen, etwa im Model Prison, in dem Verbrecher in Einzelhaft saßen und mit niemandem sprechen konnten. Dieses *silent system* ersetzte die bis dato üblichen Auspeitschungen und sollte den Delinquenten die Gelegenheit geben, über ihre Taten nachzudenken. Port Arthur wurde bis 1877 genutzt, und etwa 12 500 Gefangene gingen in den 47 Jahren durch seine Zellen. Danach wurde es aufgegeben. Buschbrände richteten in den folgenden Jahren schwere Schäden an. Deshalb ist Port Arthur heute nur noch eine Ruinenstadt, deren Mauern allerdings von besonderer Eindruckskraft sind. Die Regierung gab umgerechnet rund zwölf Millionen Mark für die Restaurierung von Port Arthur aus; alle Eintrittsgebühren werden ebenfalls für den Erhalt und die Pflege der mehr als 30 Bauten verwendet.

Das vierstöckige Gefängnisgebäude, in dem bis zu 481 Häftlinge festgesetzt werden konnten, war 1845 ursprünglich als Getreidespeicher geplant worden. Es war zu seiner Zeit der größte Bau der Kolonie. Die meistfotografierten Mauern gehören der gotischen Kirche von 1836, in der bis zu 1 100 Gefangene Platz fanden; sie wurde von verschiedenen Glaubensgemeinschaften benutzt. Ein Mord während der Bauarbeiten an den Fundamenten der Kirche soll der Grund gewesen sein, daß die Kirche nie geweiht wurde. Das Gotteshaus brannte 1884 aus, als in seiner Nähe Unrat verbrannt wurde.

Das einstige Irrenhaus der Gefängnisstadt ist heute ein Museum, in dem eine Bild- und Tonschau über das Leben der Gefangenen berichtet. Während des Tages werden stündlich Führungen über das Gelände angeboten, sie sind im Eintrittspreis enthalten. Eine Extragebühr ist aber fällig für Überfahrten zur nahen **Isle of the Dead**, auf der rund 2 000 Menschen ihre letzte Ruhestätte fanden. Grabsteine erhielten allerdings nur jene Toten, die als freie Menschen starben.

---

3. Tag: Port Arthur – Launceston – Devonport (ca. 370 km)

Route/Programm:

Von Port Arthur auf dem Arthur Highway (A 9) nach Eaglehawk Neck, hier kurzer Abstecher zu Devils Kitchen an der Ostküste der Tasman Peninsula. Danach zurück nach Eaglehawk Neck und auf der A 9 bis Sorell, abbiegen Richtung Richmond und auf der B 31 weiter nach Norden. Bei Oatlands rechts abbiegen auf den Midland Highway (Hwy. 1) und über Campbell Town nach Launceston. Von hier auf dem Bass Highway (Hwy. 1) nach Devonport und zur Fähre nach Melbourne.

Service & Tips: <u>Richmond Toy Museum</u>, 22 Bridge St., Richmond, tägl. 9–17 Uhr. <u>Tasmanian Travel Centre</u>, Paterson St./St. John St., Launceston, ✆ (03) 63 36 31 33, Mo–Fr 8.45–17, Sa 9–12 Uhr. <u>Penny Royal World</u>, 147 Paterson St., Launceston, tägl. 9–16.30 Uhr, im Juli zwei Wochen geschl. <u>Owl's Nest Restaurant</u>, 147 Paterson St., Launceston, ✆ (03) 63 31 66 99, tägl. für Lunch und Dinner: Das Restaurant gehört zum »Penny Royal Watermill Motel« und ist untergebracht in einer Mühle, die 1825 im Landesinneren erbaut und 1972 in den Penny-Royal-Komplex umgesetzt worden war, $–$$. <u>Queen Victoria Museum and Art Gallery</u>, Wellington St., Launceston, Mo–Sa 10–17, So 14–17 Uhr: Sehenswerte Sammlung zu Flora und Fauna Tasmaniens. <u>National Automobile Museum of Tasmania</u>, Waverly Rd., Launceston, tägl. 9–17 Uhr. <u>Tiagarra</u>,

---

Mersey Bluff, Devonport, Sept.–April 9–16.30 Uhr, Mai–Aug. 9–16 Uhr: Das Tasmanian Aboriginal Culture and Art Centre präsentiert auf historischem Boden die Kultur der Ureinwohner. Devonport Maritime Museum, Victoria Parade, Devonport, Sommer Di–Fr und So 13–16.30, Winter 14–16 Uhr. Don River Railway and Museum, Bass Hwy. (Hwy. 1), westlich des Zentrums von Devonport im Ortsteil Don, tägl. 9–16.30 Uhr. Trans Tasman Line (TT Line), Bass Strait Ferry Terminal, Esplanade, East Devonport, Rufnummern siehe 1. Tag, S. 199: Die Fähre »Spirit of Tasmania« geht Di, Do, So um 18 Uhr von Devonport nach Melbourne, sie legt dort am nächsten Morgen um 8.30 Uhr an.

Eaglehawk Neck ist weniger als 100 Meter breit. Und dennoch hat der schmale Streifen zwischen der Eaglehawk und der Pirates Bay gewiß viel Elend gesehen. Die enge Landverbindung zwischen der Tasman- und der Forestier-Halbinsel war in den Tagen der Häftlingskolonie eine streng bewachte Grenze: Scharfe Hunde patrouillierten entlang der Zäune, Wachtposten schossen auf jene Gefangenen, die dennoch versuchten, die Sperren zu überwinden.

Unmittelbar vor der Landenge weist ein Hinweisschild nach rechts: Blowhole, Tasmans Arch und Devils Kitchen. Die drei Namen stehen für nahe beieinander liegende und besonders eindrucksvolle Abschnitte an einer ohnehin pittoresken Felsenküste, die unter der Wucht der Wogen schroffe und teilweise bizarre Formen angenommen hat. Bei dem **Blowhole** drückt die See in eine Höhle unter dem Wasserspiegel, wo sie durch einen Riß im Felsen senkrecht nach oben gepreßt wird und mit einer Fontäne an der Oberfläche erscheint. **Tasmans Arch** ist eine von der Kraft der Wellen geschaffene, mehr als 50 Meter hohe Felsenbrücke; **Devils Kitchen** nannte der Volksmund einen nahezu runden Felsenpool, in dem die Wogen sich vielfach brechen und aufschäumen wie in einem heißen Kochtopf. Einige hundert Meter weiter nördlich ist ein anderes Naturkuriosum zu besichtigen: das **Tessallated Pavement**. Dieser »Mosaikfußboden« entstand vor etwa 200 Millionen Jahren, als heiße Steinmassen aus dem Erdinneren an der Oberfläche eine quadratische Struktur schufen, die wirkt, als hätten hier Steinmetzen sorgfältig Platte an Platte gesetzt.

In Sorell biegt die Route von der bereits vertrauten Strecke Hobart–Port Arthur ab auf den Tasman Highway, der weiter nördlich entlang der tasmanischen Ostküste verläuft. Wenige Kilometer nördlich von Sorell weist ein Schild nach links, nach **Richmond**. Die geschichtsträchtige Kleinstadt entstand, nachdem 1803 während einer Expedition ins Inselinnere am dortigen Flußufer Kohlenbänke entdeckt worden waren. Aber die Siedlung, die Gouverneur William Sorell 1824 auf den Namen Richmond taufte, sollte eine ganz andere Bedeutung für die junge Kolonie bekommen: Bevor der Meeresdamm bei Midway Point gebaut wurde, war die Stadt der Platz zur Übernachtung auf den Gefangenentransporten zwischen Hobart und Port Arthur. Hier führte seit 1825 die von Strafgefangenen erbaute Richmond Bridge über den Coal River – die älteste Steinbrücke Australiens. Jenseits des Flusses wartete seit demselben Jahr ein Gefängnis auf die reisenden Häftlinge – es ist fünf Jahre älter als Port Arthur. Die heute sorgfältig restaurierten Zellen des **Old Gaol** haben einige prominente Häftlinge beherbergt, beispielsweise Isaac »Izzy« Solomons. Der Londoner Hehler, Betrüger und Bordellwirt soll Charles Dickens als Vorbild für den Ganoven Fagin in seinem »Oliver Twist« gedient haben.

Mit der Fertigstellung des Damms bei Midway Point fiel Richmond in Bedeutungslosigkeit, was erheblich dazu beitrug, daß die Kleinstadt weitgehend unverändert blieb. Heute sind ihre georgianischen Bauten, ihre St. John's Church von 1836 (die älteste katholische Kirche des Kontinents), ihre ebenso alte anglikanische St. Luke's Church und ihr General Store aus demselben Jahr, Grund für den blühenden Tourismus, von dem die kleine Stadt in der Nähe von Hobart gut leben kann. Davon zeugen ein **Toy Museum** und **Old Hobart Town**, eine Modellstadt, die nach historischen Bauplänen entstand. In vielen der historischen Bauten sind inzwischen Restaurants, Galerien und Touristen-Shops entstanden. Die Hauptattraktion ist jedoch die 1823 begonnene **Richmond Bridge**.

Über **Campania** und das 1967 bei einem Buschfeuer beinahe vernichtete **Colebrook** geht es weiter nördlich durch das Tal des Coal River, ehe südlich von Oatlands der **Midland Highway** erreicht ist. Er ist die meistbefahrene Straße Tasmaniens und verbindet Hobart mit den Städten der Nordküste. **Oatlands'** Wahrzeichen ist der 16 Meter hohe Turm der 1837 erbauten Callington Mill, in der einst bis zu 800 Kilogramm Weizen pro Stunde gemahlen wurden. Die heute flügellose Mühle arbeitete mehr als 60 Jahre mit Windkraft. Oatlands, 1827 als Militärposten gegründet, ist nicht nur auf seine Mühle stolz, sondern auch auf seine 87 Sandsteinbauten aus dem 19. Jahrhundert. Kein australisches Dorf hat mehr. Das Gerichtsgebäude (Court House) von 1829 und das Gefängnis von 1835 gehören zu den bekanntesten der historischen Bauwerke.

Knapp 25 Kilometer weiter nördlich liegt etwas abseits der Hauptstraße das Dorf **Tunbridge**, das im 19. Jahrhundert einige Bedeutung als Kutschenstation auf der Route Hobart–Launceston hatte. Das »Victoria Inn« versorgte damals schon die Reisenden, von denen aber die frommen Beter in der Kapelle nicht abgelenkt werden sollten. Deshalb hat das Gotteshaus, genannt Blind Chapel, keine Fenster.

Das nächste historische Städtchen an der geschichtsreichen Route ist **Ross**. An der Kreuzung zweier Hauptstraßen und an einer steinernen Brücke über den Macquarie River gelegen, war die Stadt Mitte des 19. Jahrhunderts ein wichtiger Verkehrsknoten-

punkt. Dank einer Umgehungsstraße sind Städtchen und Kreuzung heute beschaulich und ruhig, wenn nicht gerade mehrere Touristenbusse angehalten haben.

Das Schaustück der kleinen Stadt ist ihre Brücke aus honiggelbem Sandstein. Sie ist aufgrund ihres Baujahres 1836 zwar nur die drittälteste des Kontinents, aber wesentlich schöner als die schlichte Brücke von Richmond. In Ross brachte der gefangene Steinmetz und Bildhauer Daniel Herbert insgesamt 186 Verzierungen an. Dennoch wirkt die Brücke nicht überladen. Herbert wurde für seine Arbeit mit der Freiheit belohnt. Er ist begraben auf dem Friedhof von Ross, der ursprünglich für die Toten der Militärgarnison angelegt worden war.

Am einstigen Hauptquartier des für die Gefangenenbewachung zuständigen 50. Ordinance Corps ist noch das Wappen des Regiments zu sehen. An die Soldaten erinnert nur noch das **Militaria Museum**; heute sorgen Touristen für Umsatz in der kleinen Stadt, insbesondere in den Restaurants und Läden entlang der ulmengesäumten Hauptstraße. Die zweite Einnahmequelle der Einwohner von Ross ist die weltweit geschätzte feine Wolle ihrer Schafe, deshalb ist hier auch der rechte Ort für ein Wollmuseum, das Tasmanian Wool Centre.

Knapp zehn Kilometer weiter nördlich liegt **Campbell Town**, eine andere Garnisonsstadt aus dem ersten Drittel des 19. Jahrhunderts. Auch hier führt eine von Gefangenen erbaute Brücke über den Fluß, auch hier gibt es zahlreiche Steinbauten aus jener Epoche anzuschauen, etwa die drei historischen Kirchen und die zwei ebenso geschichtsträchtigen Kneipen, das »Powell's Hotel« von 1834 und das »Campbell Town Inn« von 1840. Ebenso alt ist die Grange, heute im Besitz des »National Trust«, einst das Heim des Wissenschaftlers William Valentine. Er führte 1847 mit einem Freund in Launceston das erste Telefongespräch südlich des Äquators; die beiden Freunde hatten die Telefone nach Zeichnungen von Alexander Graham Bell gebaut. Campbell Town hat aber noch einen berühmteren

Sohn – ein Denkmal mit einem stilisierten Globus erinnert an ihn: Harold Gatty diente 1931 dem amerikanischen Piloten Wyllie Post als Navigator bei dessen Rekordflug um die Welt. Gatty gründete später die Südsee-Fluglinie »Fiji Airways«.

Knapp 70 Kilometer weiter nördlich erreicht der Midland Highway die zweitgrößte Stadt Tasmaniens, **Launceston**. Am südlichen Stadtrand biegt die Hobart Road in den Vorort Franklin Village ab, wo das 1838 errichtete georgianische Franklin House steht. Der »National Trust« verwaltet heute das schöne und zeittypisch eingerichtete Herrenhaus, das ein wohlhabender Brauer und Wirt erbauen ließ. Die Hobart Road führt weiter ins Zentrum der rund 67 000 Bewohner zählenden Stadt. Sie liegt am Ende einer tief ins Land reichenden Meeresbucht, dem River Tamar. Dieser allmählich in Salzwasser übergehende Fluß wird in Launceston vom North und vom South Esk River gebildet.

Am Zusammenfluß beider Ströme erwartet den Besucher Launcestons bekannteste Attraktion, die **Cataract Gorge Reserve**, ein Busch- und Naturreservat, das nur wenige Schritte vom Stadtzentrum entfernt liegt. Mehrere Wanderwege durchziehen die Schlucht, die im oberen Teil in mehrere Seen und in einen Staatspark übergeht. In dem Park erlaubt eine Cable-Hang-Gliding-Anlage, einmal das Fliegen an einem Delta-Drachen gefahrlos zu erproben: Die Fluggeräte werden mit einem Kabel gegen den Absturz gesichert. Wer lieber sitzend auf Luftfahrt geht, sollte ein Ticket für die weltlängste Sesseldrahtseilbahn ohne Zwischenträger erwerben; sie überspannt die Granitschlucht.

Am Eingang zur Schlucht liegt der sehenswerte Themenpark **Penny Royal World**, gebildet aus alten Wasser- und Windmühlen, die zuvor in anderen Landesteilen standen, und aus historischen Werkstätten der Radmacher, Schmiede oder anderer Handwerker. Die letzte elektrische Tram der Stadt rollt durch das Gelände zu einer Schießpulverfabrik und zu einem historischen Steinbruch. Die »Mole Hill Fantasy« zeigt nicht nur die vier Jahreszeiten in einer englischen Landschaft, sondern auch die unterirdische Welt der Maulwürfe. Der Raddampfer »Lady Stellfox« legt hier ab zu Fahrten in die Schlucht und über den River Tamar.

Die Windmühle von Launceston – standhaft gegen die Winde der »Roaring Forties«

Launceston ist das führende regionale Wirtschaftszentrum und lebt deshalb nicht nur vom Tourismus. Die wachsende Bedeutung des Fremdenverkehrs für die Stadt zeigt sich aber auch in der Tatsache, daß hier das zweite Spielkasino der Insel eröffnet wurde. Touristen stellen auch das größte Besucherkontingent im **Queen Victoria Museum and Art Gallery**. Bekannt ist es für seine Sammlung zum Tier- und Pflanzenleben Tasmaniens und für seine Kollektion kolonialer Gemälde. Das Museum birgt auch ein chinesisches Joss-Haus und ein Planetarium. Wenig bekannt ist hingegen das Community History Museum, ein auf die Ortsgeschichte spezialisierter Annex des Queen Victoria Museum. Auch das Macquarie House am Civic Square, ein Lagerhaus von 1830, wird vom Queen Victoria Museum verwaltet; in diesem Lager wurden die Expeditionen auf das Festland zusammengestellt, die zur Gründung von Melbourne führten.

Das **National Automobile Museum of Tasmania** zeigt entgegen seinem Namen nicht nur australische, sondern auch überseeische Fahrzeuge aus den jungen Jahren des Autos. Technisch interessierte Launceston-Besucher können auch ein wenig Zeit für Australiens älteste Wollweberei, die Waverly Woollen Mills, einplanen. Sie arbeitete seit 1874 an derselben Stelle und zeigt, wie aus Schafvliesen schrittweise Textilien werden. Ähnliches bieten die Tamar Knitting Mills.

Die weitere Strecke nach Devonport führt zuerst wieder in südlicher Richtung aus der Stadt heraus, bald biegt jedoch der Bass Highway nach Westen ab. In **Hadspen**, 15 Kilometer westlich von Launceston, lebte Thomas Reibey, Sohn einer reichen Geschäftsfrau, die im Alter von 13 Jahren nach Australien verbannt worden war, und des ersten Erzdiakons der anglikanischen Kirche in Launceston. Reibey verließ später die Kirche, er war 1876 kurzfristig tasmanischer Premierminister. Sein Haus »Entally« (1820) ist ein schönes Beispiel kolonialer Baukultur; Hadspen besitzt aber auch noch einige andere historische Bauten, beispielsweise

das »Red Feather Inn«, eine Kutschenstation von 1845, und das Ortsgefängnis. Die anglikanische Church of the Good Shepherd wurde noch zu Reibeys Zeiten begonnen, er wollte die Baukosten übernehmen. Nach einem Krach mit dem Bischof zog er allerdings seine Zusage zurück, und so dauerte es bis 1961, ehe die Kirche fertiggestellt werden konnte.

Die nächste größere Stadt ist **Deloraine** vor der spektakulär aufragenden Felsflanke der Great Western Tiers. Deloraine hat eine Reihe historischer Bauten aus der ersten Hälfte des 19. Jahrhunderts vorzuweisen. Ein Verwandter des britischen Dichters Sir Walter Scott erforschte um 1820 die Region, und vermutlich verdankt ihm die Stadt ihren Namen: Deloraine ist ein Name in Scotts »Lay of the Last Minstrel«. Die Kleinstadt liegt auf halber Strecke zwischen Launceston und Devonport, dem Fährhafen zum Festland.

Devonport, die Stadt beidseits der Mündung des Mersey River, entstand erst 1890, als sich die beiden Uferstädte Formby (Westufer) und Torquay (Ostufer) vereinten. Die Region war schon lange vor Ankunft der Europäer von Aborigines besiedelt, wie zahlreiche Felszeichnungen am Mersey Bluff, einem Berg nahe der Mündung, beweisen. Deshalb war es ein passender Ort für **Tiagarra**, das Tasmanian Aboriginal Culture and Art Centre. Es zeigt über 2 000 Exponate. Ähnlich gut bestückt ist das **Maritime Museum**, dessen Stolz eine Sammlung von Segelschiffmodellen ist. Dem Transport zu Lande widmet sich hingegen das **Don River Railway Museum**, das eine der größten Dampfloksammlungen Australiens präsentiert.

Die Fähre legt pünktlich um 18 Uhr am östlichen Ufer des Mersey River ab. Während der Nachtstunden durchquert das hochaufragende weiße Schiff die rauhe Bass Strait. Wenn es mit dem Morgengrauen die enge Einfahrt in die Port Phillip Bay passiert, wird die See spürbar ruhiger. Um 8.30 Uhr macht die Fähre »Spirit of Tasmania« in Melbourne fest. ❖

Serviceteil

Australien auf einen Blick

Australien ist ein Inselkontinent auf der südlichen Hemisphäre zwischen dem Indischen Ozean im Westen und dem Pazifik im Osten. Das Land hat eine Fläche von gut 7,68 Millionen Quadratkilometern und ist damit der sechstgrößte Staat der Erde. Die Fläche entspricht in etwa der der USA ohne Alaska, Deutschland ließe sich mehr als 21 mal auf der Fläche Australiens unterbringen.

Der fünfte Kontinent hat eine Küstenlänge von nahezu 47 000 Kilometern, die Ausdehnung in Ost-West-Richtung beträgt etwa 4 000 Kilometer, in Nord-Süd-Richtung rund 3 200 Kilometer. Die nächsten

Schwemmland bei Wyndham im äußersten Norden von Western Australia

◁ *Spinifex wuchert überall im Outback*

213

Serviceteil 5

Nachbarn sind Papua-Neuguinea im Norden und Neuseeland im Osten. Das Land ist politisch in sieben Bundesstaaten aufgeteilt: Western Australia (Hauptstadt Perth), Northern Territory (Darwin), Queensland (Brisbane), New South Wales (Sydney), Victoria (Melbourne), Tasmania (Hobart) und South Australia (Adelaide). Die Bundeshauptstadt Canberra liegt in einem selbstregierten Distrikt, dem Australian Capital Territory, abgekürzt ACT. Eine Reihe kleinerer Inseln im Indischen Ozean, im Pazifik und Südpolarmeer gehören als bundesverwaltete Territorien zu Australien; das Land erhebt auch Anspruch auf einen Sektor der Antarktis.

Australien ist – nach der Antarktis – der trockenste Kontinent, es ist auch der flachste aller Erdteile. Die höchsten Berge befinden sich in der Great Dividing Range, ein Gebirge, das sich an der gesamten Ostküste Australiens entlangzieht. Die höchste Erhebung ist der Mount Kosciuszko mit 2 228 Metern. Eine wesentlich niedrigere Gebirgskette befindet sich auch an der Westküste, im Landesinneren gibt es nur vereinzelte Bergzüge, die bekanntesten sind die MacDonnell Ranges bei Alice Springs und die Grampians im westlichen Victoria. Typisch für das Landesinnere sind unvermittelt aus der Ebene ragende

Felsen wie der Ayers Rock; es sind Bergspitzen eines ansonsten versandeten Gebirges.

Der größte Teil Australiens besteht aus trockener Steppe und dürrem Buschland, dem sogenannten Outback. Der Norden des Kontinents ist durch tropisch-feuchte Regenwälder gekennzeichnet. Die für Besiedlungen günstigste Landschaftszone erstreckt sich zwischen Brisbane an der Ostküste und Adelaide an der Südküste, in diesem Gebiet, in dem auch Sydney und Canberra liegen, leben rund 85 Prozent aller Australier. Einen weiteren Bevölkerungsschwerpunkt bildet Perth mit gut einer Million Bewohnern. Der Rest des Landes ist extrem dünn besiedelt.

Da sich Australien nach der urgeschichtlichen Trennung von anderen Erdteilen in völliger Isolation weiterentwickelte, gibt es zahlreiche Tiere und Pflanzen, die auf den sonstigen Kontinenten nicht vorkommen. Bekannt sind die großen Salzwasser-Krokodile, die man nur noch in Papua-Neuguinea trifft, die Känguruhs mit ihren zahllosen kleineren Verwandten, die Koalas und die Emus. Weniger bekannt sind im Ausland hingegen Schnabeltier und Schnabeligel, die einzigen eierlegenden Säugetiere der Welt. Die Pflanzensymbole des Landes sind Eukalyptus- und Akazienbäume, Gum Trees und Wattle Trees. Sie wachsen in Australien in Dutzenden unterschiedlichen Arten, das dunkle Grün der Eukalyptusblätter und das leuchtende Gelb der Akazienblüten sind die offiziellen Landesfarben, deshalb treten Australiens Sportler in diesen Farben an. Weite Teile Australiens bieten aber auf sandigen oder kal-

Die Devils Marbles, »die Murmeln des Teufels«, nördlich von Alice Springs

Wintersport in »Down under«: die Snowy Mountains im Südosten des Kontinents

kig-kargen Böden den Bäumen wenig Halt und sind dort entsprechend selten. Im Outback wachsen oft nur noch Büsche und kleinere Pflanzen. Dennoch liefern viele von ihnen den Aborigines nahrhaften *bush tucker*, eßbare Gewächse aller Art, die sich wegen ihres gesundheitlichen Werts in letzter Zeit auch zunehmender Beliebtheit bei den weißen Australiern erfreuen.

Die früher wenig beachtete Kultur der Ureinwohner hat im Tourismus eine wachsende Bedeutung gefunden, denn vor allem Besucher aus Europa interessieren sich sehr für die Lebensweise und die Kunst der Aborigines. Insgesamt ist der Tourismus einer der besonders stark wachsenden Wirtschaftszweige, der auch in relativ entlegenen Gebieten Arbeitsplätze schafft. Die bedeutendsten Wirtschaftszweige sind Industrie, Bergbau und Landwirtschaft, die größten Devisenbringer sind Bodenschätze, vor allem Kohle und Eisenerz, und Ausfuhrware wie Wolle, Lammfleisch und Getreide.

Immer wichtiger werden heutzutage Dienstleistungen, neben dem Tourismus betrifft dies vor allem den Bildungssektor: Immer mehr junge Leute aus Südostasien und Ozeanien studieren an australischen Universitäten, oft mit Stipendien ihrer Heimatländer. Dieses Geschäft ist nicht nur einträglich, es verbessert auch die politischen Kontakte zu den asiatischen Ländern, die Australien noch bis in die 70er Jahre hinein weitgehend ignorierten. Zu den erfolgreichen Dienstleistungen gehört auch das Engagement der Universitätskliniken und anderer medizinischer Einrichtungen.

An- und Einreise

Zur Einreise in Australien ist neben einem Reisepaß (er muß noch drei Monate gültig sein) ein Visum notwendig. Es wird für Touristen gratis ausgestellt, ist in der Regel ein Jahr gültig und gestattet mehrere Aufenthalte von jeweils maximal drei Monaten. Viele Fluglinien besorgen das Touristenvisum beim Ticketkauf auf elektronischem Weg, ansonsten wendet man sich am besten an die Visa-Abteilung der diplomatischen Vertretungen.

In Deutschland: Australische Botschaft, Godesberger Allee 105–107, 53175 Bonn, ✆ (02 28) 8 10 30. Telefonische Visa-Auskünfte, auch für Geschäftsreisende oder für Besucher, die einen längeren Aufenthalt planen, erteilt die Botschaft unter ✆ (02 28) 8 10 35 40.

In Österreich: Australische Botschaft, Mattiellistr. 2–4, A–1040 Wien, ✆ (01) 5 12 85 80.

In der Schweiz: Australisches Generalkonsulat, 56–58 Rue de Moillebeau, CH–1211 Genève 19, ✆ (02 22) 9 18 29 00.

Zur Anreise mit dem Flugzeug benötigt man je nach Route 21 bis 25 Stunden mit einer Zwischenlandung. Die Entfernung via Amerika ist etwas größer als die Route über Asien, beide lassen sich vergleichsweise preiswert zu einem Flug um die Welt verbinden. Sowohl in Asien als auch in Ozeanien und Amerika lassen sich attraktive Zwischenstopps einlegen, oft gibt es dafür bei den Fluggesellschaften günstige Pauschalangebote.

Da Australien als Agrarland Tier- und Pflanzenseuchen außerordentlich fürchtet, ist es strikt verboten, Lebensmittel und andere landwirtschaftliche Produkte einzuführen. Entsprechend trainierte Schnüffelhunde kontrollieren das bei häufigen Stichproben auf den Flughäfen, wer dabei erwischt wird, muß mit einer ziemlich hohen Strafe rechnen. Noch höhere Strafen stehen auf der heimlichen Einfuhr von Rauschgiften und Waffen.

Auskunft

Die »Aussie Helpline« liefert unter der Telefonnummer ℡ (0 69) 95 09 61 73 (Österreich: ℡ (06 60) 89 02, Schweiz: ℡ (0 18) 38 53 30) alle touristischen Informationen zu Australien, dort kann man auch Broschüren bestellen. Die Helpline ist Mo–Fr 9.30–17 Uhr besetzt. Es gibt Überlegungen, diese Telefonauskunft wieder einzustellen. Sollte das eintreffen, helfen die Touristikbüros weiter.

Die Australian Tourist Commission ist für das ganze Land zuständig: Australien Tourist Commissi-

on, Neue Mainzer Str. 22, 60311 Frankfurt/Main, ℡ (0 69) 27 40 06 20, Fax (0 69) 27 40 06 40.

Einige Bundesstaaten unterhalten darüber hinaus eigene Informationsbüros: Northern Territory Tourist Commission, Bockenheimer Landstr. 45, 60325 Frankfurt/Main, ℡ (0 69) 72 07 14, Fax (0 69) 72 36 51.

Queensland Tourist and Travel Corporation, Neuhauser Str. 27, 80331 München, ℡ (0 89) 2 60 96 93, Fax (0 89) 2 60 35 30.

South Australian Tourism Commission, c/o Mangum Management GmbH, Herzogspitalstr. 5, 80331 München, ℡ (0 89) 23 66 21 37, Fax (0 89) 2 60 40 09.

Tourism Victoria, Bert-Brecht-Str. 5, 64354 Reinheim, ℡ (0 61 62) 8 55 50, Fax (0 61 62) 8 55 59.

Automiete/Autofahren

Alle gängigen internationalen Auto-Vermietfirmen sind auch in Australien vertreten, auf den internationalen Flughäfen haben sie Schalter. Die Mietpreise liegen in der Regel etwas höher als in Deutschland. Regionale Vermieter haben oft günstigere Preise. Die Autos werden normalerweise ohne Kilometerbegrenzung vermietet. Sie müssen aber am Mietort zurückgegeben werden, eine Rückgabe an einem anderen Ort erhöht meistens die Mietkosten.

Einige Autovermieter bieten auch Wohnmobile oder geländegängige Fahrzeuge mit Allradantrieb an, die in der Miete teurer sind. Die meisten Vermie-

Australiens Überlandstraßen sind fast immer in gutem Zustand

ter untersagen das Fahren abseits geteerter Straßen, wenn man keinen Geländewagen fährt. Wer sich nicht an diesen Vertrag hält, verliert den Versicherungsschutz. Das gilt gleichermaßen für *tracks*, wie die Wildnispisten genannt werden, wie für *dirt roads*, unbefestigte Straßen, die aber regelmäßig mit Maschinen eingeebnet werden. Asphaltierte Straßen heißen *sealed roads* oder *bitumen roads*.

Die Mieter müssen mindestens 21 Jahre alt sein und einen gültigen nationalen Führerschein vorlegen. Wenn eine zweite Person ebenfalls fahren soll, muß sie bei der Anmietung in die Unterlagen eingetragen werden.

In Ortschaften liegt die Höchstgeschwindigkeit in der Regel bei 60 km/h und auf Landstraßen bei 100 oder 110 km/h; Radarkontrollen sind häufig, auch aus entgegenkommenden Polizeiwagen. Im Northern Territory gibt es außerhalb der Städte, sofern nicht anders angezeigt, kein Tempolimit. Die Alkohol-Höchstgrenze liegt bei 0,5 Promille. Auch dies wird, vor allem in städtischen Gebieten und im Outback am Wochenende, nachdrücklich kontrolliert.

Die Preise für Benzin und Diesel unterscheiden sich in den verschiedenen Regionen Australiens erheblich, im Outback machen sich so die höheren Transportkosten bemerkbar. In den großen Städten sind Treibstoffe meist etwas preiswerter als in Deutschland. Die Tankstellen messen in Liter, alle Entfernungen werden in Kilometer angegeben.

Australiens britisches Erbe zeigt sich im Straßenverkehr: Es wird links gefahren. Ansonsten gelten weitgehend dieselben Verkehrsvorschriften wie in Mitteleuropa. Allzuviel Rücksichtnahme seitens der australischen Autofahrer sollte man nicht erwarten, sie sind aber auch nicht ruppiger als deutsche Verkehrsteilnehmer. Allerdings wird man im Gegensatz zu unseren Breiten selten beschimpft.

Essen und Trinken

Die zwei Jahrhunderte lang prägende englische Küche mit all ihren Schrecken hat nur noch in entfernten Outback-Nestern überlebt. In den Städten kann man inzwischen dank innovativer junger Köche und vorzüglicher Naturprodukte sehr gut speisen, auch in Restaurants mittlerer und unterer Preisklasse. Wo noch das alte Küchenregime herrscht, ist die Flucht in die fast immer gut genießbaren *fish'n' chips* zu empfehlen. Traditionelle Gerichte sind die *roasts*, Rinder- oder Lammbraten, die jetzt auch rosa gebraten werden. Die früher meist zerkochten Gemüse sind nun knackig, und Salate werden auch nicht mehr ohne Dressing serviert. Das gesunde Känguruhfleisch findet allmählich seinen Weg auf australische Teller. Zu den Standardzutaten fast aller Gerichte gehört immer noch die *tomato sauce*, für die anscheinend jede zweite australische Hausfrau ein Geheimrezept hat.

Barbecue, abgekürzt BBQ, im Outback

Wenn man zu einem Australier nach Hause eingeladen wird, findet man sich meist bei den beliebten Barbecues wieder. Entsprechend sportlich-locker ist auch die Kleidung. Als kleines Gastgeschenk ist eine Flasche Wein passend. Blumen für die Gastgeberin sind zwar immer noch ungewöhnlich, aber die Damen schätzen in der Regel solchen *old world charme*. In besseren Gaststätten geht es, bezogen auf die Kleidung, etwas förmlicher zu, oft reicht aber für männliche Gäste ein Sakko ohne Schlips. In Restaurants mit dem Hinweis BYO (»bring your own«) bringt man seine eigenen alkoholischen Getränke mit, der Wirt legt sie – bisweilen gegen ein kleines Entgelt – kühl, stellt die Gläser und entkorkt die Flaschen. Das macht den Abend nicht nur preiswerter, es gibt auch die Möglichkeit, mit dem Lieblingswein oder der bevorzugten Biermarke einzukehren.

Die Australier gehören zu den Weltmeistern im Bierkonsum. Im Gegensatz zur altenglischen Art wird australisches Bier eiskalt getrunken, meist direkt aus der Büchse oder der kleinen Flasche. In tropischen Regionen werden diese oft in kleine Kühlmanschetten gesteckt. Fast jede Kneipe hat seine eigenen bedruckten Kühler, dies sind ebenso beliebte Souvenirs wie T-Shirts mit Pub-Aufdruck oder *tea towels*, Küchenhandtücher mit Motiven der jeweiligen Kneipe. Wer auf ein Glas Wert legt, erhält es kalt aus dem Eisschrank. Im tropischen Norden werden so auch die Weingläser gekühlt. Zur Kneipen-Etikette gehört es, sich mit einer Runde zu revanchieren, wenn die

Stars und Union Jack – die Flagge Australiens

217

anderen im Kreis eine Runde spendiert haben. In manchen Outback-Kneipen kann es etwas rauh zugehen, weibliche Reisende werden sich dort nicht immer wohlfühlen. Typische Aborigines-Pubs meidet man besser, weil es dort häufig zu Schlägereien kommt.

Feiertage/Feste

Australien hat relativ wenig landesweite Feiertage: Neujahr, der Nationalfeiertag »Australia Day« am 26. Januar, der Nationalfeiertag »Australia Day« am 26. Januar, die beiden Ostertage, der Anzac Day am 25. April zur Erinnerung an die Kriegstoten und die beiden Weihnachtsfeiertage. Hinzu kommen einige regionale Festtage; der Labour Day wird zwar in ganz Australien gefeiert, aber je nach Staat an einem unterschiedlichen Tag.

Zu den Höhepunkten des Fest- und Veranstaltungskalenders gehören im Januar das »deutsche« Schützenfest im südaustralischen Hahndorf und die Australian Open in Melbourne für die besten Tennisspieler der Welt. Im Februar zelebriert Sydney seinen schrillen Gay & Lesbian Carnival, das größte Fest dieser Art, das nicht nur Homosexuelle beiderlei Geschlechts anzieht. Im März gehen in Melbourne die Formel-1-Piloten mit ihren Rennwagen auf den

Kunst zum Anfassen in Geelong westlich von Melbourne

Kurs. Der April ist das Datum für das Rocks Festival in Sydneys ältestem Stadtteil, im Mai veranstaltet Alice Springs seine Kamelrennen. Der Juni sieht in Darwin die Regatta der Wasserfahrzeuge, die aus leeren Bierbüchsen entstanden, im Wintermonat August ist es etwas ruhiger im Land, aber im September stehen in vielen Städten die sehr populären Landwirtschaftsausstellungen *(royal shows)* an. Im Oktober gehen die Teams zur Henley-on-Todd-Regatta im trockenen Flußbett von Alice Springs an den Start, im November halten die Nation und Millionen Wettzocker den Atem an, wenn das Melbourne Cup Race läuft. Weihnachten wird angesichts der hochsommerlichen Temperaturen gerne mit einem Picknick am Strand gefeiert.

Geld

Der australische Dollar (A$) ist in hundert Cents unterteilt. Neben kleineren Geldstücken gibt es Münzen im Wert von ein und zwei Dollar. Die Geldscheine sind gestückelt in 5, 10, 20, 50 und 100 Dollar. Fast überall im Land kann man mit den gängigen Kreditkarten bezahlen. An den internationalen Flughäfen und in den Großstädten sowie in touristischen Zentren werden Deutsche Mark und Schweizer Franken problemlos gewechselt, Österreichische Schillinge sind nicht bekannt. Die Banken sind montags bis donnerstags von 9.30–16, freitags von 9.30–17 Uhr geöffnet. In touristischen Orten gibt es auch – teurere – Wechselstuben, die am Wochenende geöffnet haben.

Kinder

Australiens Hotels und Verkehrsunternehmen sind generell kinderfreundlicher als deutsche, was Reisen mit dem Nachwuchs angenehm macht. Kinder bis zum Teenager-Alter können in den Hotelzimmern ihrer Eltern meistens gratis mitübernachten, für kleine Kinder werden auch spezielle Betten in die Zimmer gerollt. Viele Hotels können Babysitter organisieren. Wegen der hohen Flugkosten trifft man allerdings recht selten Urlauber aus Übersee, die ihre Kinder dabei haben. Ein Teil der Kosten lassen sich im Wohnmobil-Urlaub wieder einsparen. Auf den Camping-Plätzen finden sich fast immer australische Spielgefährten.

Klima/Reisezeit

Auf der Südhalbinsel sind, verglichen mit dem Norden, die Jahreszeiten »umgedreht«, das heißt, Dezember und Januar sind Hochsommer-Monate, Juli und August ist die kälteste Zeit des Jahres. Anders stellt sich die Klimalage nördlich des *Tropic of Capri-*

Känguruh-Begegnung am Wegesrand

corn dar. Der Wendekreis des Steinbocks ist die Grenze zu den Tropen. Im Norden wird es nie richtig kalt, er kennt aber die *wet* und die *dry*. In der Regenzeit zwischen November und März werden hohe Niederschläge gemessen, Gewitter mit Wolkenbrüchen sind keine Seltenheit. Selbst große Straßen sind dann bisweilen ein oder zwei Tage gesperrt. Im trockenen Landesinneren kann es im Winter nachts sehr kalt werden.

Aus diesen Klimadaten ergeben sich auch die besten Reisezeiten. Zu beachten sind aber auch die Ferienzeiten, insbesondere die großen Ferien in der zweiten Dezemberhälfte und im Januar. In diesen Wochen sind Hotels, Flugzeuge und Mietwagen meist ausgebucht. Es ist günstiger, vor und nach dieser Saison zu reisen: Das Wetter ist gut, die Preise sind niedriger. Für die Tropen sind die trockenen australischen Wintermonate die Hauptreisezeit, das ist trotz kühler Nächte auch eine gute Zeit für das trockene Landesinnere. Denn im australischen Sommer kann es dort unerträglich heiß werden.

Maße und Gewichte

Die Umstellung Australiens von alten britischen auf die Dezimal-Maße und Gewichte ist abgeschlossen. Es gelten also die uns vertrauten Maße und Gewichte, auch die Temperaturen werden in Celsius gemessen.

Medizinische Versorgung

Australiens medizinische Fakultäten haben einen sehr guten Ruf, deshalb lassen sich dort Studenten aus aller Welt ausbilden. Entsprechend gut ist auch die medizinische Versorgung in den Städten, und auf dem Land ist es meist nicht weit bis zu einem Arzt. Im Outback fliegen in Notfällen Ärzte des Royal Flying Doctor Service ein. Aus finanziellen Gründen empfiehlt sich aber vor der Reise der Abschluß einer Auslands-Krankenversicherung. Deutschsprechende Ärzte, sofern vorhanden, können die Deutschen Konsulate in den Millionenstädten und die Deutsche Botschaft in Canberra (119 Empire Circuit, Canberra/Yarralumla, ☎ (02) 62 70 19 11) vermitteln. In Australien gibt es keine Seuchen, keine Malaria etc., deshalb sind auch Schutzimpfungen weder notwendig noch vorgeschrieben, sofern man nicht aus Seuchengebieten einreist.

Post

Die australische Post hat ein relativ dichtes Filialnetz, in Vororten sind die Postschalter oft Teil eines Geschäftes für Schreibwaren und ähnliches. Briefmarken werden auch in vielen anderen Geschäften verkauft. Für Sammlermarken gibt es in den Großstädten Extraschalter bei den Postämtern. Man kann auch Briefe bei der Post (in den Städten 9–17 Uhr

219

Die Damen-Konfektionsgrößen 10, 12, 14 usw. entsprechen den europäischen Maßen 38, 40, 42 usw. – in der Herren-Konfektion entsprechen die Maße 87, 92, 97, 102 usw. den Europa-Maßen 44, 46, 48, 50 usw.

geöffnet) hinterlegen lassen, im Hauptpostamt von Sydney läßt sich sogar per Computer feststellen, ob Briefe hinterlegt sind. Luftpostsendungen von Australien nach Mitteleuropa dauern etwa eine Woche, die preiswertere Schiffspost *(surface mail)* braucht bis zu acht Wochen.

Shopping

In der Regel sind die Geschäfte 9–17.30 Uhr geöffnet, auf dem Land oft nur bis 17 Uhr. In den Städten gibt es mindestens einen »langen Abend« pro Woche, meist donnerstags oder freitags. Dann sind die Geschäfte bis 21 Uhr geöffnet. In den Großstädten und touristischen Hauptpunkten werden auch zunehmend sonntags Einkaufszentren geöffnet. Alle Städte haben populäre Märkte und Trödeltreffen, über die Zeiten und Orte informieren die lokalen Touristikbüros.

Sicherheitshinweise

Australien ist insgesamt ein sicheres Reiseland, aber es ist nicht empfehlenswert, Wertsachen im Auto oder im Hotelzimmer liegenzulassen. In den großen Städten gibt es, wie überall auf der Welt, No-go-Zonen, die Hotelportiers informieren gerne darüber.

Gefahren ergeben sich, wie in den westlichen Ländern, vor allem im Straßenverkehr. Lange Fahrten auf einsamen Straßen in gleißender Sonne ermüden schnell, deshalb sind häufige Stopps wichtig. Viele Touristen verunglücken wegen Müdigkeit am Steuer. Überlandfahrten bei Dämmerung und Dunkelheit bergen die zusätzliche Gefahr, mit Känguruhs zusammenzustoßen.

Eine ganz andere Gefahr ist durch die starke Sonneneinstrahlung gegeben. Cremes und andere Mittel mit hohem Lichtschutzfaktor sind ebenso unabdingbar wie Kopfbedeckungen, T-Shirts (auch beim Schnorcheln) und Sonnenbrillen.

Touristen-Karawane am Strand von Broome in Western Australia

Die bekanntesten, aber statistisch kaum ins Gewicht fallenden Gefahren Australiens sind seine wilden Tiere. Auf dem Kontinent leben zwar viele Schlangen und darunter einige der giftigsten der Welt, dennoch sieht man als Tourist wenig Schlangen, weil die Tiere sehr scheu sind. Empfehlenswert sind für Wanderungen jedenfalls feste Lederstiefel. In tropischen Gewässern sollte man auf die auffällig geringelte Wasserschlange achten, sie flüchtet zwar vor Menschen, ist aber im Falle eines Falles tödlich giftig.

Offensichtlich lauern die größten Gefahren im Wasser oder kommen aus ihm: Haie sind vor Australiens Küsten nicht gerade selten; in den Korallenrevieren gibt es auch giftiges Getier wie die Blauring-Kraken, die wunderschönen Rotfeuerfische oder die am Boden kaum auszumachenden Steinfische. Zu den übelsten Gesellen der See gehören die Box Jelly Fishes, die entgegen ihrem Namen keine Fische, sondern Quallen mit bis zu zehn Meter langen Tentakeln sind. Ihr Gift ist sehr oft tödlich, deshalb werden im Norden und Nordosten die Strände gesperrt, wenn die auch *sea wasps* genannten Quallen vor der Küste treiben. Last not least bleiben noch die *salties*, die Salzwasser-Krokodile, in den tropischen Gewässern zu erwähnen.

Die Australier gehören zu den Weltmeistern im Bierkonsum

Sport und Erholung

Australier sind gewaltige Sportenthusiasten, Cricket, Football Australian Rules (Footy) und Rugby gehören zu den großen Zuschauersportarten. Das britische Cricket ist für Touristen aus anderen Kulturkreisen meist recht langweilig. Rugby macht schon mehr her, und Footy-Spiele sind attraktive Ereignisse. Die Australier sind aber auch sehr aktive Sportler, sie haben Weltklasse-Athleten in der Leichtathletik, im Tennis, Schwimmen, Segeln und anderen Sportarten hervorgebracht. Angesichts solcher Sportbegeisterung ist es sehr wahrscheinlich, daß die Olympischen Spiele 2000 in Sydney ein großes Ereignis werden. Der sportliche Eifer hat dazu geführt, daß Tennis und Golf echte Volkssportarten geworden sind, die man im ganzen Land preiswert und unkompliziert ausüben kann. Fast überall, wo Wasser ist, kann man auch Segelboote mieten, Swimmingpools gehören selbst in kleineren Hotels zur Standardausstattung, und in den Städten findet sich mindestens ein Vermieter von Fahrrädern. Und Strände hat das Land wie Sand am Meer.

Sprachtips

Mit Schul- oder Oxford-Englisch ist man in Australien ziemlich verloren. Die Aussies haben binnen 200 Jahren ihre eigene Version der Weltsprache entwickelt, die sie selbstironisch und lautmalerisch *Strine* nennen. So hört sich *australian* im einheimischen Idiom

an. Doch tröstlicherweise hat man sich binnen weniger Tage in diese Sprache eingehört. Schwieriger ist es schon, die eigenen Wortkreationen dieses Landes zu erlernen, zumal diese oft als Abkürzungen daherkommen. So ist ein *arvo* ein *afternoon* (Nachmittag), ein *bloke* ist ein Mann oder Kerl, ein *dunny* ist ein Toilettenhaus, *grog* ist jede Form von Alkohol und eine *sheila* ist eine vorzugsweise junge Frau. Die Aussies haben bei der Verkürzung und der Verstümmelung ihrer einstigen Mutterlandsprache gute Arbeit geleistet: Ganze Lexika füllen die Sprachschöpfungen. Tröstlich ist jedoch, daß man auch mit ganz normalen, durchschnittlichen Englisch-Kenntnissen gut durch das Land kommt. Schließlich wandern dort jährlich Tausende ein – und die sind auch nicht gleich perfekt in *Strine*.

Pelikane sind an allen Küsten Australiens heimisch

Serviceteil

Österreich ℗ 00 11 43 und in die Schweiz ℗ 00 11 41. Möchte man von Europa nach Australien telefonieren, wählt man die Vorwahl ℗ 00 61. Die Telefonauskunft hat für das jeweilige Ortsnetz die Nummer ℗ 0 13, für Australien ℗ 01 75, für Übersee ℗ 01 03.

Telefonieren

Mitte der 90er Jahre hat Australien sein Telefonsystem völlig umgestellt. Danach sind jetzt fast alle Telefonnummern achtstellig (sechsstellige Nummern, die mit den Ziffern 13 beginnen, werden im ganzen Land als Ortsgespräche berechnet). In den neuen Nummern sind die ehemaligen Ortsvorwahlen eingearbeitet. So gibt es nur noch vier regionale Vorwahlnummern, die in etwa mit den Staatsgrenzen übereinstimmen: 02 (New South Wales, Canberra), 03 (Victoria, Tasmanien, Südwesten von New South Wales), 07 (Queensland), 08 (South Australia, Northern Territory, Western Australia).

Seitdem die staatliche Telefongesellschaft Telstra mit der Firma Optus private Konkurrenz erhalten hat, sinken die Tarife allmählich, sind aber für Übersee-Gespräche immer noch recht hoch. Die öffentlichen Telefonzellen sind Telstra-Anschlüsse. Telefonkarten für 5, 10, 20 oder 50 Dollar gibt es in vielen Geschäften, zum Beispiel beim *newsagent*, dem Zeitschriftenhändler. Viele öffentliche Apparate akzeptieren auch die gängigen Kreditkarten. Die Vorwahl für Gespräche nach Deutschland ist ℗ 00 11 49, nach

Trinkgeld

In Australien ist Trinkgeld noch weithin unüblich, in den Großstädten und den internationalen Hotels breitet sich das Trinkgeldgeben aber allmählich aus. In Taxis rundet man die Beträge zum vollen Dollar auf, im Pub läßt man die kleinen Münzen bisweilen auf dem Tresen liegen.

Unterkunft

Australien bietet jede Form der Unterkunft vom Luxushotel bis zum Zeltcamp. *Hotels* sind auf dem Land in der Regel Kneipen, die früher einfache Gästezimmer hatten. Einige dieser Hotels haben die alten Zimmer wieder hergerichtet und bieten jetzt *pubstays* an. Zu den Besonderheiten gehören *farmstays*, beispielsweise auf Schafsfarmen; das entspricht unseren »Ferien auf dem Bauernhof«. Unterkünfte vermitteln die lokalen Touristikbüros, die ein enges Netz bilden. Diese Büros sind – vor allem in Urlaubsgebieten und Städten – gute Adressen für die Vermittlung von Ferienwohnungen. Außerhalb der

»Opera in the Outback«: Wenn in der Yalkarindha Gorge in South Australia Arien erklingen, nächtigen die Opernfreunde in Zelten

Transportmittel und Touristenattraktion: Die Kuranda Scenic Railway im Norden von Queensland

Städte werden Hotels meist als Motels bezeichnet. Ketten wie Flag und Best Western bieten auch Gutschein-Systeme an, die man im ganzen Land einsetzen kann, mit ihnen sind die Übernachtungen meist etwas preiswerter. Beliebt sind auch Bed & Breakfast-Pensionen wegen der Möglichkeit, mit den Wirtsleuten in Kontakt zu kommen. Eine angenehme Besonderheit australischer Hotels und Motels sind Teebeutel, Pulverkaffee und ein Heißwasser-Bereiter in jedem Zimmer; Tee und Kaffee sind im Preis eingeschlossen.

Verkehrsmittel

Wegen der großen Entfernungen sind Flugzeuge das meistgenutzte Verkehrsmittel für längere Strecken, Fliegen ist im Land relativ teuer. Wer aus Übersee kommt, kann bei den wichtigsten Fluglinien Qantas und Ansett »Pässe« erwerben, die die Inlandsflüge verbilligen. Über die aktuellen Konditionen informiert das Australische Touristikbüro in Frankfurt (siehe: Auskunft). Kleinere Fluggesellschaften unterhalten recht gute regionale Netze. Im Outback ist es auch üblich, kleine Maschinen für Flüge zu entlegenen Pisten zu chartern.

Die Eisenbahn unterhält in Australien nur ein beschränktes Netz, das sich auf die Bevölkerungszentren konzentriert. Attraktive Fernzüge für Touristen sind der »Indian Pacific« zwischen Sydney und Perth und der »Ghan« zwischen Adelaide und Alice Springs. Gute Fernverbindungen bestehen zwischen Adelaide, Melbourne, Sydney und Brisbane; für Australiens Züge gibt es verschiedene preiswerte Pässe mit unterschiedlich langer Gültigkeitsdauer. »Rail Australia« wird vertreten von Brits International, Plinganser Str. 12, 81369 München, © (089) 725795 50, Fax (089) 72545 16. Orient-Express, eine private Bahn- und Hotelgesellschaft, setzt an der australischen Ostküste einen Luxuszug ein; Näheres dazu in den Reisebüros.

Australien hat ein gutes nationales Busnetz, das vor allem von den Gesellschaften Greyhound/Pioneer und McCafferty's bedient wird. Beide Gesellschaften haben auch verschiedene Pässe eingeführt, mit denen die ohnehin günstigen Preise noch gesenkt werden können. Daneben gibt es zahlreiche Unternehmen, die geführte Bustouren durch verschiedene Teile des Landes anbieten. Wer bei diesen Touren eine deutschsprachige Führung wünscht, sollte sie besser in Deutschland, Österreich oder der Schweiz buchen.

acht Stunden voraus ist. Die Western Standard Time (WST) in Western Australia ist der mitteleuropäischen Zeit um sieben Stunden voraus. Zudem stellen die südlichen Staaten zu unterschiedlichen Terminen auf Sommerzeit um. Western Australia schließt sich dem nicht an.

Die einzige Linienschiffahrt in Australien ist die Fähre zwischen Melbourne und Devonport auf Tasmanien, die Überfahrt dauert jeweils eine Nacht. Speziell für Touristen sind Kreuzfahrten auf dem Murray River, am Great Barrier Reef und vor der einsamen Nordküste aufgelegt worden. Große Kreuzfahrtschiffe starten von der Ostküste aus zu Touren durch die Südsee.

Zeitzonen

Australien hat drei Zeitzonen. Die Eastern Standard Time (EST) gilt für Queensland, New South Wales, Canberra, Victoria und Tasmania, sie ist der Zeit in Mitteleuropa um neun Stunden voraus. Im Northern Territory und in South Australia gilt die Central Standard Time (CST), die der mitteleuropäischen Zeit um

Zoll

Volljährige Touristen dürfen einen Liter Alkohol, 250 Gramm Tabak und Geschenke im Wert von 400 Dollar einführen (Jugendliche lediglich Geschenke im Wert von 200 Dollar). Die Einfuhr von Drogen, Waffen und Lebensmitteln ist streng untersagt, einreisende Touristen werden häufig daraufhin untersucht. Schon bei der Einreise warten an der Kofferausgabe meistens Polizeibeamte mit speziell trainierten Hunden, die entweder Drogen oder Lebensmittel erschnüffeln. Zum Schutz der Landwirtschaft vor Ungeziefer dürfen auch innerhalb des Landes Obst und verschiedene Lebensmittel zwischen den Staaten nicht transportiert werden, regelmäßig kontrolliert wird dies jedoch nur an den Grenzen zu Western Australia.

Hinweisschild am Oodnadatta Track nördlich von Coober Pedy

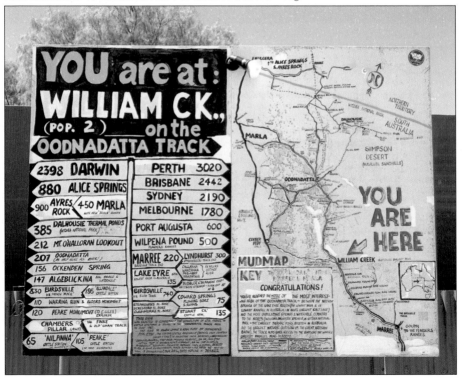

Register

Orts- und Sachregister

Die *kursiv* gesetzten Begriffe bzw. Seitenzahlen beziehen sich auf Angaben im Serviceteil, **fette** Ziffern verweisen auf ausführliche Erwähnungen.

Register

Register

Register

Namenregister

VISTA POINT Reiseführer-Sonderausgaben

ISBN 3-88973-347-6
272 Seiten mit 122 Farbabb.
und 24 Karten.
Format: 15 x 21 cm, kart.

ISBN 3-88973-346-8
248 Seiten mit 125 Farbabb.
und 12 Karten.
Format: 15 x 21 cm, kart.

ISBN 3-88973-351-4
224 Seiten mit 139 Farbabb.
und 20 Karten.
Format: 15 x 21 cm, kart.

ISBN 3-88973-344-1
240 Seiten mit 120 Farbabb.
und 24 Karten.
Format: 15 x 21 cm, kart.

ISBN 3-88973-348-4
232 Seiten mit 162 Farbabb.
und 18 Karten.
Format: 15 x 21 cm, kart.

ISBN 3-88973-349-2
264 Seiten mit 126 Farbabb.
und 23 Karten.
Format: 15 x 21 cm, kart.

ISBN 3-88973-354-9
240 Seiten mit 190 Farbabb.
und 24 Karten.
Format: 15 x 21 cm, kart.

ISBN 3-88973-353-0
256 Seiten mit 116 Farbabb.
und 14 Karten.
Format: 15 x 21 cm, kart.

- Hervorragendes Preis-Lei-stungs-Verhältnis
- Optimal zur Reiseplanung
- Hintergrundinfos plus Routen-vorschläge
- Kartenausschnitte mit den eingezeichneten Routenvor-schlägen
- Service von Anreise bis Zoll plus Register
- Übersichtliche Gliederung
- Farbig abgesetzte Service-Informationen
- Mit ausgezeichneten Farbfotos

Bildnachweis

Fridmar Damm, Köln: Titelbild, S. 13, 15, 16, 28/29, 30, 100, 102, 104, 159, 203, 210
Clemens Emmler/laif, Köln: S. 17, 63 u., 67 o., 74 o., 74 u., 78, 96/97, 98, 101
Hans Georg Esch, Köln: S. 6
Foto ATC, Frankfurt/Main: S. 34, 217 u.
Peter Ginter, Köln: Innentitel (S. 1), S. 142, 217 o.
Dieter Kreutzkamp, Bad Münder: S. 92/93, 99, 103, 105, 123, 205
J. M. La Roque/laif, Köln: S. 4/5, 129
Holger Leue, Haunetal: S. 42/43, 44/45, 46 u.
Montanus Bildagentur, München (Don Fuchs): S. 94, 200
Oliver Niehues, Köln: S. 164/165
Queensland Tourist & Travel Corporation, München: S. 45 o., 46/47
Sadako Films, Williamstown/Australia (Ted Grambeau): S. 39
Tourism Victoria, Reinheim: S. 85
Klaus Viedebantt, Frankfurt/Main: S. 19 o., 19 u., 40, 79, 223
Wolfgang R. Weber, Darmstadt: S. 7, 9, 14, 18, 20, 22, 24/25, 26, 31, 33, 35, 36, 37, 41, 48, 49,
    50, 51, 52, 54, 55, 56, 58/59, 60, 61, 64, 65, 66 o., 66 u., 67 u., 68/69, 70, 71, 73, 75, 76/77,
    80, 81, 82/83, 86/87, 87 r., 88, 89, 91, 106/107, 108, 109, 110, 111, 112/113, 113 r., 115,
    116, 117, 118, 120/121, 122, 124/125, 126, 127, 128, 133, 134, 137, 140, 144, 145, 148, 150,
    151, 152, 154/155, 157, 169, 172, 173, 176, 177, 179, 183, 186, 188, 194, 195, 196/197, 212,
    213, 214, 216, 218, 220, 221 o., 221 u., 222, 224, Umschlagrückseite
White Star, Hamburg (G. P. Reichelt): S. 53, 63 o., 185
Gaby Wojciech, Köln: S. 10 l., 10 r., 11, 130, 219
Ernst Wrba, Sulzbach/Taunus: S. 8, 12, 46 o., 76 l., 215
Vista Point Verlag (Archiv), Köln: Umschlaginnenseite, S. 23, 167, 172, 206

Titelbild: Der Koala – Australiens inoffizielles Wappentier. Foto: Fridmar Damm, Köln
Innentitel: Vor dem Aufstieg auf den Ayers Rock. Foto: Peter Ginter, Köln
Umschlagrückseite: Feuerwerk im Hafen von Sydney. Foto: Wolfgang R. Weber, Darmstadt

Konzeption, Layout und Gestaltung dieser Publikation bilden eine Einheit, die eigens für die Buch-
reihe der **Vista Point Schönste Routen** entwickelt wurde. Sie unterliegt dem Schutz geistigen Ei-
gentums und darf weder kopiert noch nachgeahmt werden.

© 2000 Vista Point Verlag, Köln
Alle Rechte vorbehalten
Reihenkonzeption: Horst Schmidt-Brümmer, Andreas Schulz
Lektorat: Andrea Herfurth-Schindler
Layout und Herstellung: Sandra Penno-Vesper, Britta Wilken
Reproduktionen: HRP Reprotechnik, Essen; Litho Köcher, Köln
Kartographie: Berndtson & Berndtson Productions GmbH, Fürstenfeldbruck
Gedruckt auf chlorfrei gebleichtem Papier

Printed in Spain
ISBN 3-88973-348-4

VISTA POINT VERLAG
Händelstr. 25–29 · 50674 Köln · Postfach 27 05 72 · 50511 Köln
Telefon: 02 21/92 16 13-0 · Telefax: 02 21/92 16 13 14
E-Mail: info@vistapoint.de · Internet: **www.vistapoint.de**